KB086977

교과서 GO! 사고력 GO!

Go! 매쓰

Run-A

교과서 사고력

수학 4-2

구성과 특징

1주차 교과 집중 학습

1 교과서 개념 완성

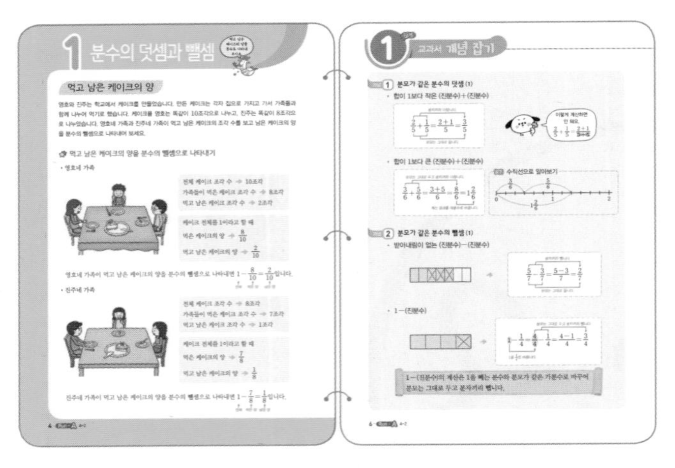

재미있는 수학 이야기로 단원에 대한 흥미를 높이고, 교과서 개념과 기본 문제를 학습합니다.

2 교과서 개념 PLAY

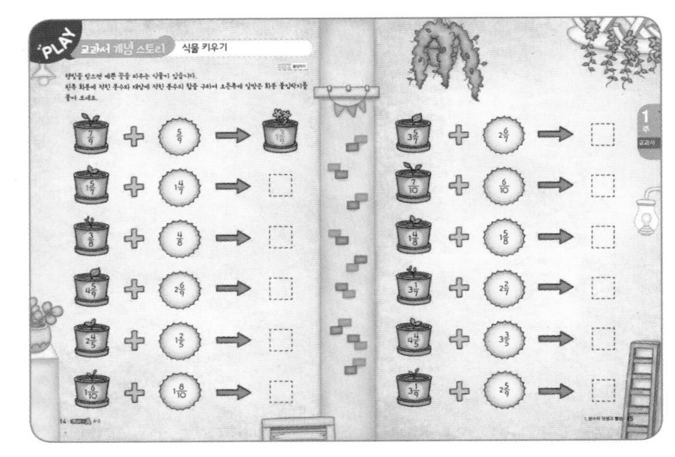

게임으로 개념을 학습하면서 집중력을 높여 쉽게 개념을 익히고 기본을 탄탄하게 만듭니다.

3 문제 풀이로 실력 & 자신감 UP!

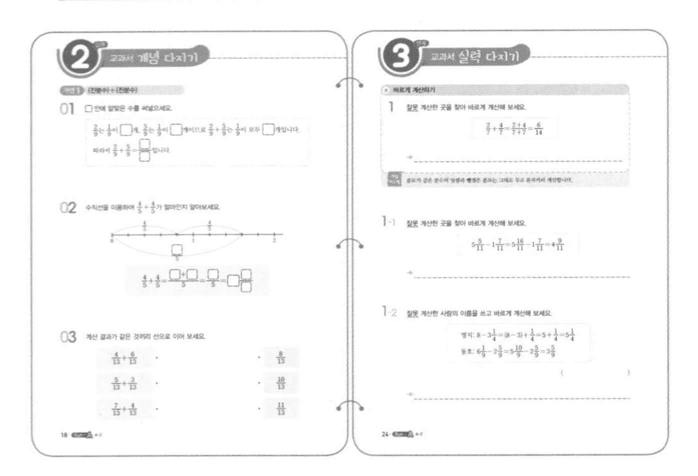

한 단계 더 나아간 교과서와 익힘 문제로 개념을 완성하고, 다양한 문제 유형으로 응용력을 키웁니다.

4 서술형 문제 풀이

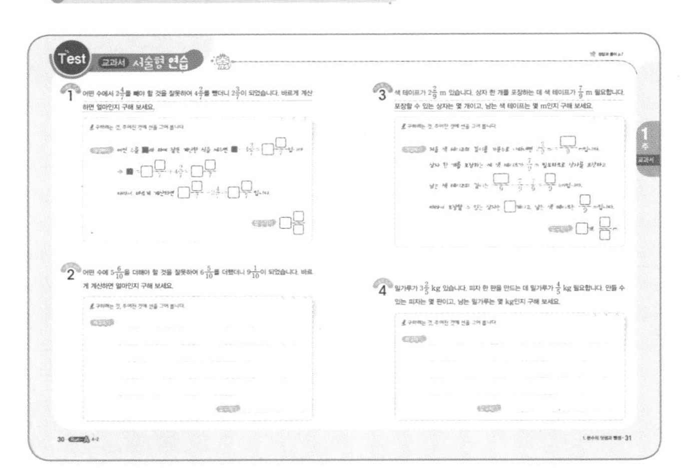

시험에 잘 나오는 서술형 문제 중심으로 단계별로 풀이하는 연습을 하여 서술하는 힘을 높여 줍니다.

교과 + 사고력
2주에 한 단원 완성!

2 주차 사고력 확장 학습

1 사고력 PLAY

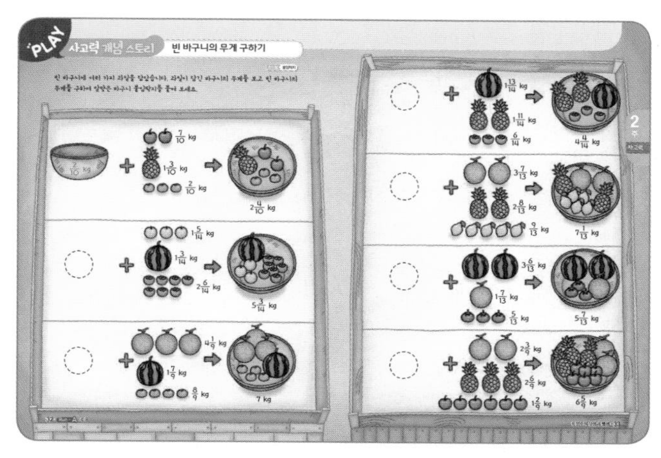

교과 심화 문제와 사고력 문제를 게임으로 쉽게 접근하여 어려운 문제에 대한 거부감을 낮추고 집중력을 높입니다.

2 교과 사고력 잡기

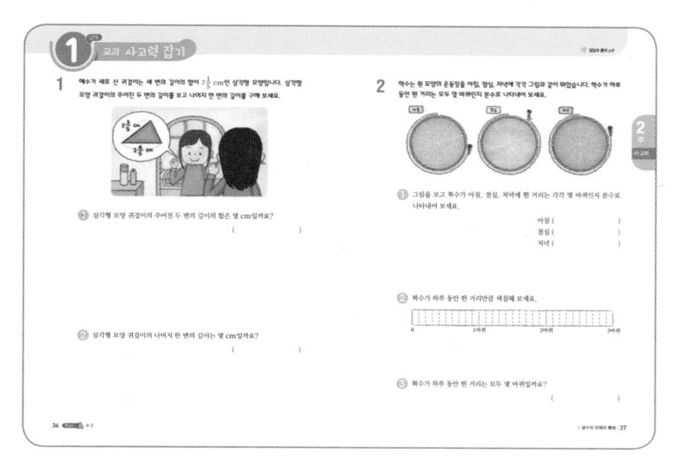

문제에 필요한 요소를 찾아 단계별로 해결하면서 문제 해결력을 키울 수 있는 힘을 기릅니다.

3 교과 사고력 확장 + 완성

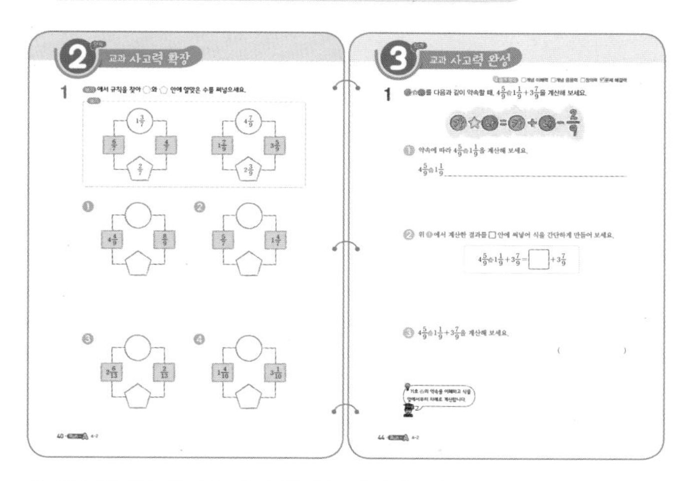

틀에서 벗어난 생각을 하여 문제를 해결하는 창의적 사고력을 기를 수 있는 힘을 기릅니다.

4 종합평가 / 특강

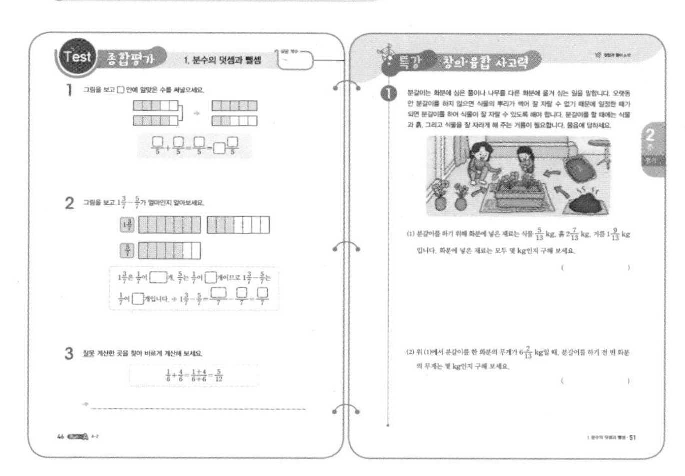

교과 학습과 사고력 학습을 얼마나 잘 이해하였는지 평가하여 배운 내용을 정리합니다.

1 분수의 덧셈과 뺄셈

먹고 남은 케이크의 양

영호와 진주는 학교에서 케이크를 만들었습니다. 만든 케이크는 각자 집으로 가지고 가서 가족들과 함께 나누어 먹기로 했습니다. 케이크를 영호는 똑같이 10조각으로 나누고, 진주는 똑같이 8조각으로 나누었습니다. 영호네 가족과 진주네 가족이 먹고 남은 케이크의 조각 수를 보고 남은 케이크의 양을 분수의 뺄셈으로 나타내어 보세요.

먹고 남은 케이크의 양을 분수의 뺄셈으로 나타내기

• 영호네 가족

전체 케이크 조각 수 ➔ 10조각
가족들이 먹은 케이크 조각 수 ➔ 8조각
먹고 남은 케이크 조각 수 ➔ 2조각

케이크 전체를 1이라고 할 때
먹은 케이크의 양 ➔ $\frac{8}{10}$
먹고 남은 케이크의 양 ➔ $\frac{2}{10}$

영호네 가족이 먹고 남은 케이크의 양을 분수의 뺄셈으로 나타내면 $1-\frac{8}{10}=\frac{2}{10}$입니다.
(전체, 먹은 양, 남은 양)

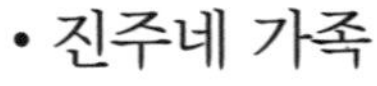

• 진주네 가족

전체 케이크 조각 수 ➔ 8조각
가족들이 먹은 케이크 조각 수 ➔ 7조각
먹고 남은 케이크 조각 수 ➔ 1조각

케이크 전체를 1이라고 할 때
먹은 케이크의 양 ➔ $\frac{7}{8}$
먹고 남은 케이크의 양 ➔ $\frac{1}{8}$

진주네 가족이 먹고 남은 케이크의 양을 분수의 뺄셈으로 나타내면 $1-\frac{7}{8}=\frac{1}{8}$입니다.
(전체, 먹은 양, 남은 양)

주어진 분수만큼 색칠해 보세요.

❶ $\frac{7}{6}$

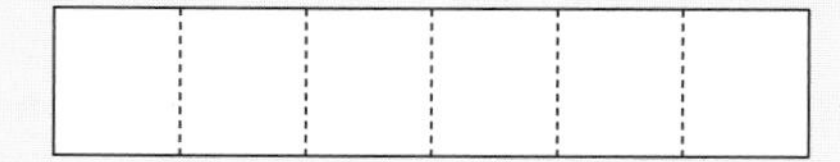

❷ $\frac{17}{8}$

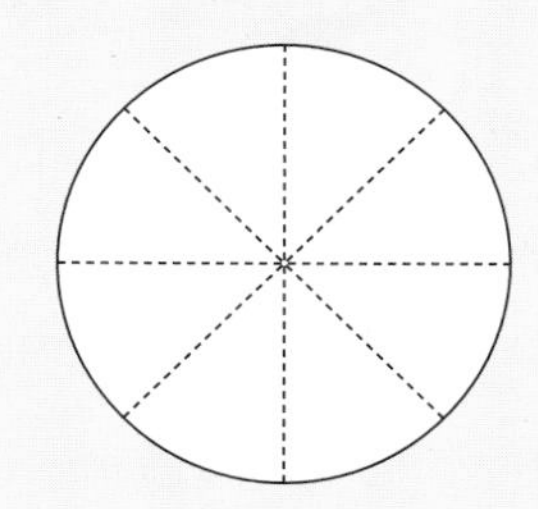

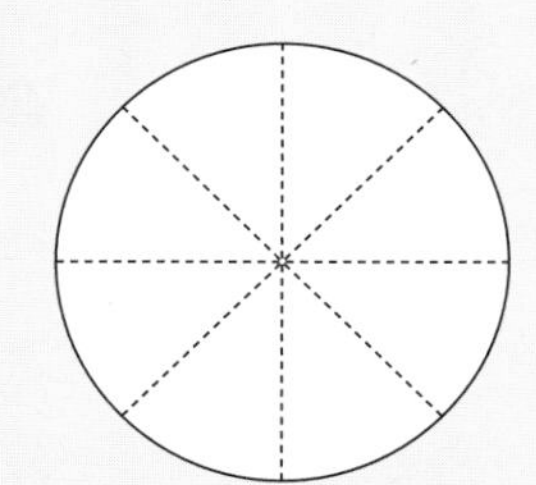

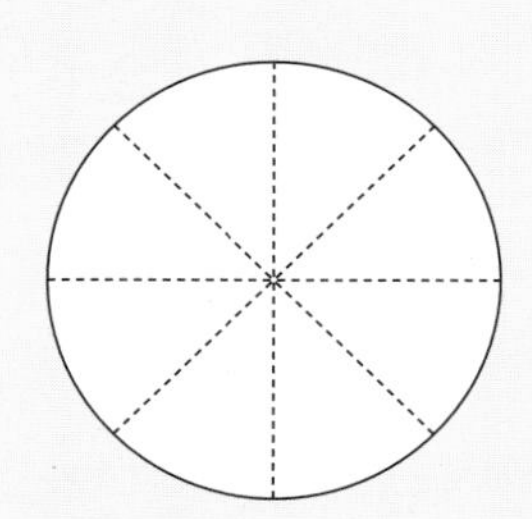

먹고 남은 초콜릿 조각만큼 색칠하고 분수의 뺄셈으로 나타내어 보세요.

❶

초콜릿 8조각 중에서 □조각을 먹고 □조각 남았습니다. ➔ $1-\frac{\square}{8}=\frac{\square}{\square}$

❷

초콜릿 8조각 중에서 □조각을 먹고 □조각 남았습니다. ➔ $1-\frac{\square}{8}=\frac{\square}{\square}$

1단계 교과서 개념 잡기

개념 1 분모가 같은 분수의 덧셈 (1)

• 합이 1보다 작은 (진분수)+(진분수)

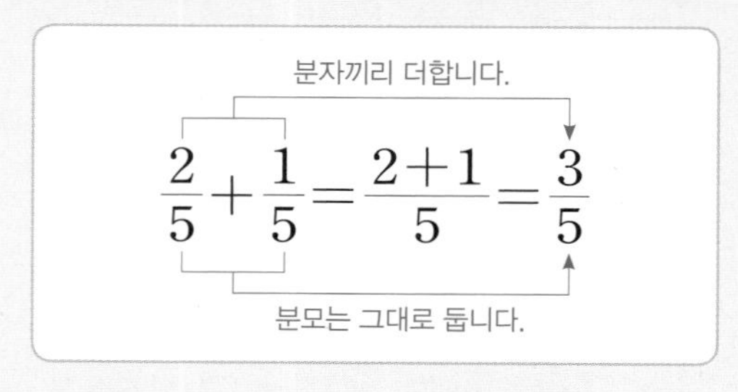

분자끼리 더합니다.
$\frac{2}{5}+\frac{1}{5}=\frac{2+1}{5}=\frac{3}{5}$
분모는 그대로 둡니다.

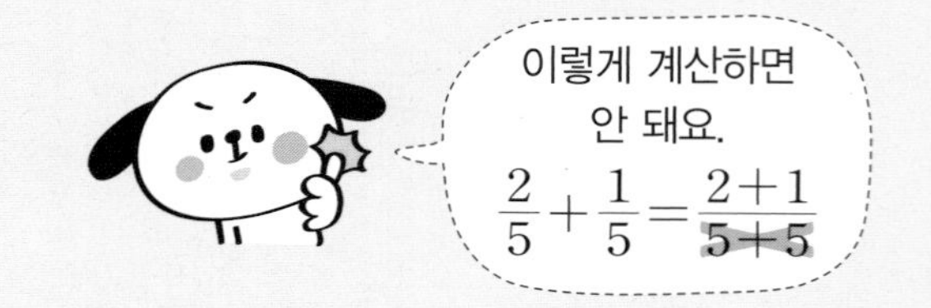

이렇게 계산하면 안 돼요.
$\frac{2}{5}+\frac{1}{5}=\frac{2+1}{5+5}$

• 합이 1보다 큰 (진분수)+(진분수)

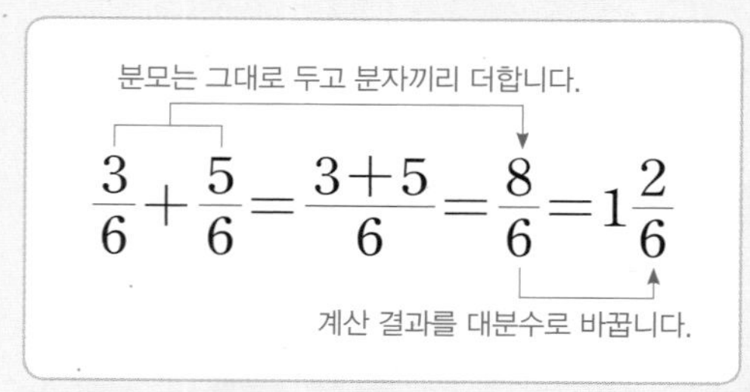

분모는 그대로 두고 분자끼리 더합니다.
$\frac{3}{6}+\frac{5}{6}=\frac{3+5}{6}=\frac{8}{6}=1\frac{2}{6}$
계산 결과를 대분수로 바꿉니다.

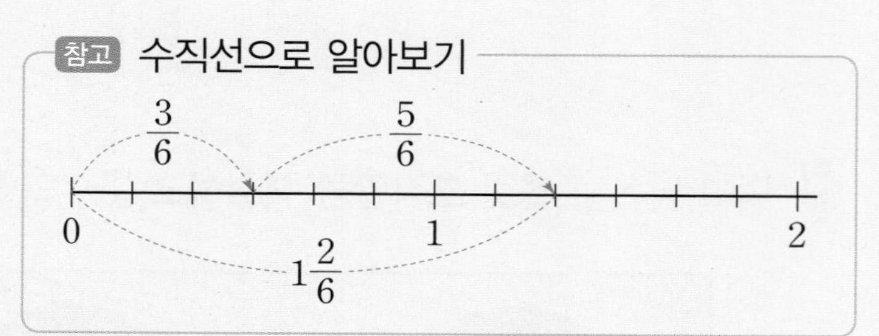

개념 2 분모가 같은 분수의 뺄셈 (1)

• 받아내림이 없는 (진분수)−(진분수)

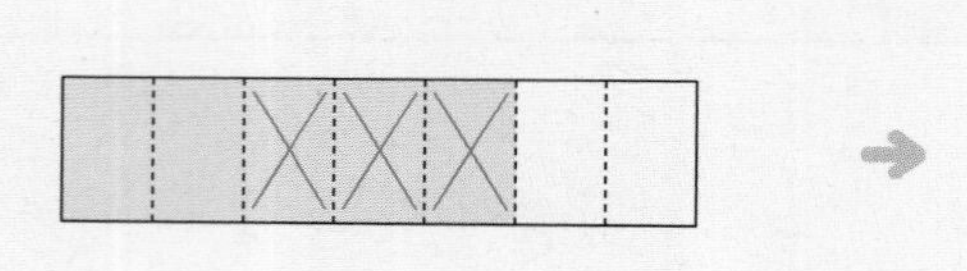

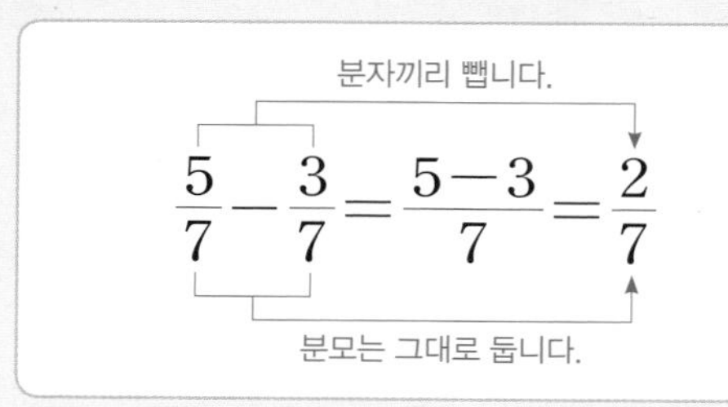

분자끼리 뺍니다.
$\frac{5}{7}-\frac{3}{7}=\frac{5-3}{7}=\frac{2}{7}$
분모는 그대로 둡니다.

• 1−(진분수)

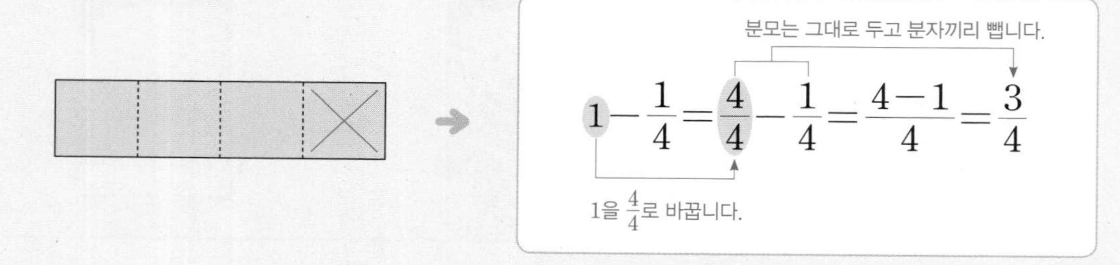

분모는 그대로 두고 분자끼리 뺍니다.
$1-\frac{1}{4}=\frac{4}{4}-\frac{1}{4}=\frac{4-1}{4}=\frac{3}{4}$
1을 $\frac{4}{4}$로 바꿉니다.

1−(진분수)의 계산은 1을 빼는 분수와 분모가 같은 가분수로 바꾸어 분모는 그대로 두고 분자끼리 뺍니다.

1-1 그림에 $\frac{2}{6}+\frac{3}{6}$만큼 색칠하고 □ 안에 알맞은 수를 써넣으세요.

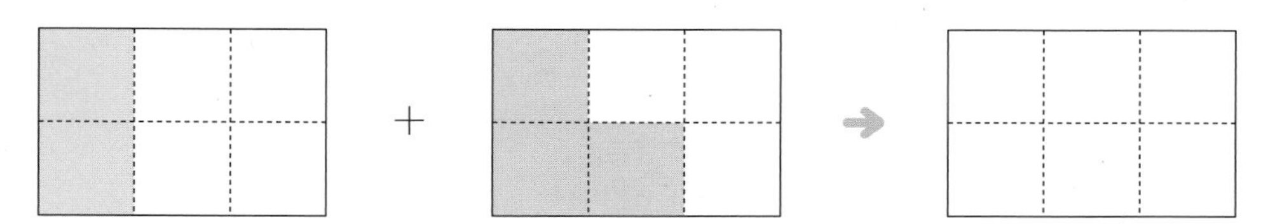

$$\frac{2}{6}+\frac{3}{6}=\frac{\square+\square}{6}=\frac{\square}{\square}$$

1-2 계산해 보세요.

(1) $\frac{3}{8}+\frac{1}{8}$

(2) $\frac{4}{11}+\frac{5}{11}$

2-1 수직선을 이용하여 $\frac{8}{10}-\frac{2}{10}$가 얼마인지 알아보세요.

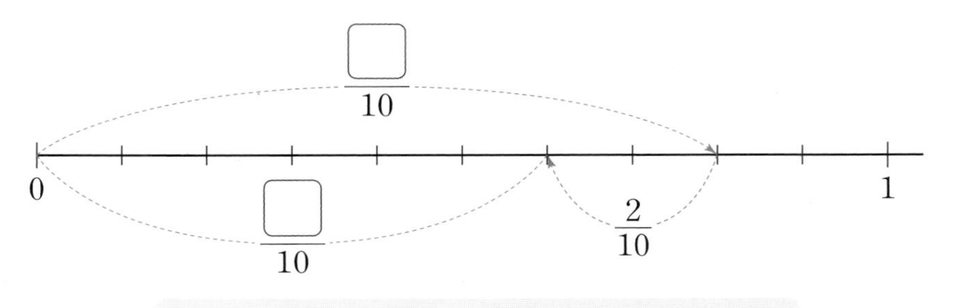

$$\frac{8}{10}-\frac{2}{10}=\frac{\square-\square}{10}=\frac{\square}{\square}$$

2-2 계산해 보세요.

(1) $\frac{5}{7}-\frac{1}{7}$

(2) $\frac{12}{15}-\frac{8}{15}$

(3) $1-\frac{2}{6}$

(4) $1-\frac{5}{9}$

개념 3 분모가 같은 분수의 덧셈 (2)

• 받아올림이 없는 (대분수)+(대분수)

방법1 **자연수 부분**끼리, **진분수 부분**끼리 더한 결과를 더합니다.

자연수 부분

$$2\frac{2}{7}+1\frac{3}{7}=(2+1)+\left(\frac{2}{7}+\frac{3}{7}\right)=3+\frac{5}{7}=3\frac{5}{7}$$

진분수 부분

방법2 대분수를 **가분수로 바꾸어** 더한 다음 계산 결과를 대분수로 바꿉니다.

$$2\frac{2}{7}+1\frac{3}{7}=\frac{16}{7}+\frac{10}{7}=\frac{26}{7}=3\frac{5}{7}$$

대분수 ➔ 가분수　　가분수 ➔ 대분수

• 받아올림이 있는 (대분수)+(대분수)

방법1 자연수 부분끼리, 진분수 부분끼리 더한 결과를 더합니다.

$$5\frac{2}{3}+1\frac{2}{3}=(5+1)+\left(\frac{2}{3}+\frac{2}{3}\right)=6+\frac{4}{3}=6+1\frac{1}{3}=7\frac{1}{3}$$

가분수 ➔ 대분수

방법2 대분수를 가분수로 바꾸어 더한 다음 계산 결과를 대분수로 바꿉니다.

$$5\frac{2}{3}+1\frac{2}{3}=\frac{17}{3}+\frac{5}{3}=\frac{22}{3}=7\frac{1}{3}$$

개념 4 분모가 같은 분수의 뺄셈 (2)

• 받아내림이 없는 (대분수)−(대분수)

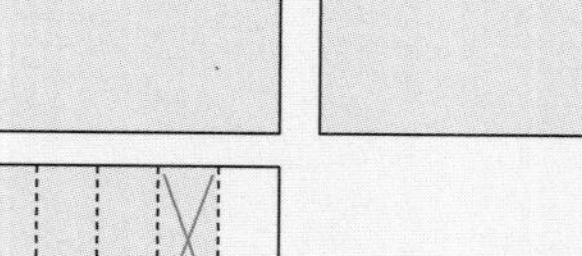

$$4\frac{4}{5}-1\frac{1}{5}=3\frac{3}{5}$$

$4\frac{4}{5}$에서 $1\frac{1}{5}$만큼 ×표 하고 남은 부분은 $3\frac{3}{5}$이에요.

방법1 **자연수 부분**끼리, **진분수 부분**끼리 뺀 결과를 더합니다.

$$4\frac{4}{5}-1\frac{1}{5}=(4-1)+\left(\frac{4}{5}-\frac{1}{5}\right)=3+\frac{3}{5}=3\frac{3}{5}$$

방법2 대분수를 **가분수로 바꾸어** 뺀 다음 계산 결과를 대분수로 바꿉니다.

$$4\frac{4}{5}-1\frac{1}{5}=\frac{24}{5}-\frac{6}{5}=\frac{18}{5}=3\frac{3}{5}$$

3-1 □ 안에 알맞은 수를 써넣으세요.

$$3\frac{3}{8}+1\frac{4}{8}=(3+\square)+\left(\frac{\square}{8}+\frac{\square}{8}\right)=\square+\frac{\square}{8}=\square\frac{\square}{\square}$$

3-2 보기 와 같은 방법으로 계산해 보세요.

보기

$$2\frac{3}{4}+1\frac{2}{4}=\frac{11}{4}+\frac{6}{4}=\frac{17}{4}=4\frac{1}{4}$$

(1) $3\frac{5}{7}+2\frac{3}{7}$ ____________________

(2) $1\frac{4}{8}+5\frac{6}{8}$ ____________________

4-1 계산해 보세요.

(1) $6\frac{7}{11}-2\frac{3}{11}$

(2) $2\frac{6}{7}-1\frac{3}{7}$

4-2 빈칸에 알맞은 수를 써넣으세요.

(1)

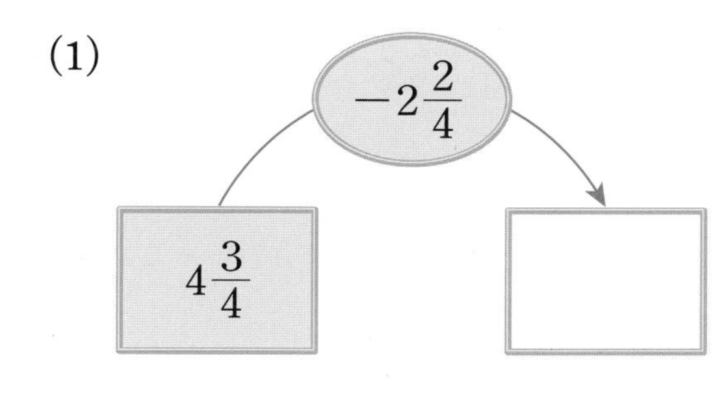

(2)

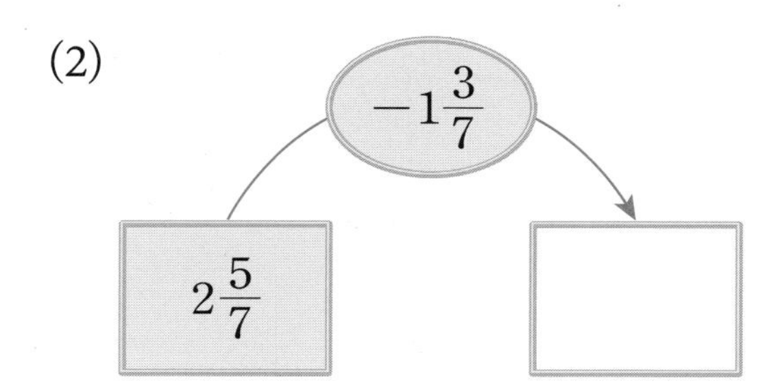

1단계 교과서 개념 잡기

개념 5 분모가 같은 분수의 뺄셈 (3)

• (자연수)−(대분수)

① 그림으로 $3-1\frac{3}{4}$ 알아보기

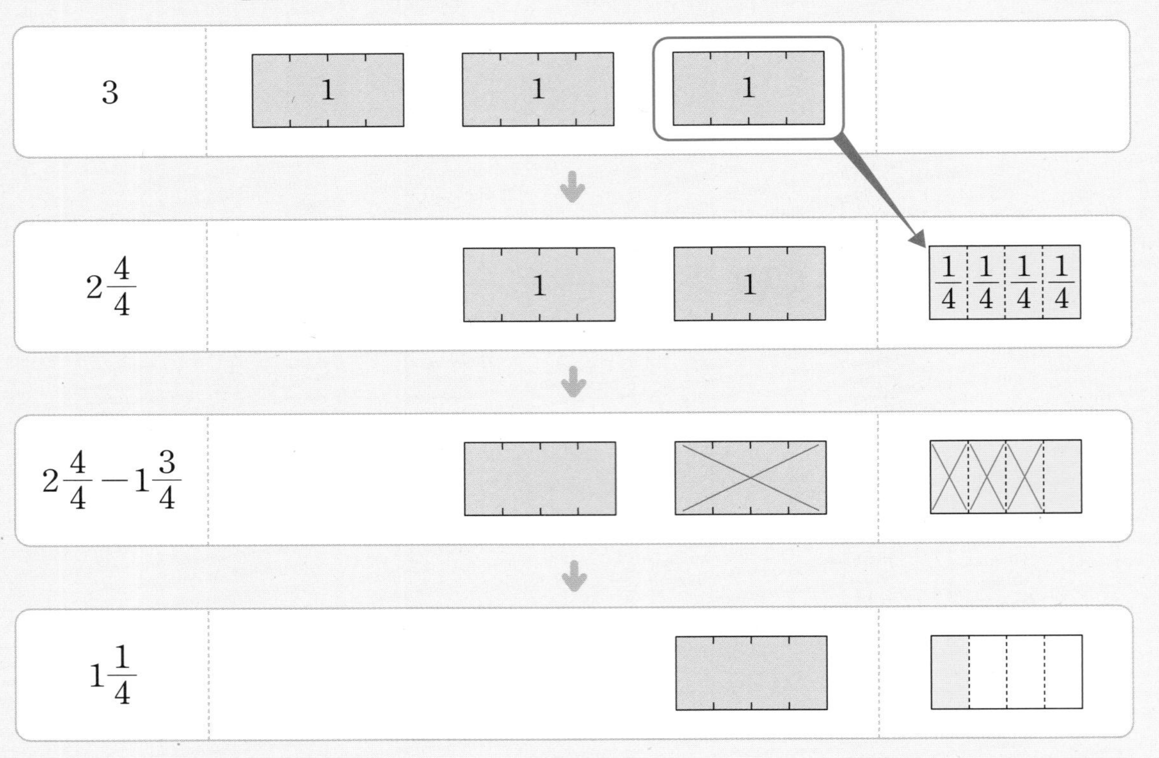

② 계산 방법 알아보기

방법1 **자연수에서 1만큼을 분수로 바꾸어** 자연수 부분끼리, 분수 부분끼리 뺀 결과를 더합니다.

자연수에서 1만큼을 분수로 바꿉니다.

$$3-1\frac{3}{4}=2\frac{4}{4}-1\frac{3}{4}=(2-1)+\left(\frac{4}{4}-\frac{3}{4}\right)=1+\frac{1}{4}=1\frac{1}{4}$$

방법2 두 수를 **가분수로 바꾸어** 뺀 다음 계산 결과를 대분수로 바꿉니다.

자연수 → 가분수

$$3-1\frac{3}{4}=\frac{12}{4}-\frac{7}{4}=\frac{5}{4}=1\frac{1}{4}$$

대분수 → 가분수

자연수를 가분수로 바꾸어 나타낼 수 있어요.
$3=\frac{6}{2}=\frac{9}{3}=\frac{12}{4}=\cdots\cdots$

5-1 그림을 보고 □ 안에 알맞은 수를 써넣으세요.

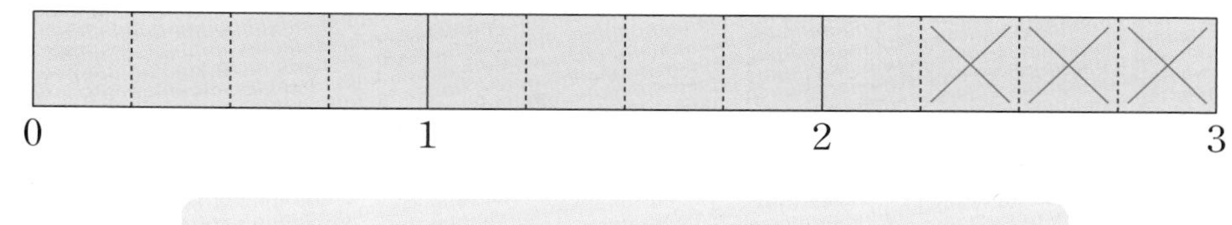

$3-\frac{3}{4}=\frac{\square}{4}-\frac{3}{4}=\frac{\square}{4}=\square\frac{\square}{\square}$

5-2 수직선을 보고 □ 안에 알맞은 수를 써넣으세요.

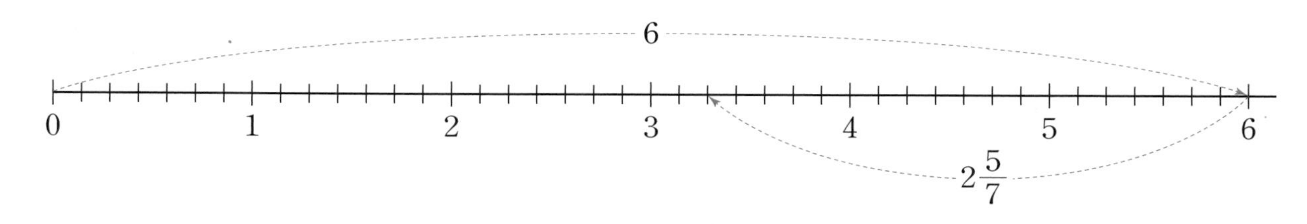

$6-2\frac{5}{7}=\square$

5-3 빈칸에 알맞은 수를 써넣으세요.

(1)

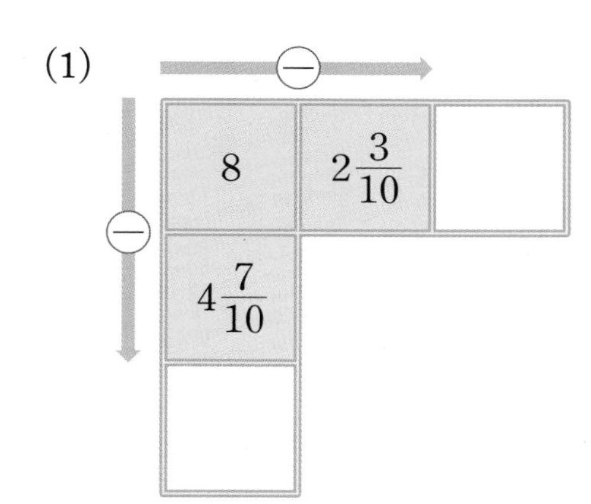

(2)

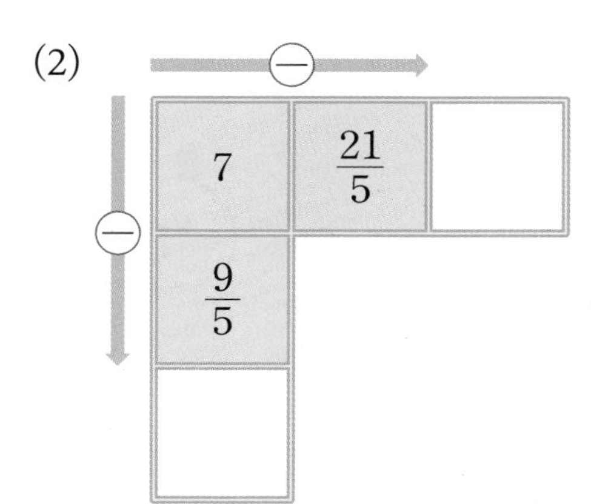

개념 6 분모가 같은 분수의 뺄셈 (4)

• 받아내림이 있는 (대분수)−(대분수)

① 그림으로 $3\frac{2}{5}-1\frac{4}{5}$ 알아보기

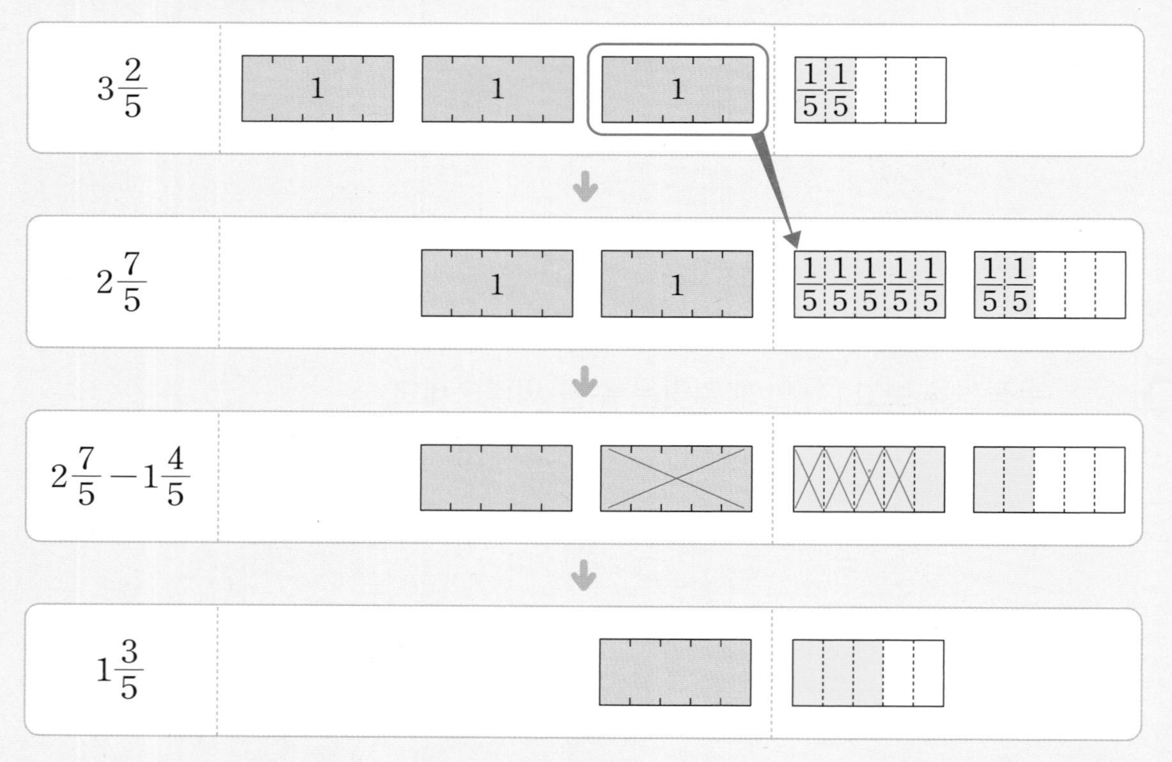

② 계산 방법 알아보기

방법1 **자연수에서 1만큼을 분수로 바꾸어** 자연수 부분끼리, 분수 부분끼리 뺀 결과를 더합니다.

$$3\frac{2}{5}-1\frac{4}{5}=2\frac{7}{5}-1\frac{4}{5}=(2-1)+\left(\frac{7}{5}-\frac{4}{5}\right)=1+\frac{3}{5}=1\frac{3}{5}$$

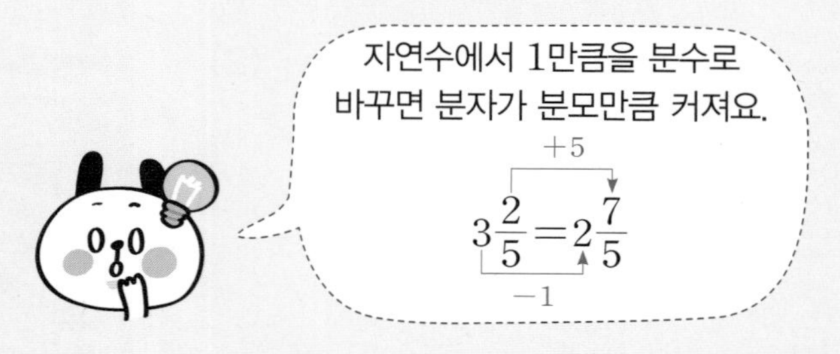

자연수에서 1만큼을 분수로
바꾸면 분자가 분모만큼 커져요.
+5
$3\frac{2}{5}=2\frac{7}{5}$
−1

방법2 두 수를 **가분수로 바꾸어** 뺀 다음 계산 결과를 대분수로 바꿉니다.

$$3\frac{2}{5}-1\frac{4}{5}=\frac{17}{5}-\frac{9}{5}=\frac{8}{5}=1\frac{3}{5}$$

6-1 수직선을 이용하여 $4\frac{2}{4}-1\frac{3}{4}$이 얼마인지 알아보세요.

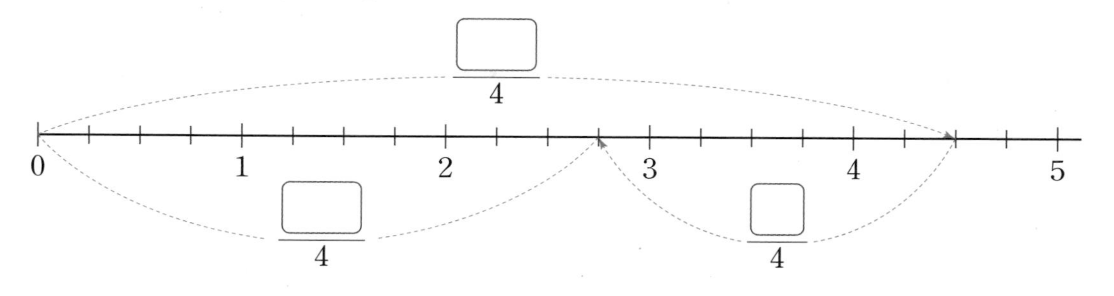

$4\frac{2}{4}-1\frac{3}{4}=\frac{\square}{4}-\frac{\square}{4}=\frac{\square}{4}=\square\frac{\square}{\square}$

6-2 그림을 보고 □ 안에 알맞은 수를 써넣으세요.

$3\frac{2}{6}$ ➔ $\frac{1}{6}$이 □개입니다.

$1\frac{5}{6}$ ➔ $\frac{1}{6}$이 □개입니다.

따라서 $3\frac{2}{6}-1\frac{5}{6}$는 $\frac{1}{6}$이 □개입니다. ➔ $3\frac{2}{6}-1\frac{5}{6}=\frac{\square}{6}=\square\frac{\square}{\square}$

6-3 빈칸에 두 분수의 차를 써넣으세요.

(1)

$9\frac{1}{6}$	$\frac{10}{6}$

(2)

$\frac{17}{4}$	$2\frac{3}{4}$

1 주 교과서

PLAY 교과서 개념 스토리 식물 키우기

준비물 붙임딱지

햇빛을 받으면 예쁜 꽃을 피우는 식물이 있습니다.
왼쪽 화분에 적힌 분수와 태양에 적힌 분수의 합을 구하여 오른쪽에 알맞은 화분 붙임딱지를 붙여 보세요.

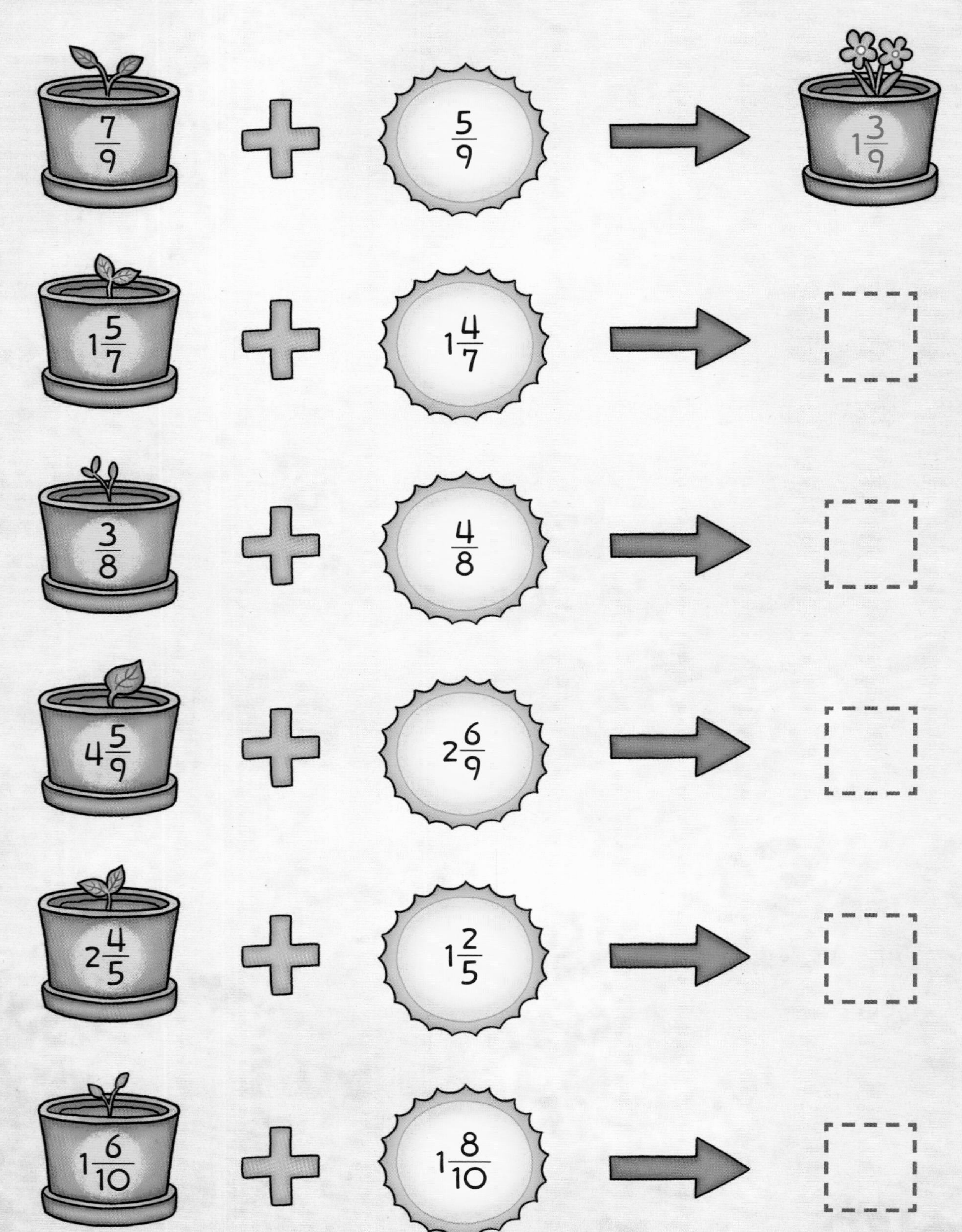

1 주
교과서
$3\frac{5}{7}$ + $2\frac{6}{7}$ →
$\frac{7}{10}$ + $\frac{6}{10}$ →
$1\frac{4}{8}$ + $1\frac{5}{8}$ →
$3\frac{1}{7}$ + $2\frac{2}{7}$ →
$4\frac{4}{5}$ + $3\frac{3}{5}$ →
$3\frac{1}{9}$ + $2\frac{5}{9}$ →
1. 분수의 덧셈과 뺄셈 15

PLAY 교과서 개념 스토리

남은 밀가루의 무게

준비물 붙임딱지

그릇에 담긴 밀가루를 사용하여 케이크를 만들었습니다. 케이크를 만들고 남은 밀가루는 봉지에 담아 보관하려고 할 때, 남은 밀가루의 무게가 적힌 밀가루 봉지 붙임딱지를 붙여 보세요.

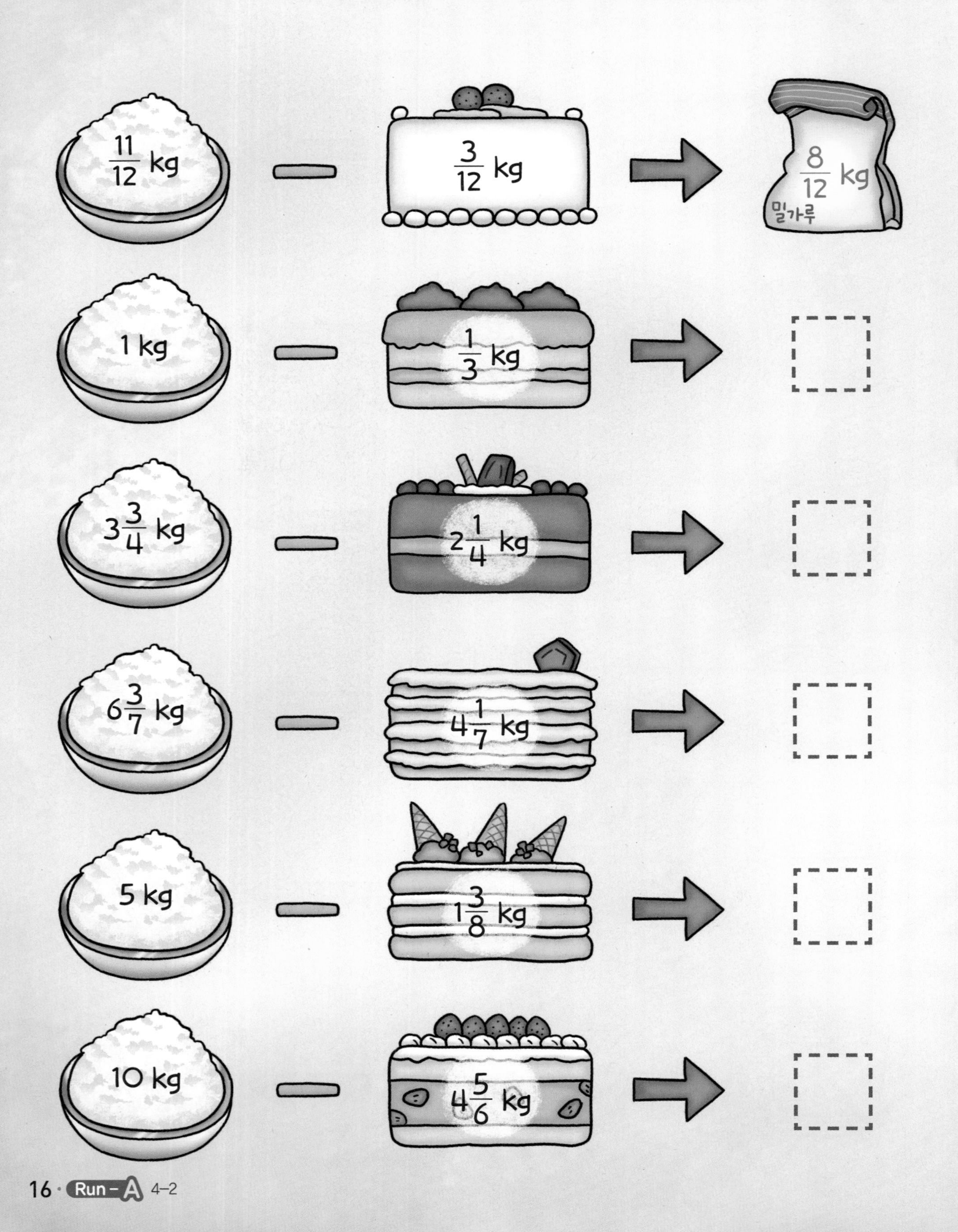

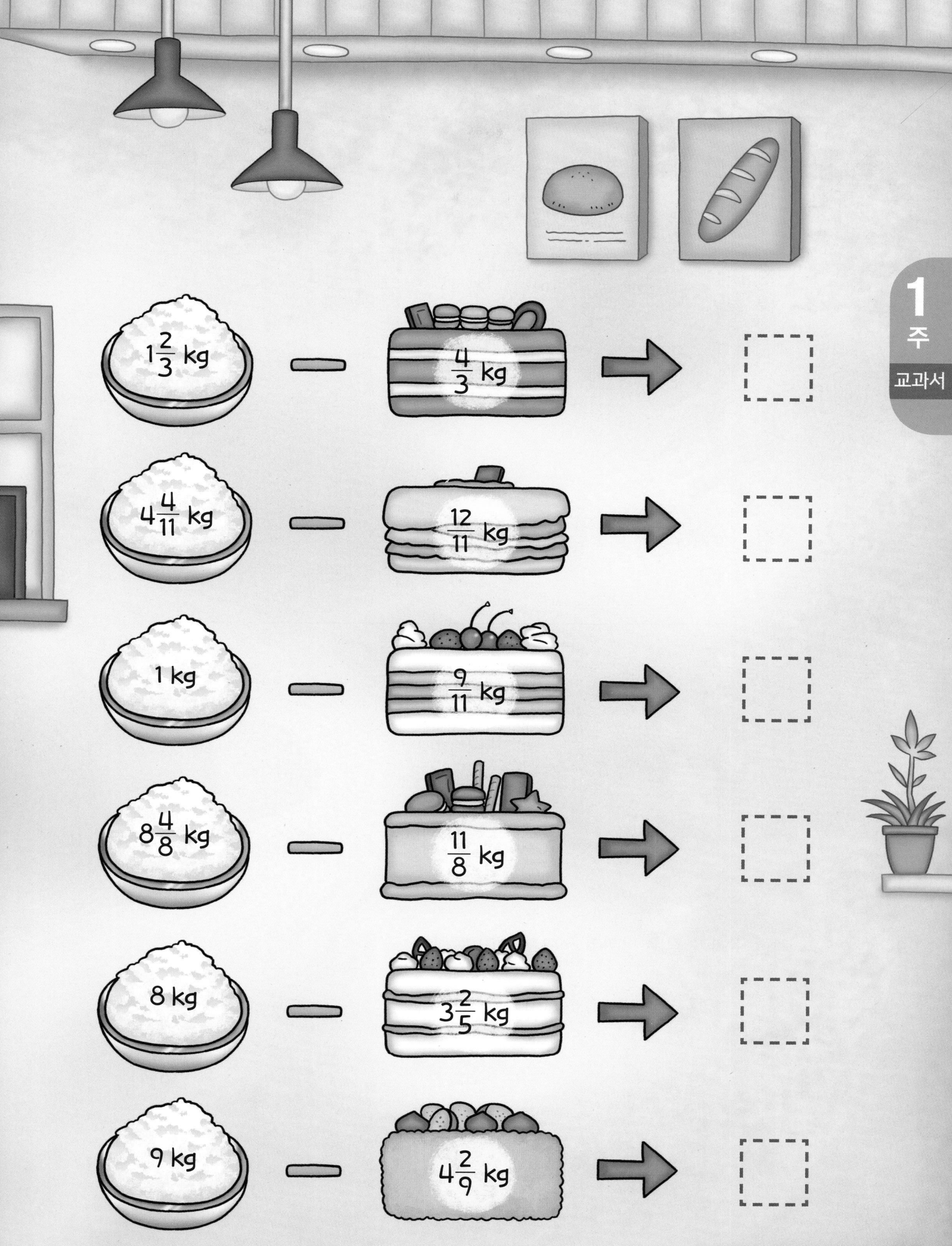
$1\frac{2}{3}$ kg − $\frac{4}{3}$ kg
$4\frac{4}{11}$ kg − $\frac{12}{11}$ kg
1 kg − $\frac{9}{11}$ kg
$8\frac{4}{8}$ kg − $\frac{11}{8}$ kg
8 kg − $3\frac{2}{5}$ kg
9 kg − $4\frac{2}{9}$ kg
1 주
교과서

개념 1 (진분수)+(진분수)

01

□ 안에 알맞은 수를 써넣으세요.

$\frac{2}{9}$는 $\frac{1}{9}$이 □개, $\frac{5}{9}$는 $\frac{1}{9}$이 □개이므로 $\frac{2}{9}+\frac{5}{9}$는 $\frac{1}{9}$이 모두 □개입니다.

따라서 $\frac{2}{9}+\frac{5}{9}=\frac{\square}{\square}$입니다.

02

수직선을 이용하여 $\frac{4}{5}+\frac{4}{5}$가 얼마인지 알아보세요.

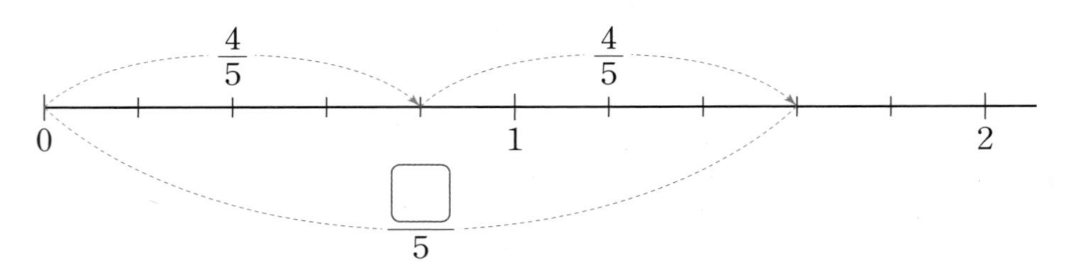

$\frac{4}{5}+\frac{4}{5}=\frac{\square+\square}{5}=\frac{\square}{5}=\square\frac{\square}{\square}$

03

계산 결과가 같은 것끼리 선으로 이어 보세요.

$\frac{4}{13}+\frac{6}{13}$ •	• $\frac{8}{13}$
$\frac{5}{13}+\frac{3}{13}$ •	• $\frac{10}{13}$
$\frac{7}{13}+\frac{4}{13}$ •	• $\frac{11}{13}$

개념 2 (진분수)−(진분수), 1−(진분수)

04 전체를 1이라고 할 때 $\frac{2}{7}$만큼 ×표 하고, $1-\frac{2}{7}$는 얼마인지 알아보세요.

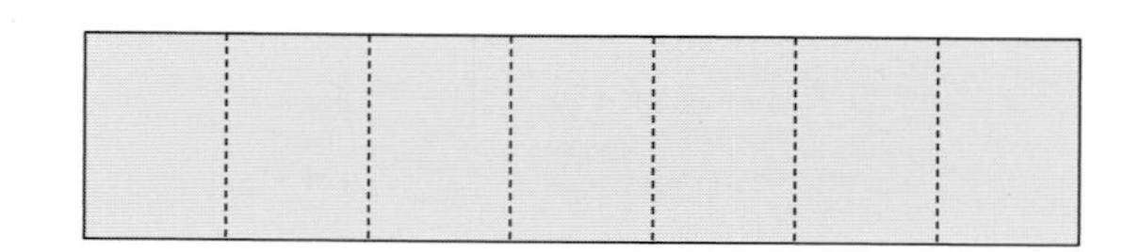

$1-\frac{2}{7}=\frac{\square}{\square}$

05 빈 곳에 알맞은 수를 써넣으세요.

(1)

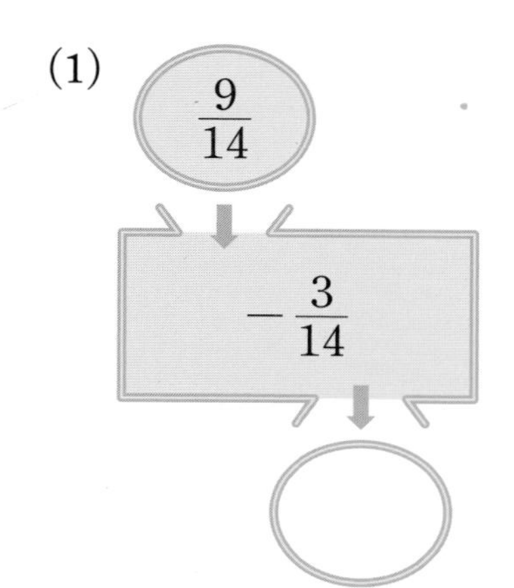

(2)

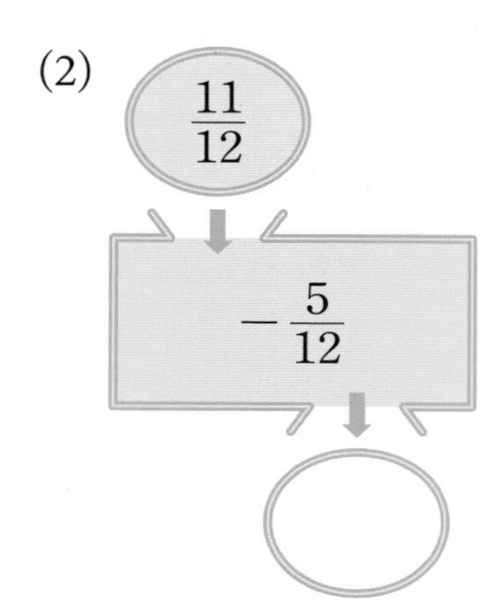

06 1 L짜리 주스 한 병을 동혁이는 $\frac{3}{13}$ L, 혜주는 $\frac{4}{13}$ L씩 컵에 따랐습니다. 두 사람이 컵에 따르고 남은 주스는 몇 L인지 구해 보세요.

(1) 동혁이의 컵에 따르고 남은 주스는 몇 L일까요?

( )

(2) 동혁이와 혜주의 컵에 따르고 남은 주스는 몇 L일까요?

( )

개념 3 (대분수)+(대분수)

07 빈칸에 알맞은 수를 써넣으세요.

(1) ⊕ →

$3\frac{3}{8}$	$1\frac{6}{8}$	
$5\frac{4}{7}$	$2\frac{5}{7}$	

(2) ⊕ →

$2\frac{1}{3}$	$6\frac{2}{3}$	
$4\frac{4}{5}$	$5\frac{1}{5}$	

08 계산 결과가 3과 4 사이인 덧셈식에 모두 색칠해 보세요.

$2\frac{3}{11}+1\frac{5}{11}$	$2\frac{2}{4}+1\frac{3}{4}$
$1\frac{5}{13}+2\frac{9}{13}$	$1\frac{4}{6}+2\frac{1}{6}$

09 길이가 $1\frac{8}{10}$ m인 끈과 길이가 $3\frac{5}{10}$ m인 끈이 있습니다. 두 끈을 겹치는 부분 없이 이어 붙였을 때 이어진 끈의 길이는 몇 m인지 구해 보세요.

식 ____________________

답 ____________________

개념 4 (대분수)－(대분수) (1)

10 보기 와 같은 방법으로 계산해 보세요.

보기

$$2\frac{3}{5}-1\frac{1}{5}=\frac{13}{5}-\frac{6}{5}=\frac{7}{5}=1\frac{2}{5}$$

$5\frac{5}{6}-2\frac{3}{6}$ ____________________

11 다음에서 나타내는 수를 구해 보세요.

(1) $5\frac{9}{10}$보다 $2\frac{4}{10}$만큼 작은 수 (　　　　　　)

(2) $3\frac{6}{7}$보다 $1\frac{5}{7}$만큼 작은 수 (　　　　　　)

12 정수 어머니께서 딸기를 $3\frac{3}{4}$ kg 사 오셨습니다. 잼을 만드는 데 딸기를 $1\frac{1}{4}$ kg 사용했다면 남은 딸기는 몇 kg인지 구해 보세요.

식 ____________________

답 ____________________

개념 5 (자연수)－(분수)

13

계산 결과가 다른 하나를 찾아 기호를 써 보세요.

㉠ $5-2\frac{2}{9}$　　㉡ $3-1\frac{2}{9}$　　㉢ $7-4\frac{2}{9}$

(　　　　　　　　)

14

계산 결과가 1과 2 사이인 뺄셈식에 ○표 하세요.

$4-\frac{3}{8}$	$3-1\frac{5}{7}$	$6-5\frac{1}{2}$

15

우유가 2 L 있습니다. 민재가 우유를 $\frac{2}{10}$ L 마셨다면, 남은 우유는 몇 L인지 구해 보세요.

식 ______________________

답 ______________

16

형식이의 몸무게는 50 kg이고 수찬이는 형식이보다 $3\frac{6}{9}$ kg 가볍습니다. 수찬이의 몸무게는 몇 kg인지 구해 보세요.

(　　　　　　　　)

개념 6 (대분수)－(대분수) (2)

17 그림을 보고 $4\frac{1}{5}-1\frac{3}{5}$이 얼마인지 알아보세요.

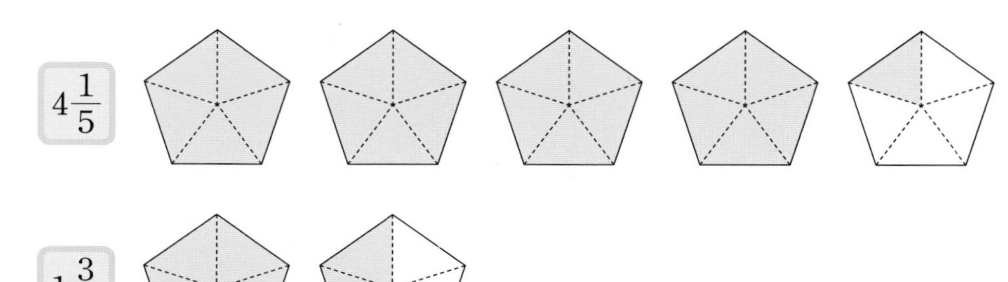

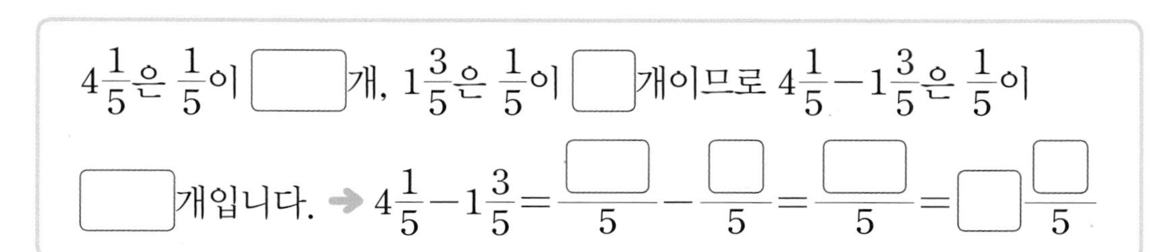

$4\frac{1}{5}$은 $\frac{1}{5}$이 □개, $1\frac{3}{5}$은 $\frac{1}{5}$이 □개이므로 $4\frac{1}{5}-1\frac{3}{5}$은 $\frac{1}{5}$이
□개입니다. ➔ $4\frac{1}{5}-1\frac{3}{5}=\frac{□}{5}-\frac{□}{5}=\frac{□}{5}=□\frac{□}{5}$

18 보기 와 같은 방법으로 계산해 보세요.

보기

$$9\frac{1}{3}-1\frac{2}{3}=8\frac{4}{3}-1\frac{2}{3}=7\frac{2}{3}$$

(1) $8\frac{2}{9}-5\frac{8}{9}$ __________

(2) $7\frac{4}{8}-2\frac{6}{8}$ __________

19 직사각형에서 가로는 세로보다 몇 cm 더 길까요?

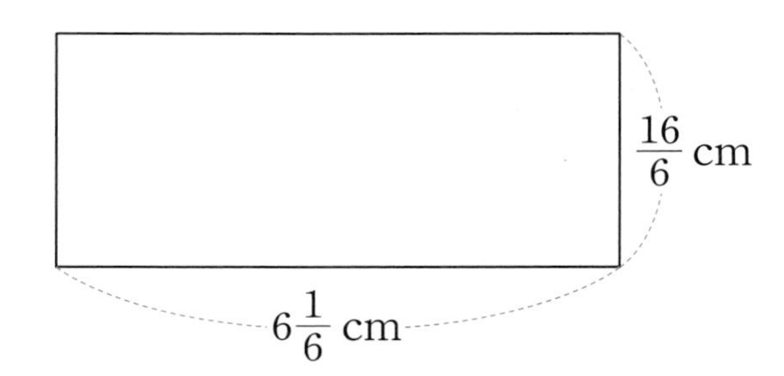

(　　　　　　)

1주 교과서

3단계 교과서 실력 다지기

★ 바르게 계산하기

1 잘못 계산한 곳을 찾아 바르게 계산해 보세요.

$$\frac{2}{7}+\frac{4}{7}=\frac{2+4}{7+7}=\frac{6}{14}$$

➔ ____________________

개념 피드백 분모가 같은 분수의 덧셈과 뺄셈은 분모는 그대로 두고 분자끼리 계산합니다.

1-1 잘못 계산한 곳을 찾아 바르게 계산해 보세요.

$$5\frac{5}{11}-1\frac{7}{11}=5\frac{16}{11}-1\frac{7}{11}=4\frac{9}{11}$$

➔ ____________________

1-2 잘못 계산한 사람의 이름을 쓰고 바르게 계산해 보세요.

영지: $8-3\frac{1}{4}=(8-3)+\frac{1}{4}=5+\frac{1}{4}=5\frac{1}{4}$

동호: $6\frac{1}{9}-2\frac{5}{9}=5\frac{10}{9}-2\frac{5}{9}=3\frac{5}{9}$

( )

➔ ____________________

계산 결과 비교하기

2 계산 결과를 비교하여 ◯ 안에 >, =, <를 알맞게 써넣으세요.

$$1\frac{2}{9}+3\frac{8}{9} \bigcirc 6-1\frac{3}{9}$$

개념 피드백

• 분모가 같은 대분수의 크기 비교하기

① 자연수 부분의 크기가 클수록 큰 분수입니다.

② 자연수 부분의 크기가 같으면 분자의 크기가 클수록 큰 분수입니다.

2-1 계산 결과가 더 큰 것의 기호를 써 보세요.

㉠ $3\frac{5}{7}+\frac{11}{7}$　　㉡ $6\frac{2}{7}-1\frac{4}{7}$

(　　　　　　　)

2-2 계산 결과가 큰 것부터 차례로 기호를 써 보세요.

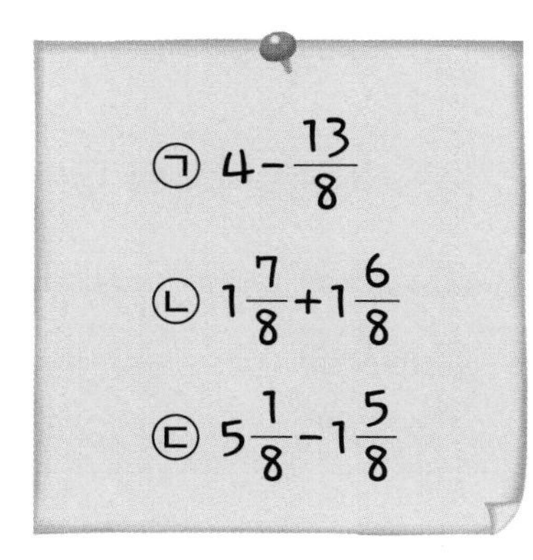

(　　　　　　　)

★ 분수의 크기를 비교하여 계산하기

3 가장 큰 분수와 가장 작은 분수의 차를 구해 보세요.

$2\frac{5}{13}$ $\frac{66}{13}$ $3\frac{2}{13}$

답 ____________________

개념 피드백

• 분모가 같은 대분수와 가분수의 크기 비교하기

방법1 대분수를 가분수로 바꾸어 분자의 크기를 비교합니다.

방법2 가분수를 대분수로 바꾸어 자연수 부분과 분자의 크기를 차례로 비교합니다.

3-1 가장 큰 분수와 가장 작은 분수의 합을 구해 보세요.

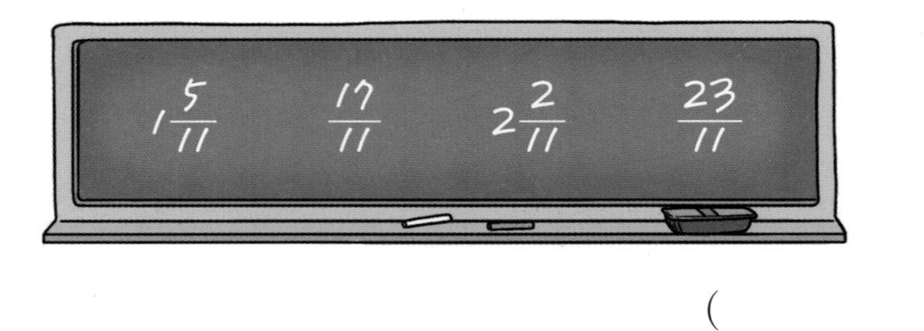

( )

3-2 상자의 무게를 보고 가장 무거운 상자와 가장 가벼운 상자의 무게의 차를 구해 보세요.

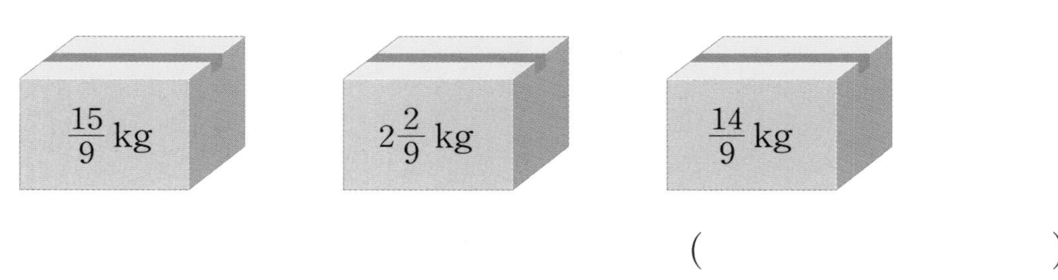

( )

조건에 맞는 식 만들기

4 두 수를 골라 □ 안에 써넣어 계산 결과가 가장 작은 뺄셈식을 만들고 계산해 보세요.

2, 6, 7

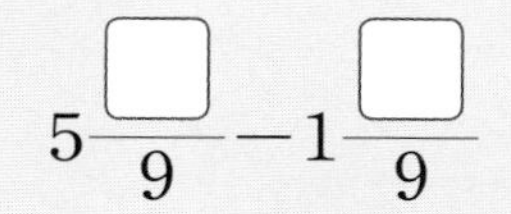

답 ____________

개념 피드백
① (빼어지는 수)−(빼는 수)에서 빼어지는 수가 클수록, 빼는 수가 작을수록 계산 결과가 커집니다.
② (더해지는 수)+(더하는 수)에서 더해지는 수와 더하는 수가 클수록 계산 결과가 커집니다.

4-1 두 수를 골라 □ 안에 써넣어 계산 결과가 가장 큰 덧셈식을 만들고 계산해 보세요.

6, 8, 9

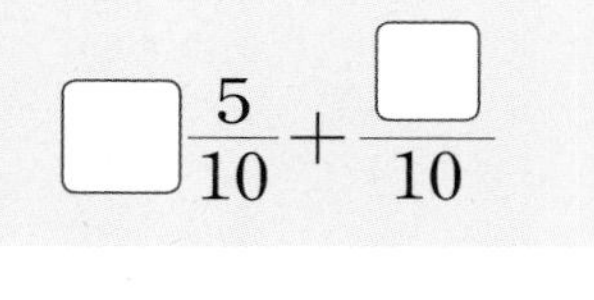

(   )

4-2 두 수를 골라 □ 안에 써넣어 계산 결과가 가장 큰 뺄셈식을 만들고 계산해 보세요.

1, 3, 4

$9-\square\frac{\square}{5}$

(   )

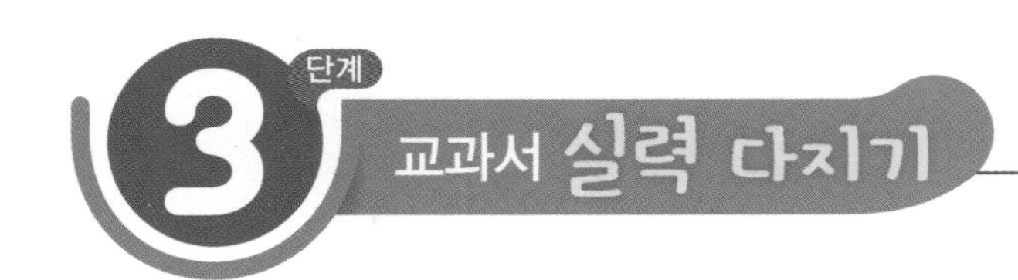

세 분수의 계산

5 빈칸에 알맞은 수를 써넣으세요.

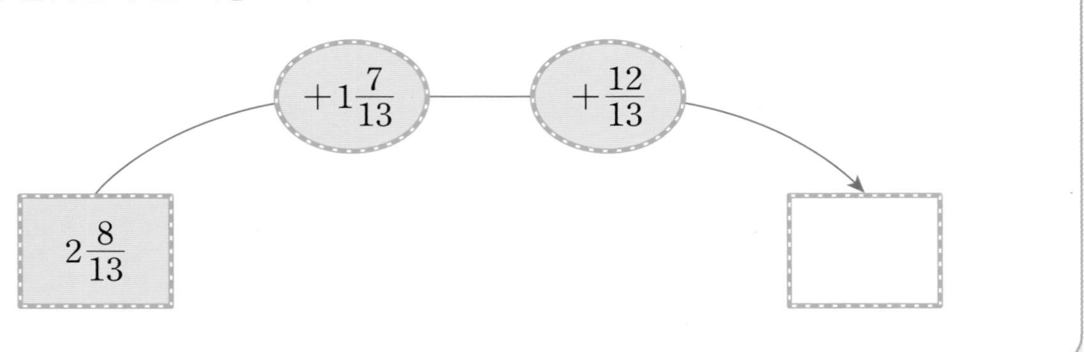

개념 피드백 세 분수의 덧셈과 뺄셈은 앞에서부터 차례로 계산합니다.

예 $\frac{5}{6}-\frac{2}{6}+\frac{1}{6}=\frac{3}{6}+\frac{1}{6}=\frac{4}{6}$

①, ②

5-1 빈칸에 알맞은 수를 써넣으세요.

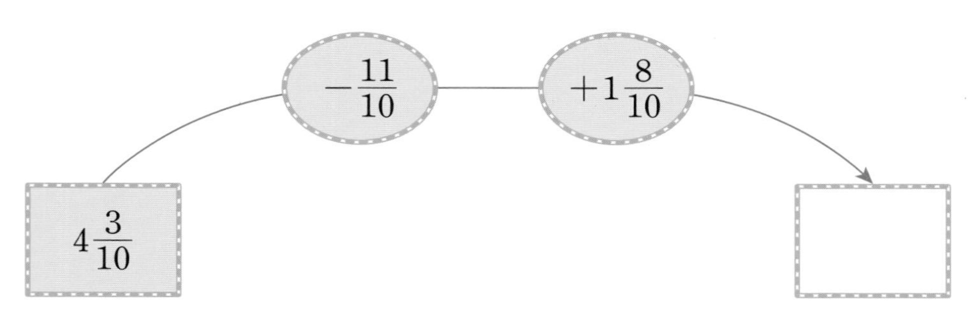

5-2 어머니께서 오이 $2\frac{3}{5}$ kg, 가지 $1\frac{4}{5}$ kg, 무 $2\frac{1}{5}$ kg을 사 오셨습니다. 어머니께서 사 오신 채소는 모두 몇 kg일까요?

(　　　　　　　)

□ 안에 들어갈 수 있는 자연수 구하기

6 □ 안에 들어갈 수 있는 자연수를 모두 써 보세요.

$$\frac{5}{7}+\frac{\square}{7}<1\frac{3}{7}$$

답 ____________________

개념 피드백
방법1 식을 간단하게 정리하여 분수의 크기를 비교합니다.
방법2 □ 안에 1부터 차례로 넣어 계산해 봅니다.

6-1 □ 안에 들어갈 수 있는 자연수는 모두 몇 개인지 구해 보세요.

$$2-\frac{\square}{10}>1\frac{7}{10}$$

(　　　　　　　　　　)

6-2 □ 안에 들어갈 수 있는 자연수 중에서 가장 큰 수를 구해 보세요.

$$1\frac{4}{11}-\frac{\square}{11}>\frac{9}{11}$$

(　　　　　　　　　　)

1 주
교과서

교과서 서술형 연습

1 어떤 수에서 $2\frac{4}{7}$를 빼야 할 것을 잘못하여 $4\frac{2}{7}$를 뺐더니 $2\frac{3}{7}$이 되었습니다. 바르게 계산하면 얼마인지 구해 보세요.

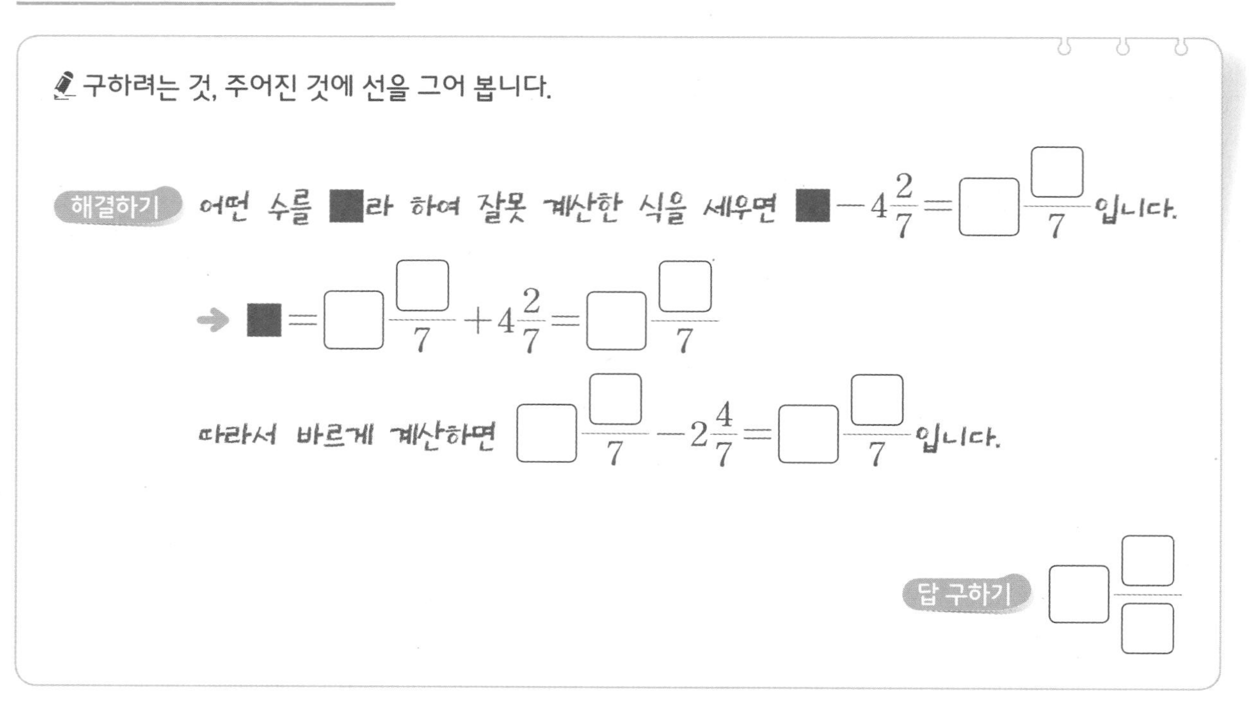

구하려는 것, 주어진 것에 선을 그어 봅니다.
해결하기
어떤 수를 ■라 하여 잘못 계산한 식을 세우면 ■$-4\frac{2}{7}=\square\frac{\square}{7}$입니다.
➔ ■$=\square\frac{\square}{7}+4\frac{2}{7}=\square\frac{\square}{7}$
따라서 바르게 계산하면 $\square\frac{\square}{7}-2\frac{4}{7}=\square\frac{\square}{7}$입니다.
답 구하기

2 (서술형 실전) 어떤 수에 $5\frac{6}{10}$을 더해야 할 것을 잘못하여 $6\frac{5}{10}$를 더했더니 $9\frac{1}{10}$이 되었습니다. 바르게 계산하면 얼마인지 구해 보세요.

구하려는 것, 주어진 것에 선을 그어 봅니다.

해결하기

답 구하기

색 테이프가 $2\frac{2}{9}$ m 있습니다. 상자 한 개를 포장하는 데 색 테이프가 $\frac{7}{9}$ m 필요합니다. 포장할 수 있는 상자는 몇 개이고, 남는 색 테이프는 몇 m인지 구해 보세요.

구하려는 것, 주어진 것에 선을 그어 봅니다.

해결하기 처음 색 테이프의 길이를 가분수로 나타내면 $2\frac{2}{9}$ m$=\frac{\square}{9}$ m입니다.

상자 한 개를 포장하는 데 색 테이프가 $\frac{7}{9}$ m 필요하므로 상자를 포장하고

남는 색 테이프의 길이는 $\frac{\square}{9}-\frac{7}{9}-\frac{7}{9}=\frac{\square}{9}$ (m)입니다.

따라서 포장할 수 있는 상자는 $\square$개이고, 남는 색 테이프는 $\frac{\square}{9}$ m입니다.

답 구하기 $\square$개, $\frac{\square}{\square}$ m

4 (서술형 실전)

밀가루가 $3\frac{2}{5}$ kg 있습니다. 피자 한 판을 만드는 데 밀가루가 $\frac{4}{5}$ kg 필요합니다. 만들 수 있는 피자는 몇 판이고, 남는 밀가루는 몇 kg인지 구해 보세요.

구하려는 것, 주어진 것에 선을 그어 봅니다.

해결하기

답 구하기 ________, ________

1주 교과서

PLAY 사고력 개념 스토리

빈 바구니의 무게 구하기

준비물 붙임딱지

빈 바구니에 여러 가지 과일을 담았습니다. 과일이 담긴 바구니의 무게를 보고 빈 바구니의 무게를 구하여 알맞은 바구니 붙임딱지를 붙여 보세요.

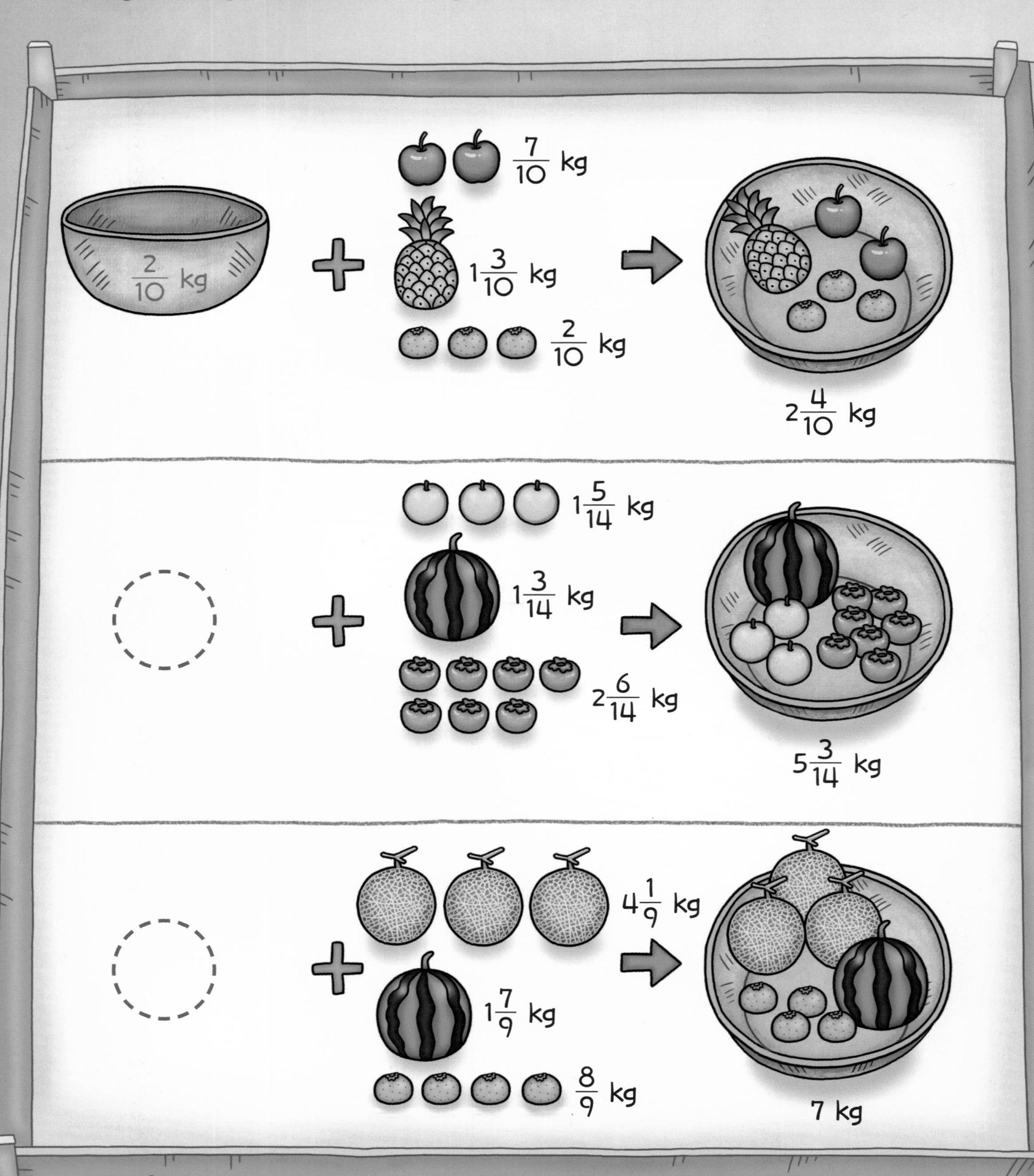

2
주
사고력

$1\frac{13}{14}$ kg
$1\frac{11}{14}$ kg
$\frac{6}{14}$ kg
$4\frac{4}{14}$ kg

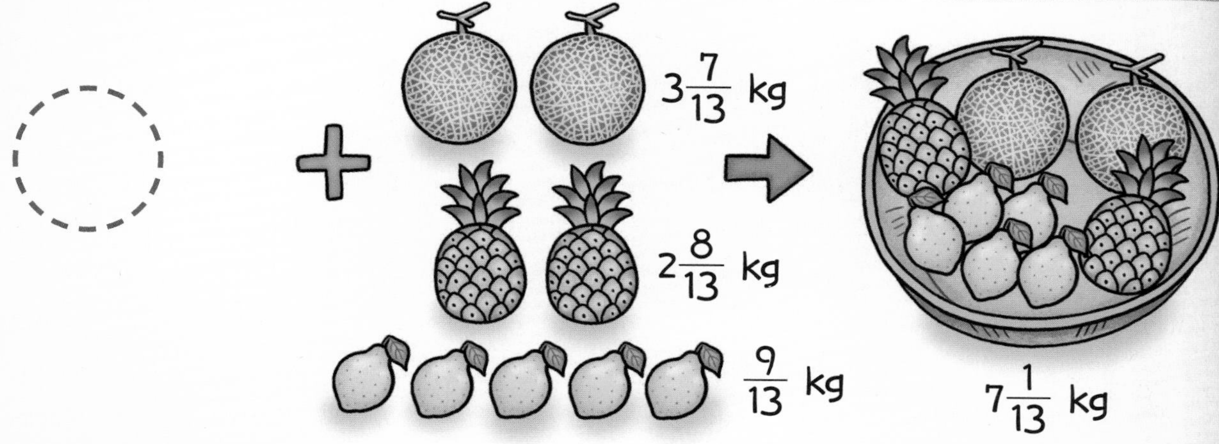
$3\frac{7}{13}$ kg
$2\frac{8}{13}$ kg
$\frac{9}{13}$ kg
$7\frac{1}{13}$ kg

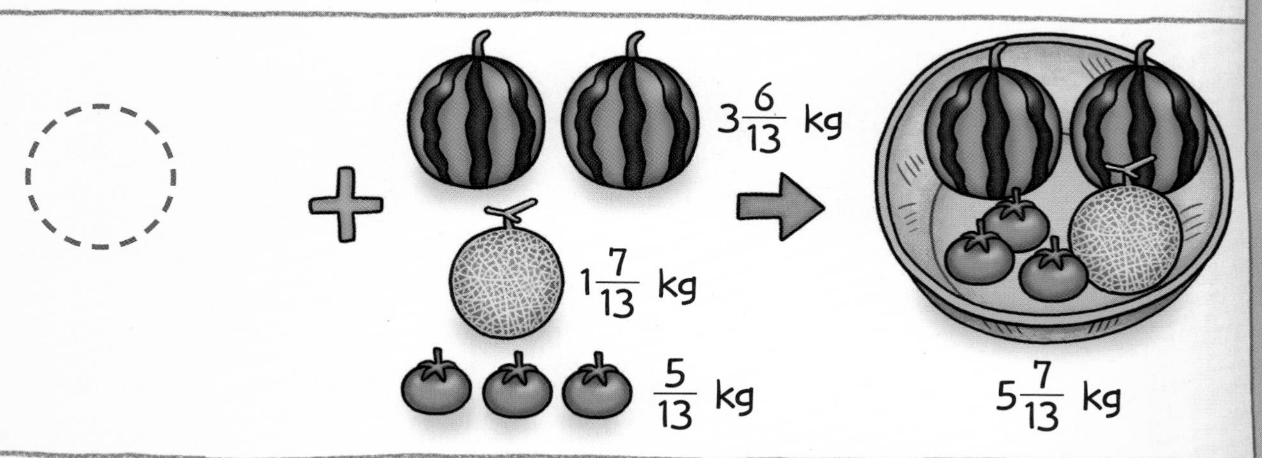
$3\frac{6}{13}$ kg
$1\frac{7}{13}$ kg
$\frac{5}{13}$ kg
$5\frac{7}{13}$ kg

$2\frac{3}{9}$ kg
$2\frac{6}{9}$ kg
$1\frac{2}{9}$ kg
$6\frac{5}{9}$ kg

PLAY 사고력 개념 스토리

바다 낚시

준비물 붙임딱지

낚싯바늘에 물고기의 미끼를 꿰어 바다에 넣었습니다. 두 마리의 물고기에 적힌 분수의 합이 미끼 ◯에, 차가 미끼 ▯에 적혀 있을 때, 알맞은 물고기 붙임딱지를 찾아 붙여 보세요.

$1\frac{5}{13}$
$\frac{6}{13}$
$1\frac{4}{15}$
$\frac{1}{15}$
$1\frac{6}{12}$
$\frac{4}{12}$
$1\frac{6}{11}$
$\frac{3}{11}$
$1\frac{1}{8}$
$\frac{1}{8}$
2주
사고력

1단계 교과 사고력 잡기

1 **혜수가 새로 산 귀걸이는 세 변의 길이의 합이 $7\frac{1}{5}$ cm인 삼각형 모양입니다. 삼각형 모양 귀걸이의 주어진 두 변의 길이를 보고 나머지 한 변의 길이를 구해 보세요.**

① 삼각형 모양 귀걸이의 주어진 두 변의 길이의 합은 몇 cm일까요?

( )

② 삼각형 모양 귀걸이의 나머지 한 변의 길이는 몇 cm일까요?

( )

2 **혁수는 원 모양의 운동장을 아침, 점심, 저녁에 각각 그림과 같이 뛰었습니다. 혁수가 하루 동안 뛴 거리는 모두 몇 바퀴인지 분수로 나타내어 보세요.**

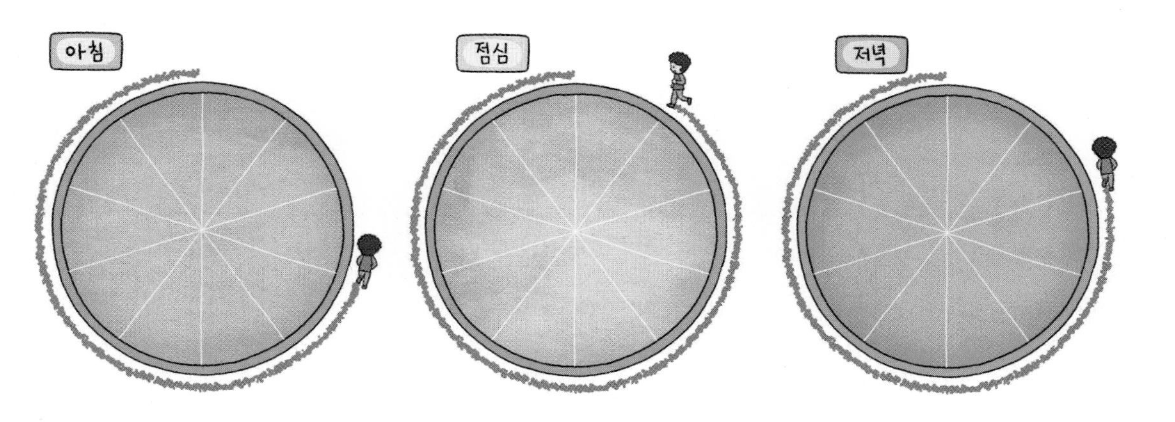

1 그림을 보고 혁수가 아침, 점심, 저녁에 뛴 거리는 각각 몇 바퀴인지 분수로 나타내어 보세요.

아침 (   )
점심 (   )
저녁 (   )

2 혁수가 하루 동안 뛴 거리만큼 색칠해 보세요.

3 혁수가 하루 동안 뛴 거리는 모두 몇 바퀴일까요?

(   )

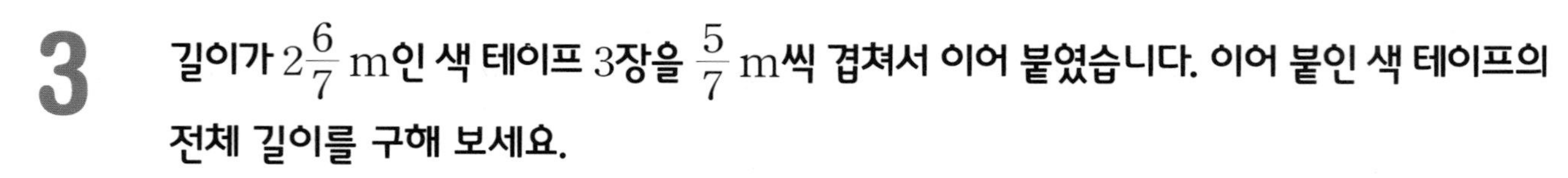

3

길이가 $2\frac{6}{7}$ m인 색 테이프 3장을 $\frac{5}{7}$ m씩 겹쳐서 이어 붙였습니다. 이어 붙인 색 테이프의 전체 길이를 구해 보세요.

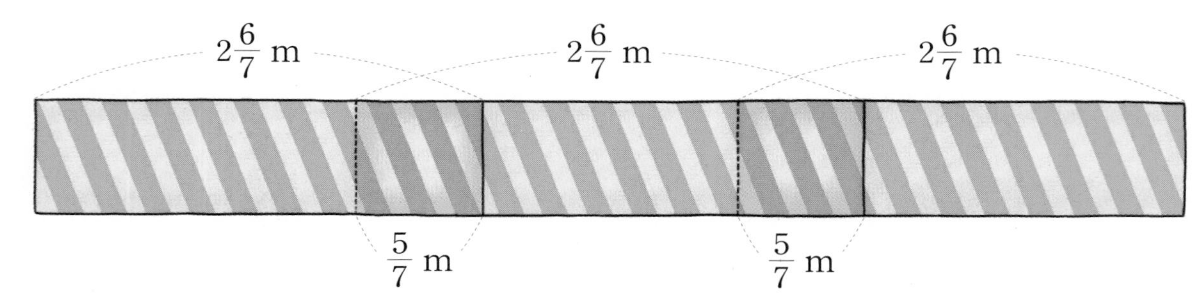

1. 색 테이프 3장의 길이의 합은 몇 m일까요?

( )

2. 색 테이프 3장을 이어 붙였을 때 겹쳐진 부분의 길이의 합은 몇 m일까요?

( )

3. 이어 붙인 색 테이프의 전체 길이는 몇 m일까요?

( )

4

성호네 집에서 마트까지 가는 길은 병원을 지나는 길과 체육관을 지나는 길이 있습니다. 성호네 집에서 마트까지 갈 때, 어느 곳을 지나는 길이 몇 km 더 가까운지 구해 보세요.

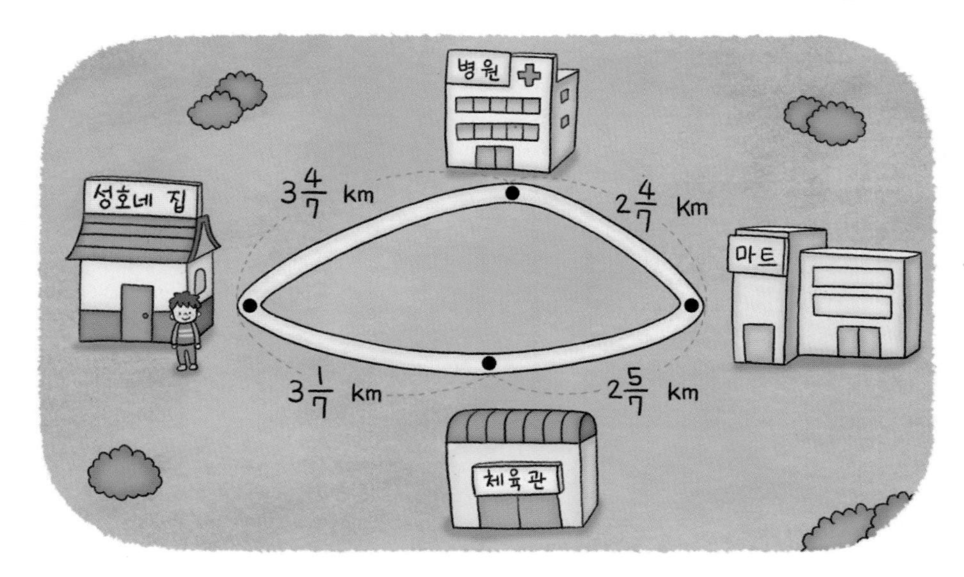

1. 성호네 집에서 병원을 지나 마트까지 가는 길은 몇 km일까요?

( )

2. 성호네 집에서 체육관을 지나 마트까지 가는 길은 몇 km일까요?

( )

3. 성호네 집에서 마트까지 갈 때, 어느 곳을 지나는 길이 몇 km 더 가까운지 차례로 써 보세요.

( ), ( )

2 단계 교과 사고력 확장

1

보기 에서 규칙을 찾아 ◯와 ⬠ 안에 알맞은 수를 써넣으세요.

보기

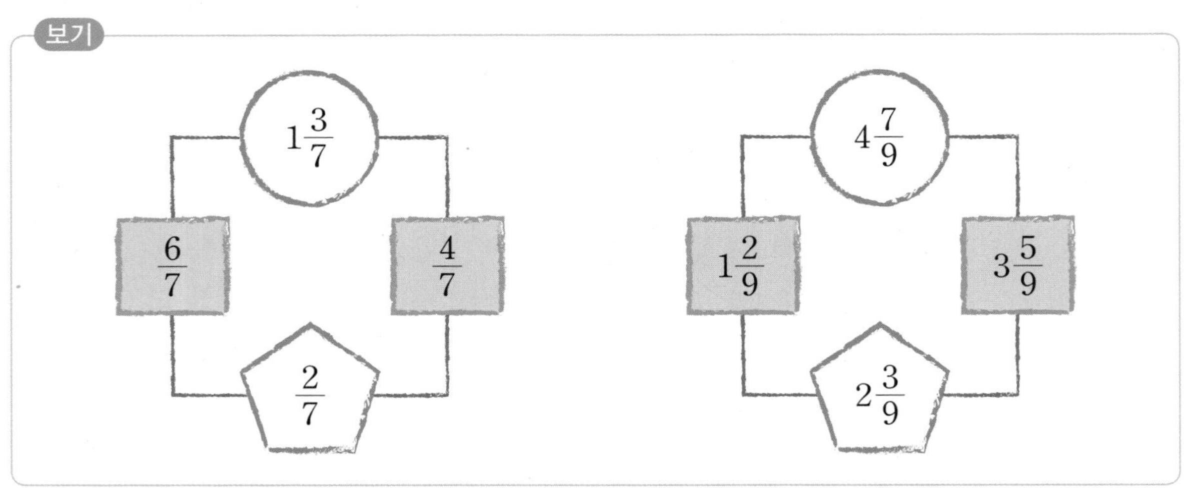

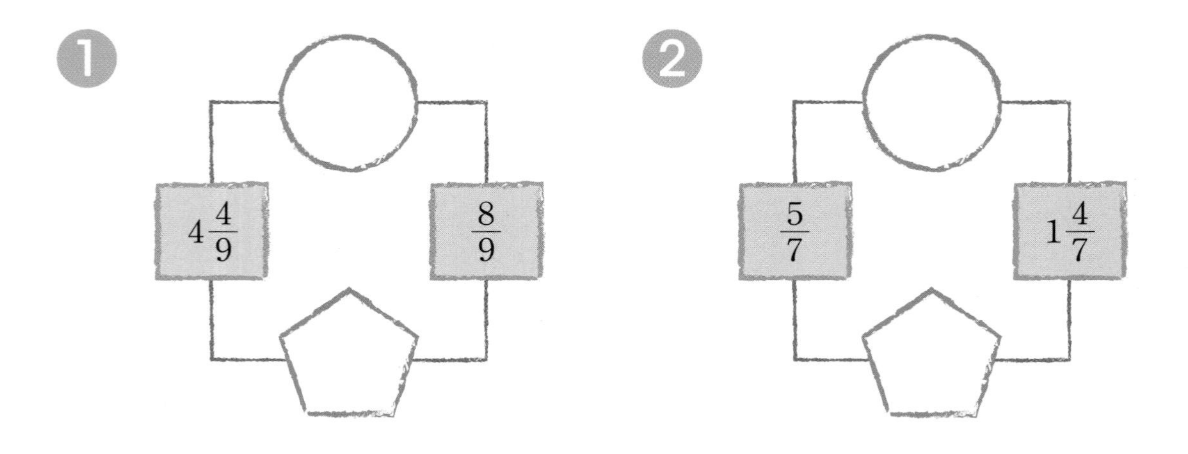

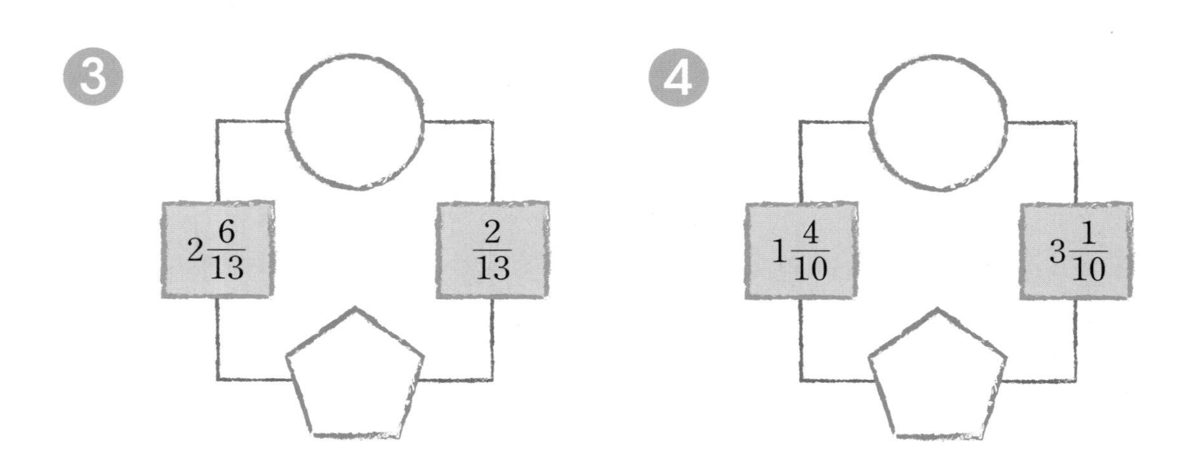

2

민하 어머니께서는 마트에서 과일 2종류와 채소 2종류를 사려고 합니다. 과일과 채소를 각각 4 kg씩 사려고 할 때 민하 어머니께서 사야 할 과일과 채소는 무엇인지 알아보세요.

❶ 민하 어머니께서 사야 할 과일 2종류를 찾아 봉투에 써 보세요.

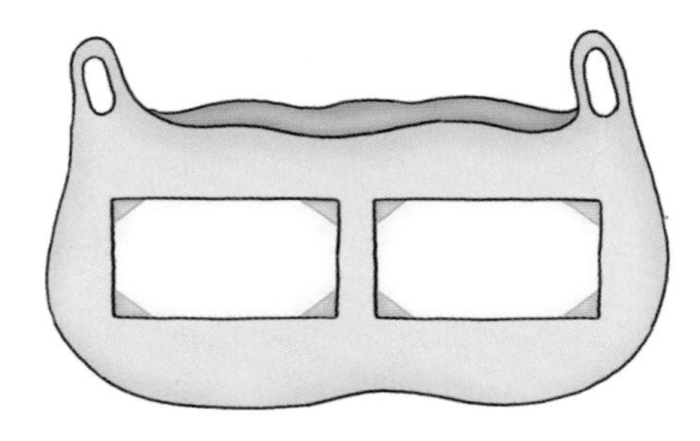

❷ 민하 어머니께서 사야 할 채소 2종류를 찾아 봉투에 써 보세요.

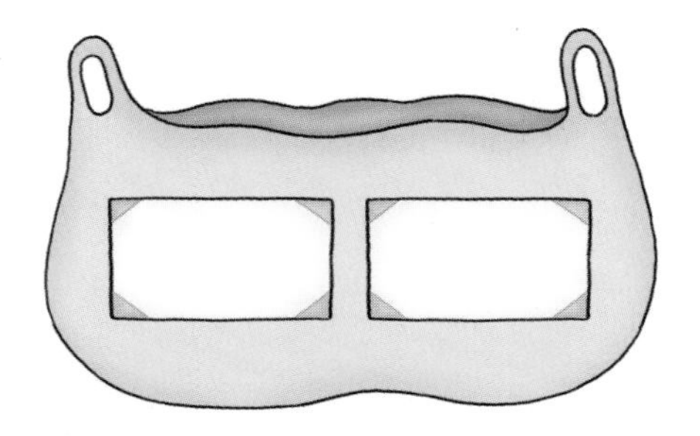

3 **다음 조건을 만족하는 ●와 ♥를 구하여 $8-\frac{●}{♥}$를 계산해 보세요.**

가분수 $\frac{●}{♥}$의 분모와 분자의 합은 30이고 차는 8입니다.

❶ 분모 ♥와 분자 ●의 합이 30이 되는 두 수를 찾고 두 수의 차를 구하여 다음 표를 완성해 보세요.

●	15	16	17	18	19	20
♥	15					
차	0					

❷ 위 ❶의 표에서 조건을 만족하는 ●와 ♥를 각각 써 보세요.

● (　　　　　　　　)
♥ (　　　　　　　　)

❸ $8-\frac{●}{♥}$를 계산해 보세요.

(　　　　　　　　)

4

수 카드 4장을 모두 한 번씩만 사용하여 분모가 7인 대분수를 만들려고 합니다. 만들 수 있는 가장 큰 대분수와 가장 작은 대분수의 차를 구해 보세요.

❶ 수 카드 4장을 모두 한 번씩만 사용하여 분모가 7인 가장 큰 대분수를 만들어 보세요.

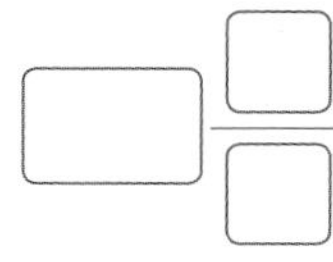

❷ 수 카드 4장을 모두 한 번씩만 사용하여 분모가 7인 가장 작은 대분수를 만들어 보세요.

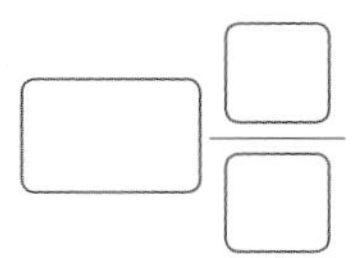

❸ 위 ❶과 ❷에서 만든 두 대분수의 차를 구해 보세요.

답 ______________

평가 영역 □개념 이해력 □개념 응용력 □창의력 ☑문제 해결력

1

㉮☆㉯를 다음과 같이 약속할 때, $4\frac{5}{9}☆1\frac{1}{9}+3\frac{7}{9}$을 계산해 보세요.

$$㉮☆㉯=㉮+㉯-\frac{2}{9}$$

❶ 약속에 따라 $4\frac{5}{9}☆1\frac{1}{9}$을 계산해 보세요.

$4\frac{5}{9}☆1\frac{1}{9}$ ________________________

❷ 위 ❶에서 계산한 결과를 □ 안에 써넣어 식을 간단하게 만들어 보세요.

$$4\frac{5}{9}☆1\frac{1}{9}+3\frac{7}{9}=\square+3\frac{7}{9}$$

❸ $4\frac{5}{9}☆1\frac{1}{9}+3\frac{7}{9}$을 계산해 보세요.

( )

기호 ☆의 약속을 이해하고 식을 앞에서부터 차례로 계산합니다.

평가 영역 □개념 이해력 ☑개념 응용력 □창의력 □문제 해결력

2

대분수를 가분수로 나타낸 종이의 일부가 찢어졌습니다. ㉠ 분수와 ㉡ 분수의 분모를 각각 구하여 두 분수의 분모의 합에서 $1\frac{3}{6}$을 뺀 값을 구해 보세요.

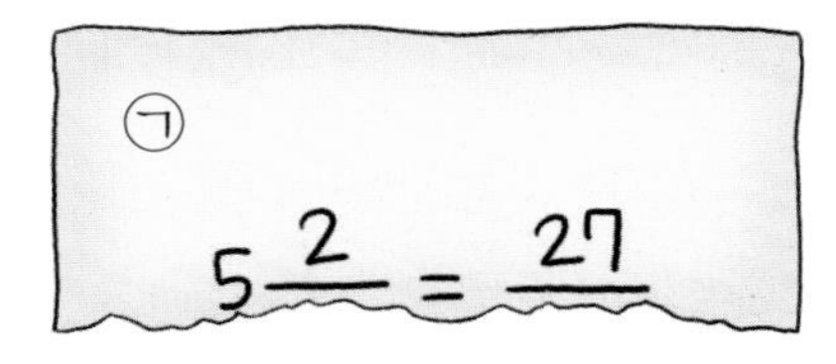

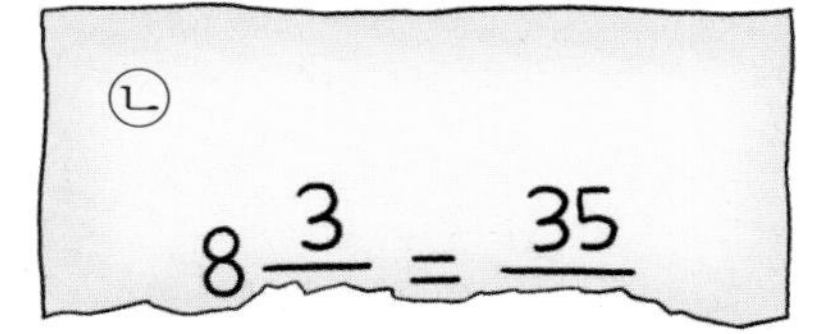

2주 사고력

1 ㉠ 분수의 분모를 구하려고 합니다. □ 안에 알맞은 수를 써넣으세요.

> ㉠ 분수의 분모를 ▲라 하면 $5\frac{2}{▲}=\frac{27}{▲}$입니다.
> $\frac{27}{▲}$의 분자 27은 $5\frac{2}{▲}$의 5와 ▲를 곱한 값에 □를 더한 것과 같습니다. 따라서 5 × ▲ = □, ▲ = □입니다.

2 두 분수의 분모를 구해 종이에 써 보세요.

㉠ $5\frac{2}{\quad}=\frac{27}{\quad}$　　㉡ $8\frac{3}{\quad}=\frac{35}{\quad}$

3 두 분수의 분모의 합에서 $1\frac{3}{6}$을 뺀 값을 구해 보세요.

(　　　　　　)

대분수를 가분수로 나타내는 과정을 생각하여 분모를 구해 봅니다.

맞은 개수

1

그림을 보고 □ 안에 알맞은 수를 써넣으세요.

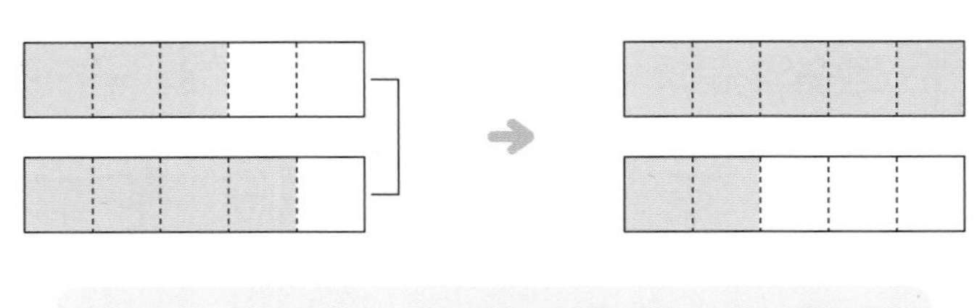

$$\frac{\square}{5}+\frac{\square}{5}=\frac{\square}{5}=\square\frac{\square}{5}$$

2

그림을 보고 $1\frac{3}{7}-\frac{5}{7}$가 얼마인지 알아보세요.

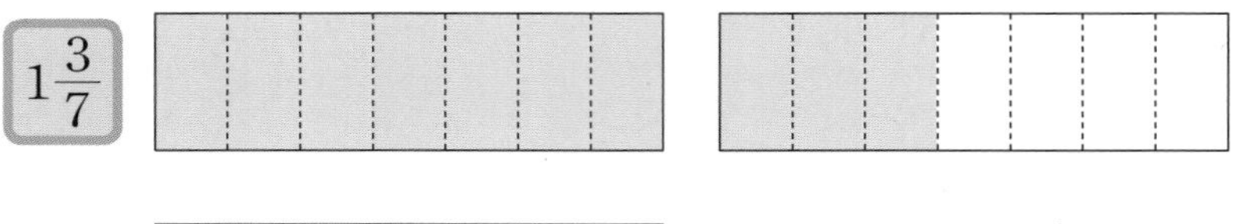

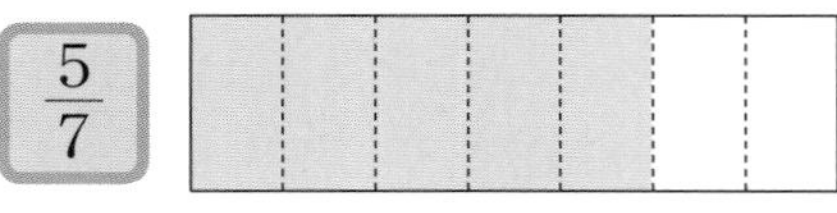

$1\frac{3}{7}$은 $\frac{1}{7}$이 □개, $\frac{5}{7}$는 $\frac{1}{7}$이 □개이므로 $1\frac{3}{7}-\frac{5}{7}$는 $\frac{1}{7}$이 □개입니다. ➔ $1\frac{3}{7}-\frac{5}{7}=\frac{\square}{7}-\frac{\square}{7}=\frac{\square}{7}$

3

잘못 계산한 곳을 찾아 바르게 계산해 보세요.

$$\frac{1}{6}+\frac{4}{6}=\frac{1+4}{6+6}=\frac{5}{12}$$

➔

4 빈칸에 알맞은 수를 써넣으세요.

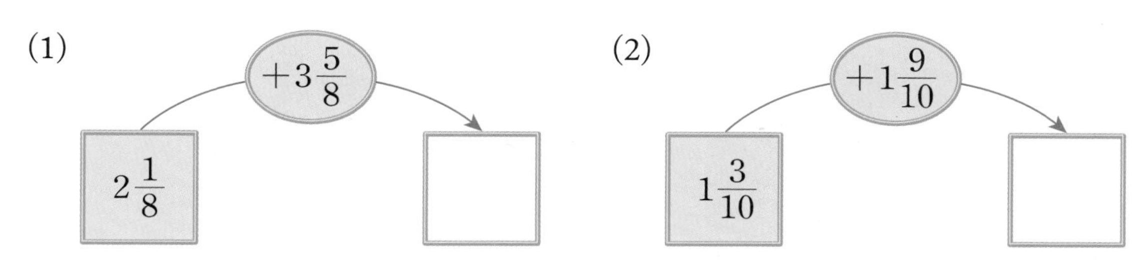

5 두 수의 차를 구해 보세요.

$\frac{9}{11}$ $\frac{4}{11}$

(　　　　　　　　)

6 설명하는 수를 빈칸에 써넣으세요.

$8\frac{7}{12}$보다 $2\frac{11}{12}$만큼 큰 수 → □

7 보기 와 같은 방법으로 계산해 보세요.

보기

$7-2\frac{3}{5}=\frac{35}{5}-\frac{13}{5}=\frac{22}{5}=4\frac{2}{5}$

$5-1\frac{1}{6}$ ____________________

8

계산 결과를 비교하여 ○ 안에 $>$, $=$, $<$를 알맞게 써넣으세요.

$$4\frac{8}{13}+1\frac{2}{13} \bigcirc 10\frac{2}{13}-4\frac{5}{13}$$

9

계산 결과가 3과 4 사이인 뺄셈식을 모두 찾아 ○표 하세요.

$4-\frac{2}{8}$	$5-2\frac{7}{10}$	$6-3\frac{4}{5}$	$7-3\frac{1}{4}$

10

가장 큰 수와 가장 작은 수의 차를 구해 보세요.

( )

11

삼각형의 세 변의 길이의 합은 몇 cm인지 구해 보세요.

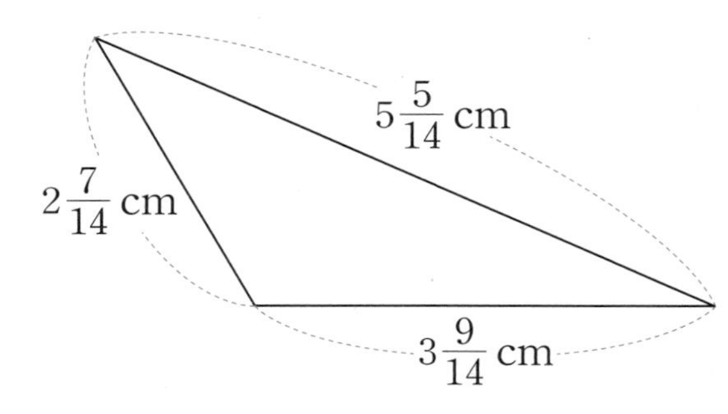

( )

12 빈칸에 알맞은 수를 써넣으세요.

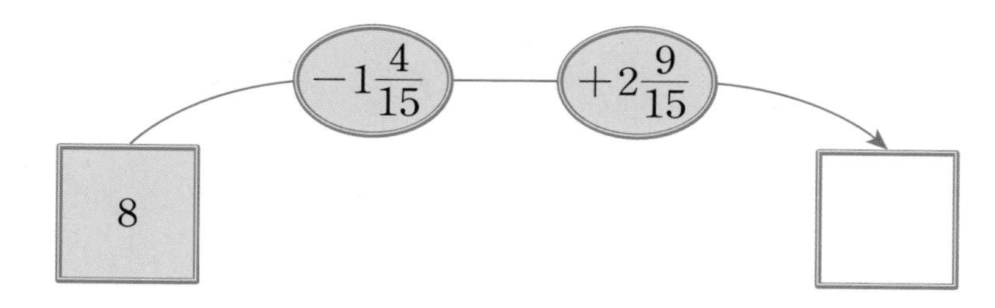

13 어떤 수에 $3\frac{8}{13}$을 더했더니 $7\frac{3}{13}$이 되었습니다. 어떤 수를 구해 보세요.

( )

14 □ 안에 들어갈 수 있는 가장 큰 자연수를 구해 보세요.

$$2\frac{\square}{8} < \frac{7}{8} + 1\frac{5}{8}$$

( )

15 3장의 분수 카드 중에서 2장을 골라 합이 가장 큰 덧셈식을 만들고 계산해 보세요.

답

정답과 풀이 p.12

16

두 수를 골라 □ 안에 써넣어 계산 결과가 가장 큰 뺄셈식을 만들고 계산해 보세요.

(　　　　　　　　)

17

길이가 7 cm인 색 테이프 3장을 $1\frac{2}{5}$ cm씩 겹쳐서 이어 붙였습니다. 이어 붙인 색 테이프의 전체 길이는 몇 cm인지 구해 보세요.

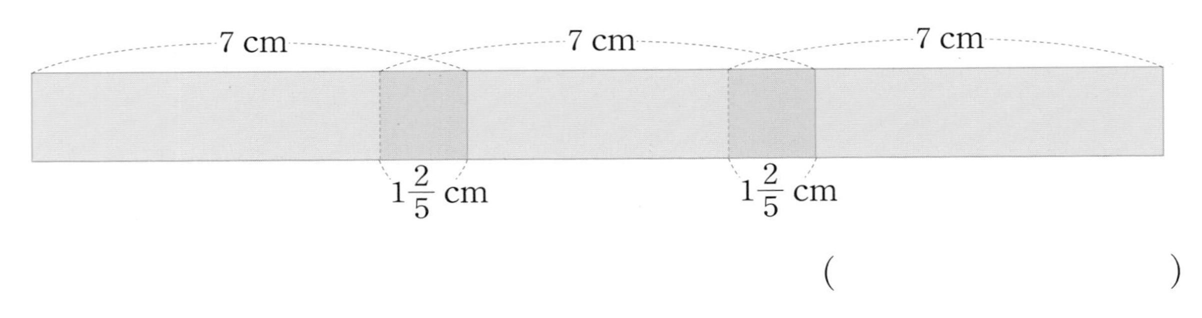

(　　　　　　　　)

18

보기 에서 규칙을 찾아 ○ 안에 알맞은 수를 써넣으세요.

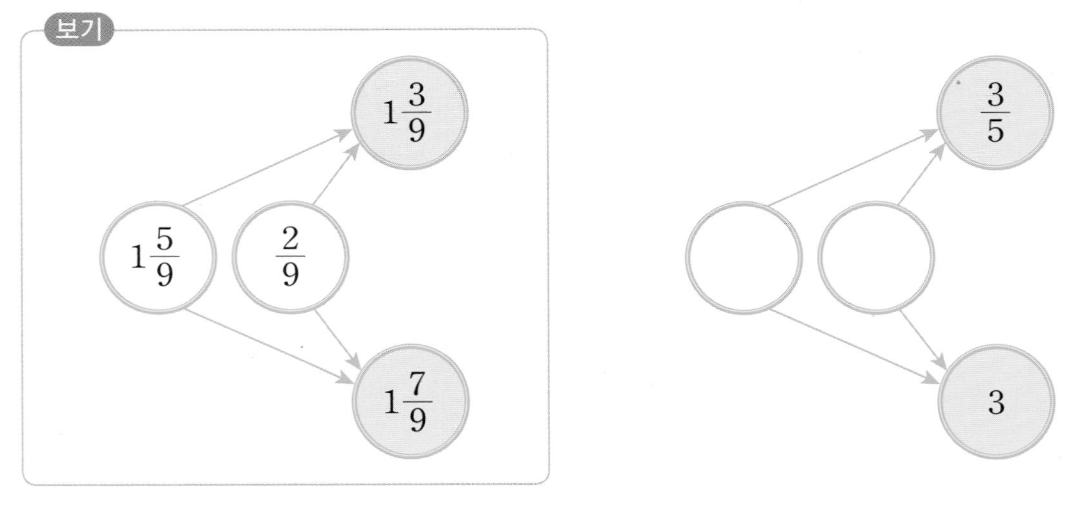

정답과 풀이 p.12

1 분갈이는 화분에 심은 풀이나 나무를 다른 화분에 옮겨 심는 일을 말합니다. 오랫동안 분갈이를 하지 않으면 식물의 뿌리가 썩어 잘 자랄 수 없기 때문에 일정한 때가 되면 분갈이를 하여 식물이 잘 자랄 수 있도록 해야 합니다. 분갈이를 할 때에는 식물과 흙, 그리고 식물을 잘 자라게 해 주는 거름이 필요합니다. 물음에 답하세요.

(1) 분갈이를 하기 위해 화분에 넣은 재료는 식물 $\frac{5}{13}$ kg, 흙 $2\frac{7}{13}$ kg, 거름 $1\frac{9}{13}$ kg 입니다. 화분에 넣은 재료는 모두 몇 kg인지 구해 보세요.

(　　　　　　　　)

(2) 위 (1)에서 분갈이를 한 화분의 무게가 $6\frac{2}{13}$ kg일 때, 분갈이를 하기 전 빈 화분의 무게는 몇 kg인지 구해 보세요.

(　　　　　　　　)

2 삼각형

단원과 관련된
삼각형 이야기를
살펴보아요.

삼각형의 분류

진호, 혜미, 연우네 가족이 함께 캠핑을 갔습니다. 캠핑장에는 다양한 모양의 삼각형을 찾을 수 있는 텐트가 있습니다. 이 중에서 각 친구들의 설명에서 힌트를 얻어 진호, 혜미, 연우네 텐트를 각각 찾아 보세요.

우리 가족 텐트를
앞에서 본 모양은
세 변의 길이가 모두 같은
삼각형 모양이야.
우리 가족 텐트를
앞에서 본 모양은
한 각이 둔각인
삼각형 모양이야.
진호
혜미
우리 가족 텐트를
앞에서 본 모양은
두 변의 길이만 같은
삼각형 모양이야.
연우

진호, 혜미, 연우네 텐트를 찾아 알맞은 친구 붙임딱지를 붙여 보세요. 준비물 붙임딱지

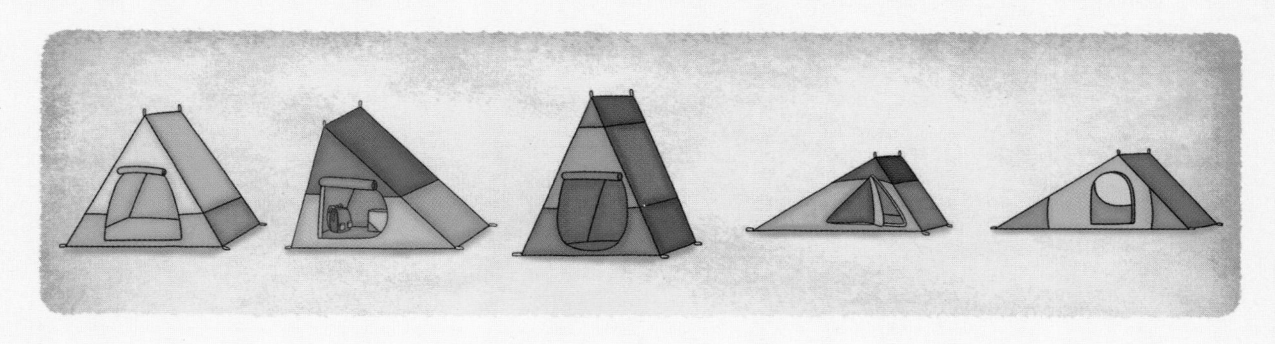

진호, 혜미, 연우가 삼각형 모양의 샌드위치를 먹으려고 합니다. 각 설명으로 알맞은 샌드위치를 찾아 선으로 이어 보세요.

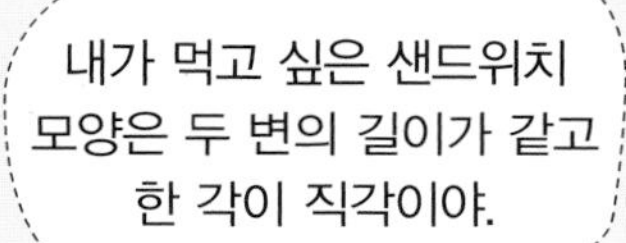

내가 먹고 싶은 샌드위치 모양은 두 변의 길이가 같고 한 각이 직각이야.

내가 먹고 싶은 샌드위치 모양은 두 변의 길이가 같고 한 각이 둔각이야.

내가 먹고 싶은 샌드위치 모양은 세 변의 길이가 모두 같고 세 각이 모두 예각이야.

진호

혜미

연우

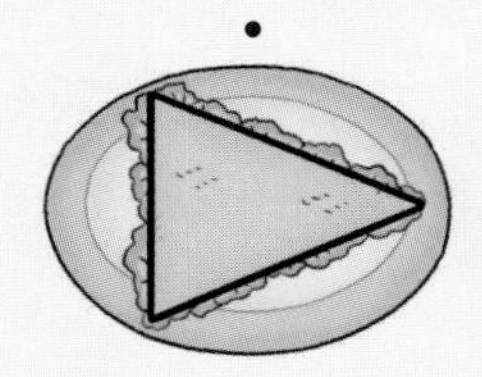
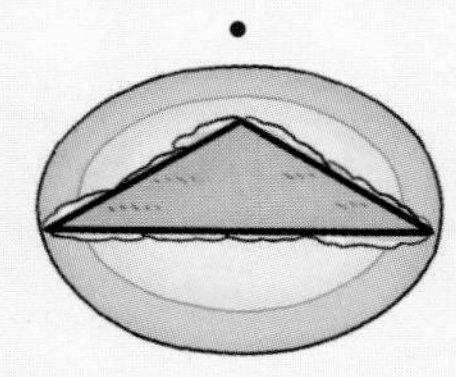
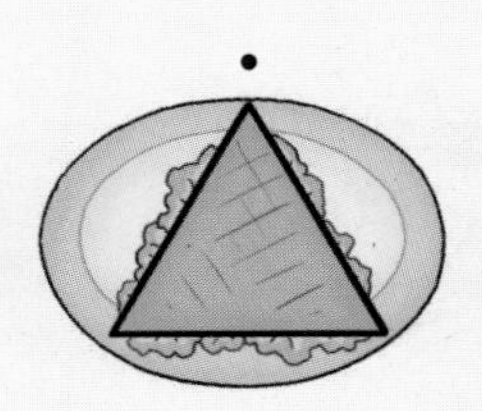
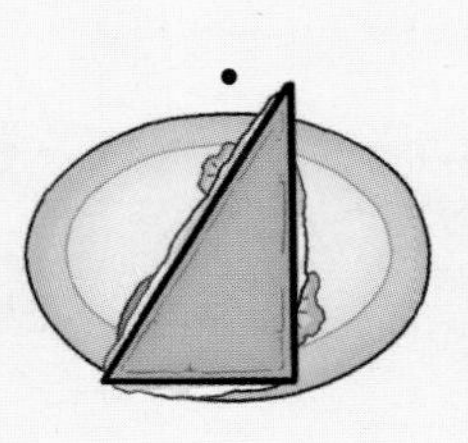
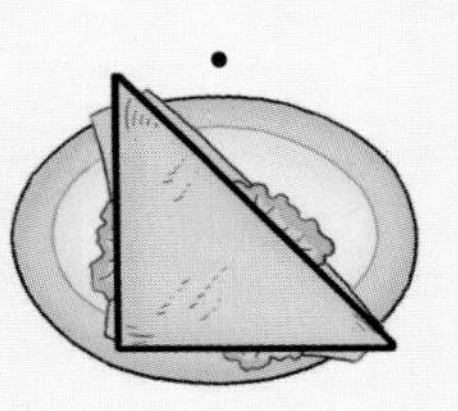

1 단계 교과서 개념 잡기

개념 1 이등변삼각형, 정삼각형 알아보기

• 삼각형을 변의 길이에 따라 분류하기

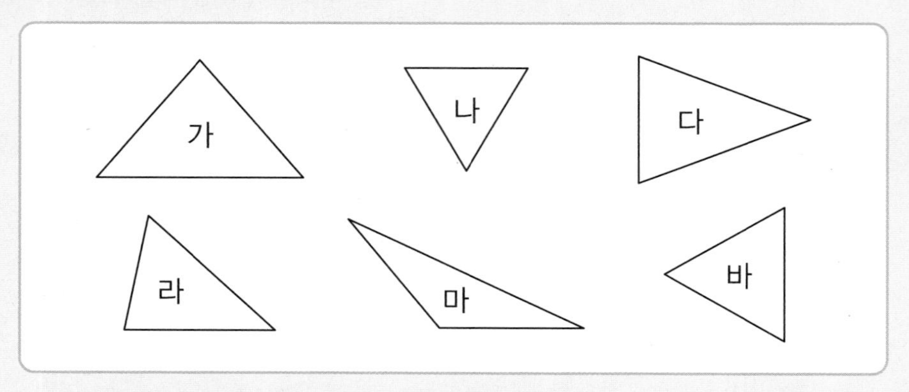

두 변의 길이만 같은 삼각형	가, 다, 마
세 변의 길이가 모두 같은 삼각형	나, 바
세 변의 길이가 모두 다른 삼각형	라

두 변의 길이가 같은 삼각형을 이등변삼각형이라고 합니다.

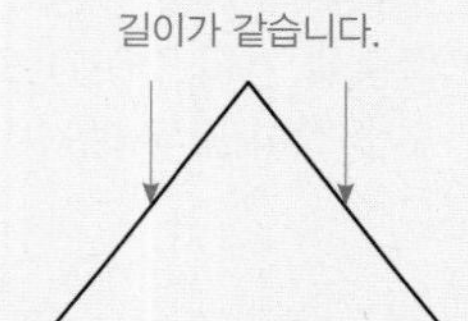

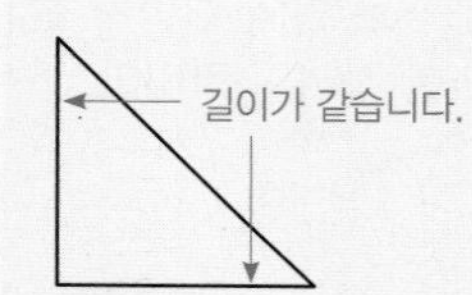

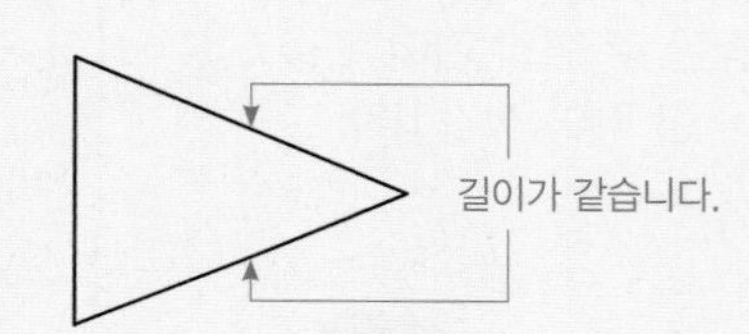

세 변의 길이가 같은 삼각형을 정삼각형이라고 합니다.

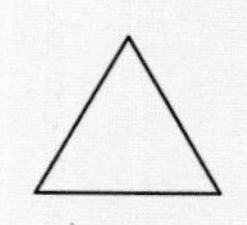

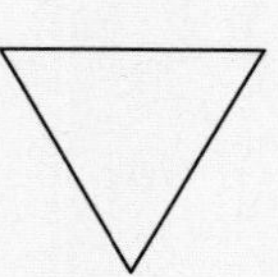

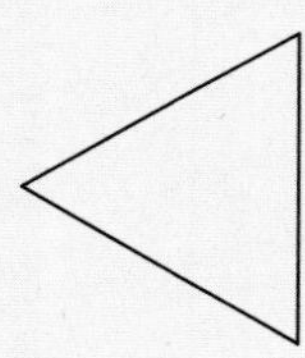

→ 세 변의 길이가 모두 같습니다.

정삼각형도 길이가 같은 두 변이 있으므로 정삼각형은 이등변삼각형이라고 할 수 있어요.

이등변삼각형은 세 변의 길이가 항상 같은 것은 아니므로 정삼각형이라고 할 수 없어요.

개념 확인 문제

1-1 이등변삼각형을 찾아 ○표 하세요.

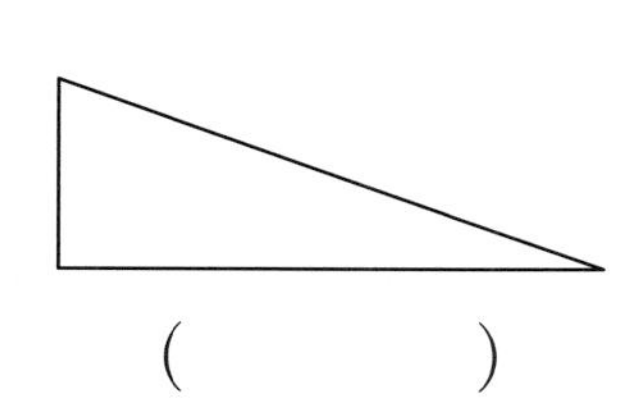
(　　　)

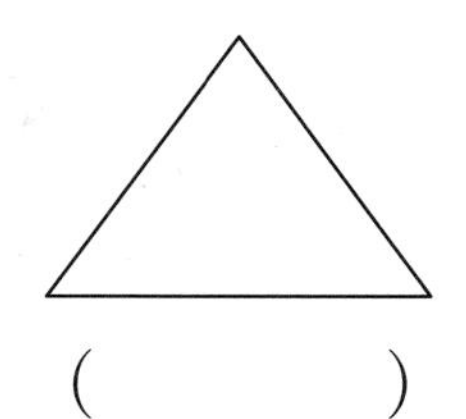
(　　　)

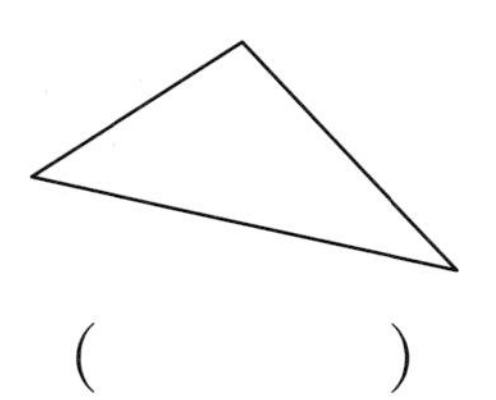
(　　　)

1-2 다음 도형은 이등변삼각형입니다. □ 안에 알맞은 수를 써넣으세요.

(1)
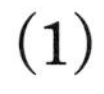
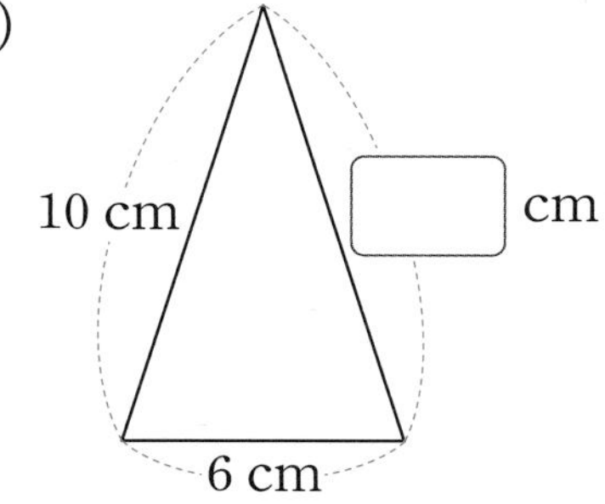

(2)
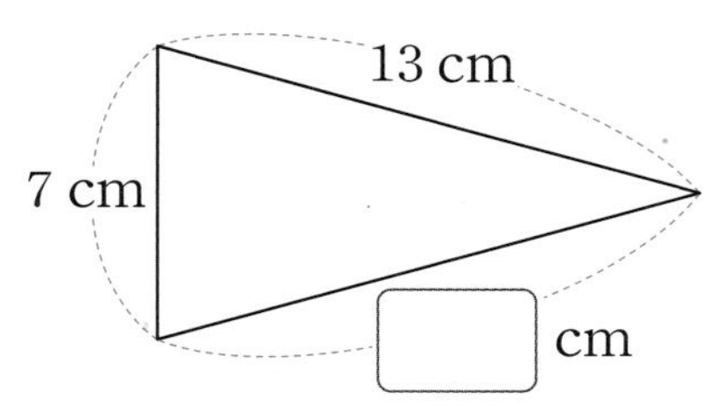

1-3 다음 도형을 보고 알맞은 말에 ○표 하고 □ 안에 알맞은 말을 써넣으세요.

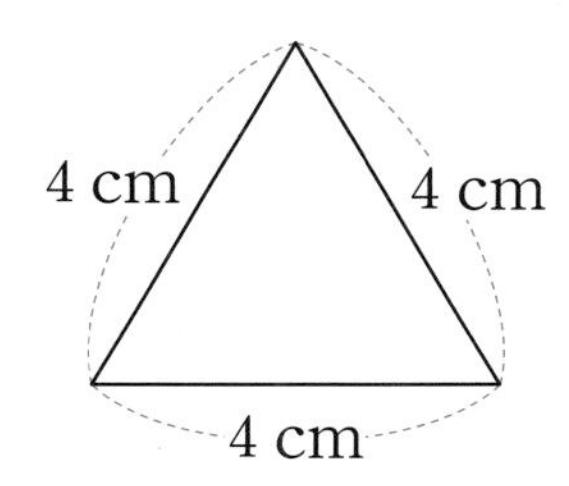

(두 , 세) 변의 길이가 모두 같으므로

□삼각형입니다.

1-4 다음 도형은 정삼각형입니다. □ 안에 알맞은 수를 써넣으세요.

(1)
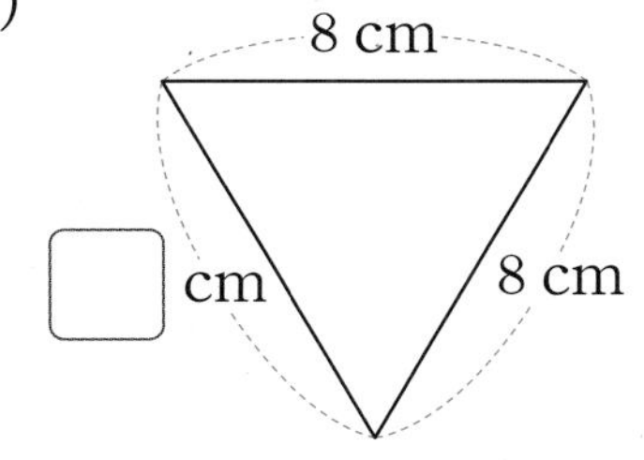

(2)
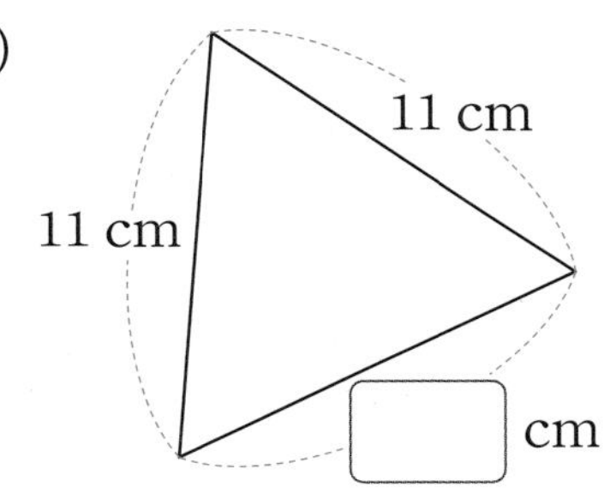

개념 2 이등변삼각형의 성질 알아보기

• 색종이를 잘라서 이등변삼각형의 성질 알아보기

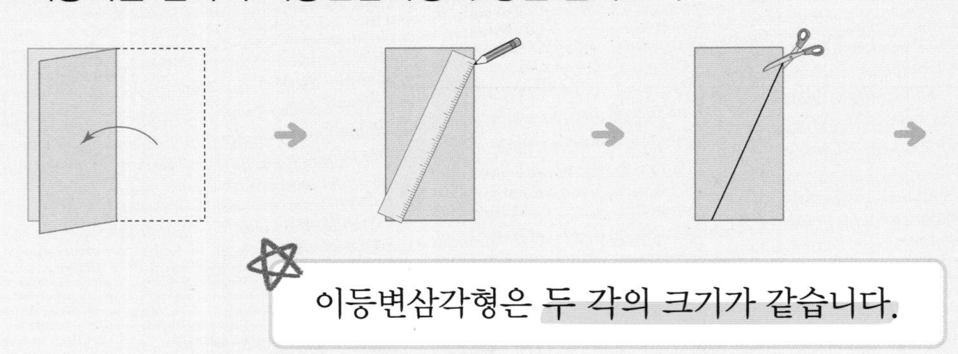

겹쳐서 잘랐으므로 두 변의 길이가 같습니다.

겹쳐서 잘랐으므로 두 각의 크기가 같습니다.

이등변삼각형은 두 각의 크기가 같습니다.

• 두 각의 크기가 각각 55°인 이등변삼각형 그리기

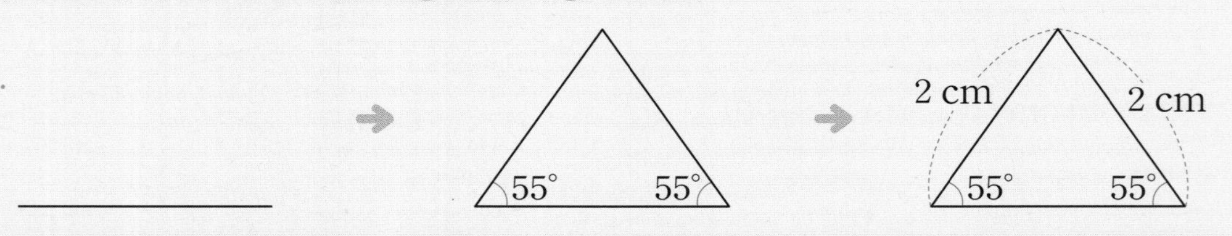

선분을 1개 긋습니다.	선분의 양 끝에 각각 55°인 각을 그립니다.	두 변의 길이가 같으므로 이등변삼각형입니다.

개념 3 정삼각형의 성질 알아보기

• 각의 크기를 재어 정삼각형의 성질 알아보기

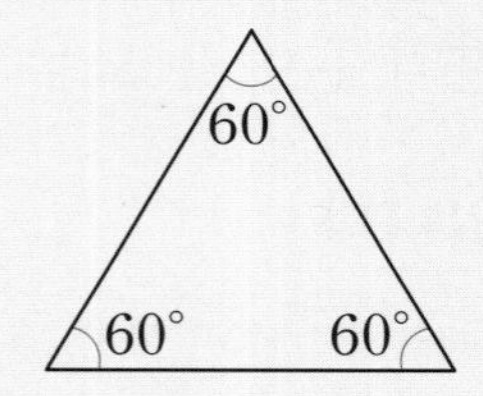

정삼각형은 세 각의 크기가 같습니다.

• 정삼각형 그리기

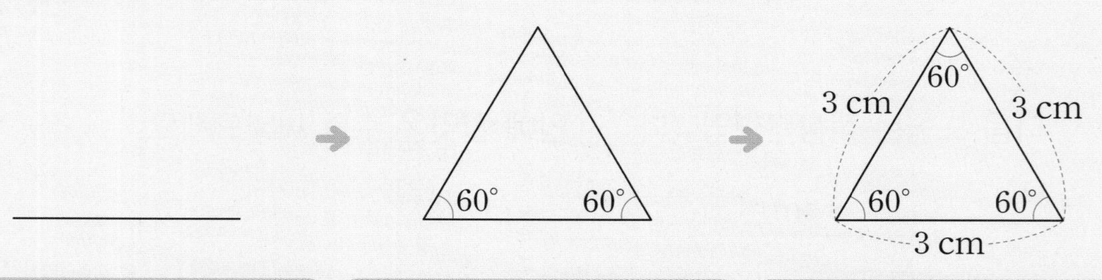

선분을 1개 긋습니다.	선분의 양 끝에 각각 60°인 각을 그립니다.	세 변의 길이가 같으므로 정삼각형입니다.

정답과 풀이 p.14

2-1 다음 도형은 이등변삼각형입니다. □ 안에 알맞은 수를 써넣으세요.

(1)

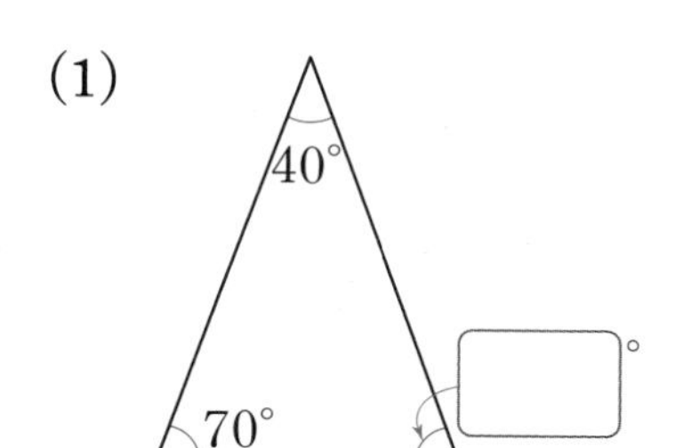

(2)

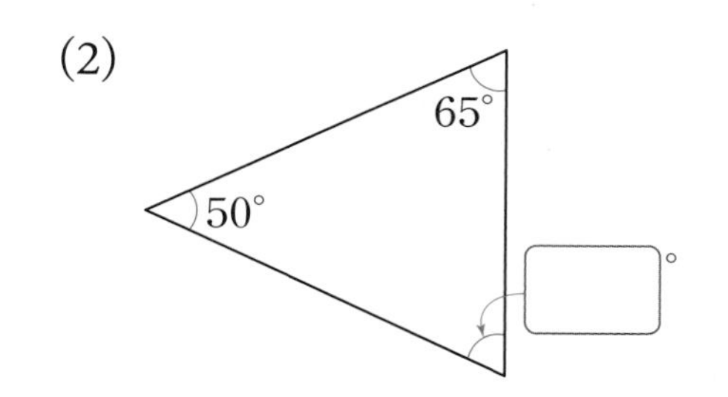

2-2 주어진 선분의 양 끝에 크기가 각각 40°인 각을 그려 이등변삼각형을 완성해 보세요.

3-1 다음 도형은 정삼각형입니다. □ 안에 알맞은 수를 써넣으세요.

(1)

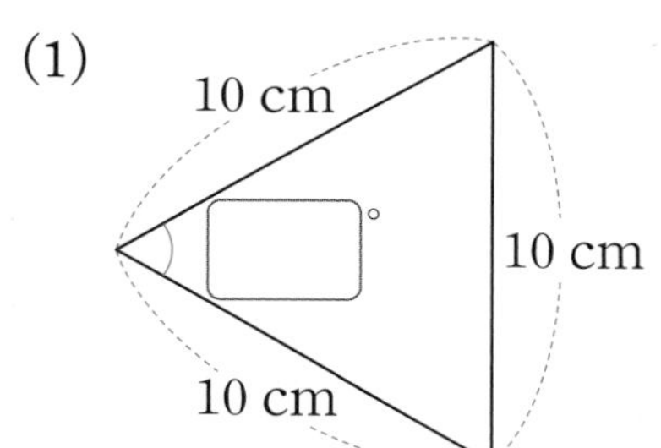

(2)

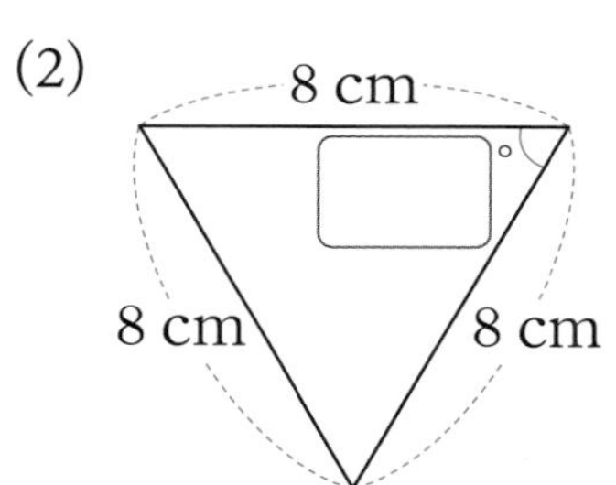

3-2 주어진 선분을 한 변으로 하는 정삼각형을 각각 그려 보세요.

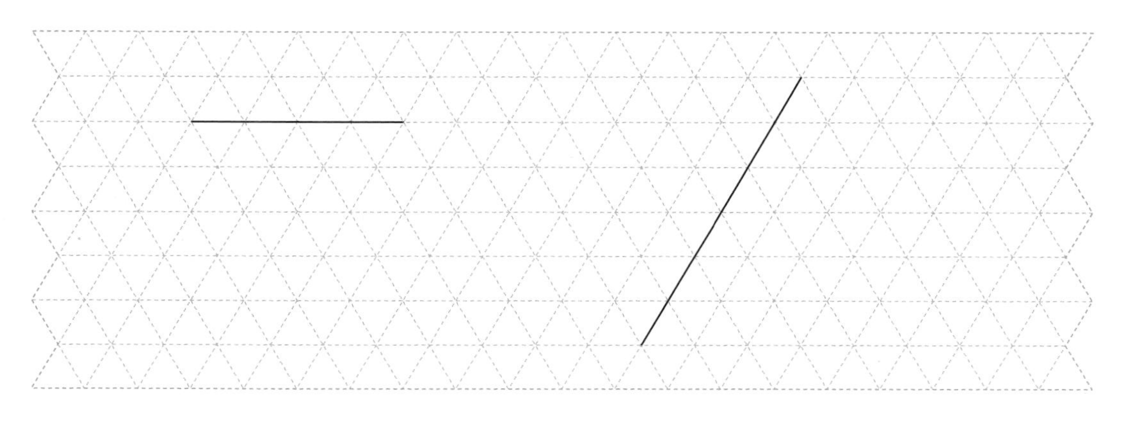

개념 4 예각삼각형, 둔각삼각형 알아보기

• 삼각형을 각의 크기에 따라 분류하기

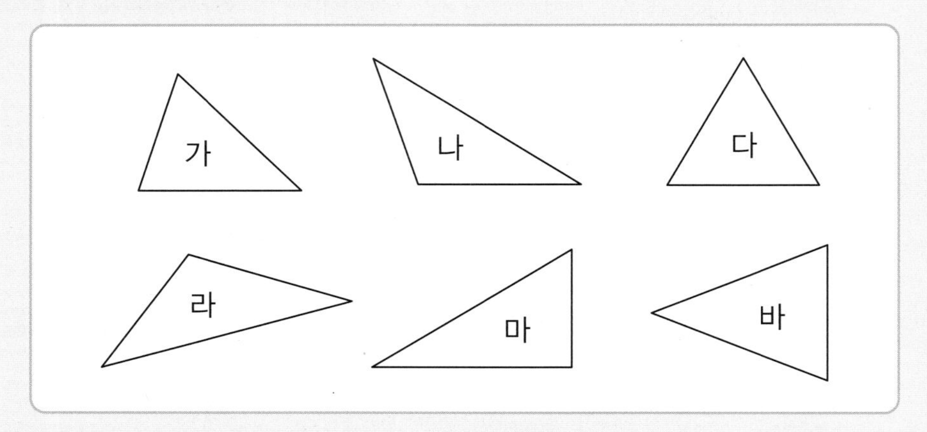

세 각이 모두 예각인 삼각형	가, 다, 바
직각삼각형	마
둔각이 있는 삼각형	나, 라

세 각이 모두 예각인 삼각형을 예각삼각형이라고 합니다.

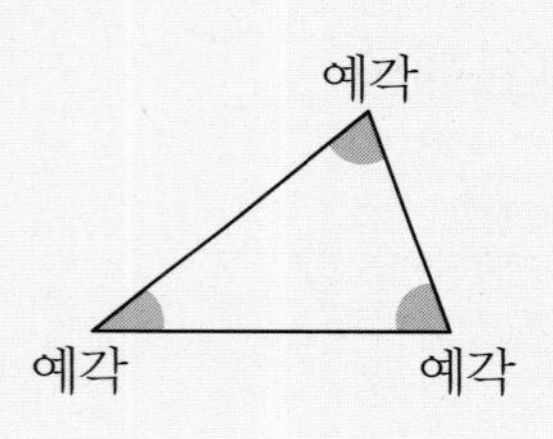

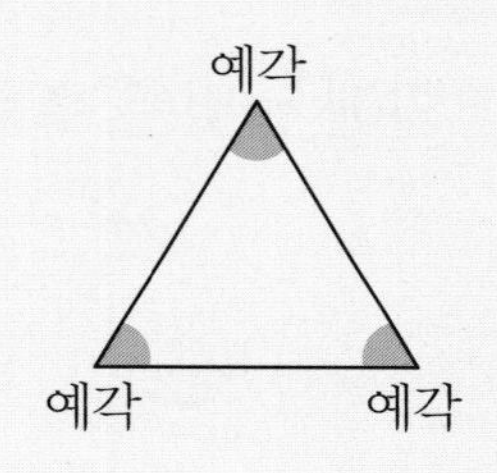

세 각이 모두 예각이어야만 예각삼각형이에요.

한 각이 둔각인 삼각형을 둔각삼각형이라고 합니다.

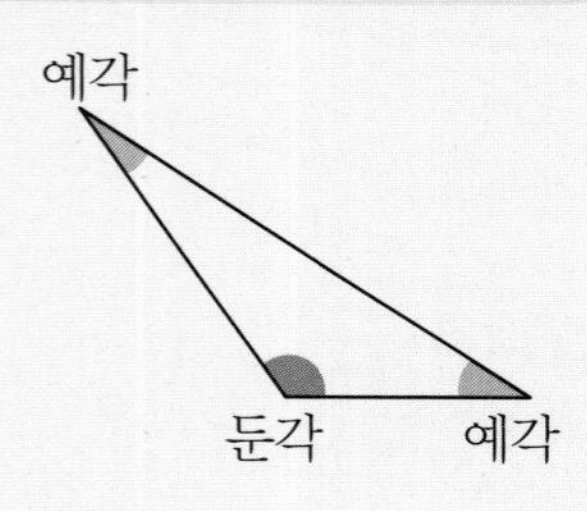

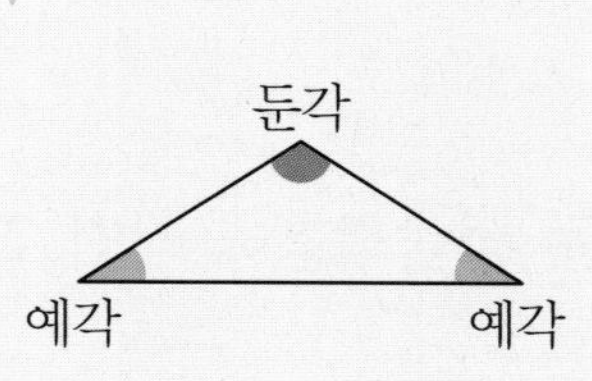

예각이 있다고 해서 모두 예각삼각형인 것은 아니에요.

참고 한 각이 직각인 삼각형을 직각삼각형이라고 합니다.

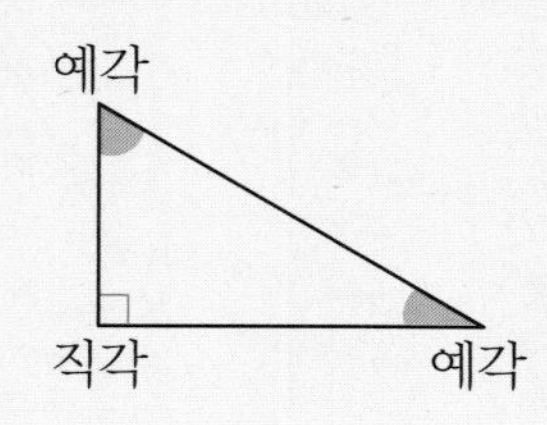

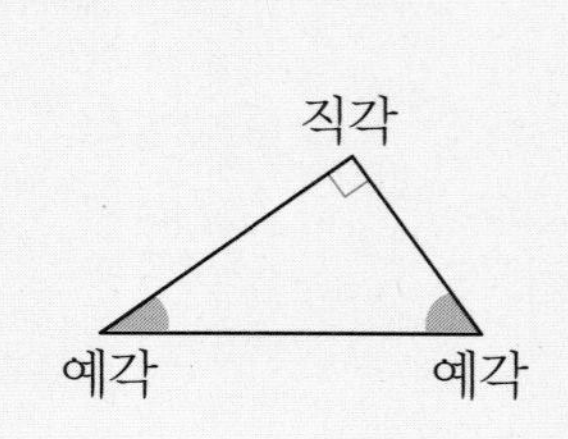

4-1 예각삼각형에 ○표 하세요.

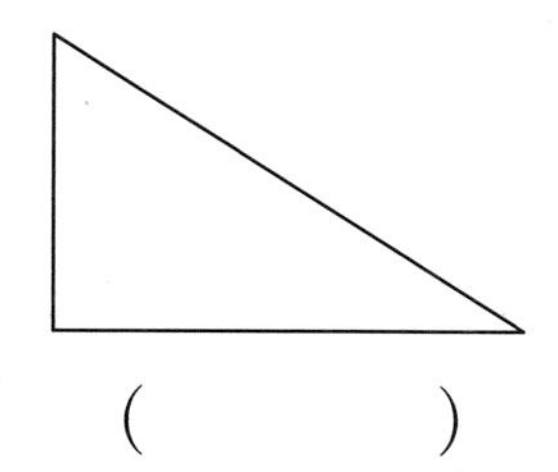
( )

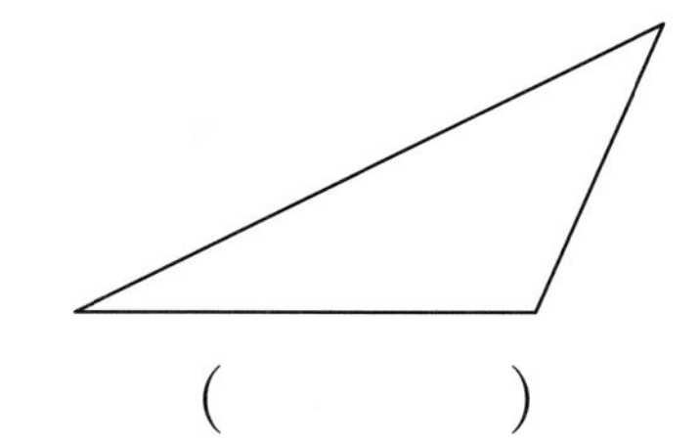
( )

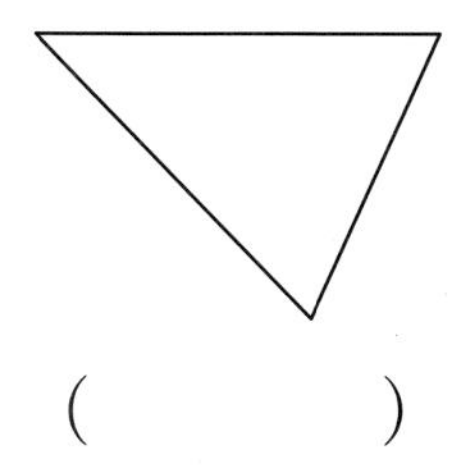
( )

4-2 □ 안에 알맞은 수를 써넣으세요.

예각삼각형은 예각이 □개 있습니다.

4-3 다음 도형을 보고 알맞은 말에 ○표 하고, □ 안에 알맞은 말을 써넣으세요.

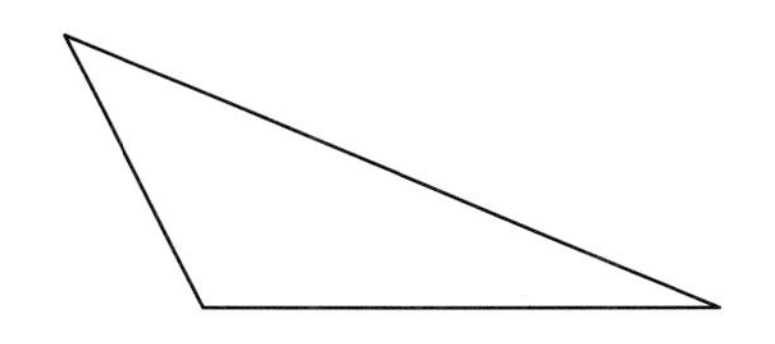

(한 , 두 , 세) 각이 둔각이므로

□삼각형입니다.

4-4 점 종이에 둔각삼각형을 2개 그려 보세요.

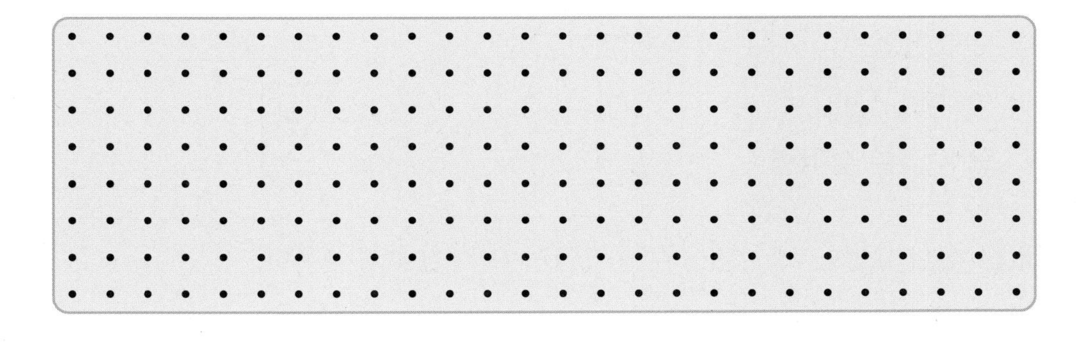

개념 5 삼각형을 두 가지 기준으로 분류하기

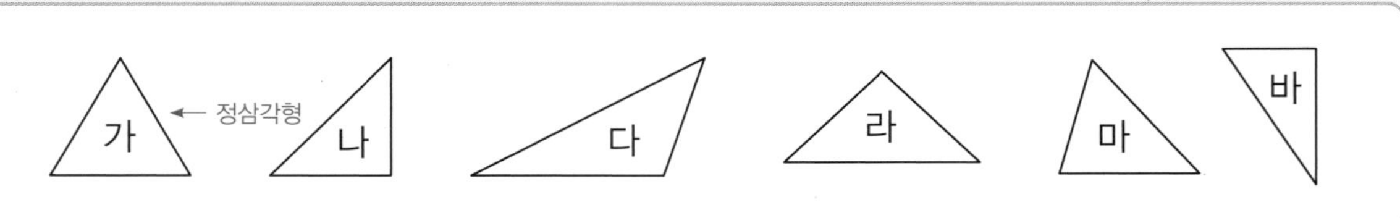

• 변의 길이에 따라 삼각형 분류하기

이등변삼각형	가, 나, 라
세 변의 길이가 모두 다른 삼각형	다, 마, 바

• 각의 크기에 따라 삼각형 분류하기

직각삼각형인 정삼각형과 둔각삼각형인 정삼각형은 없습니다.

예각삼각형	직각삼각형	둔각삼각형
가, 마	나, 바	다, 라

변의 길이와 각의 크기에 따라 삼각형 분류하기

	예각삼각형	직각삼각형	둔각삼각형
이등변삼각형	가	나	라
세 변의 길이가 모두 다른 삼각형	마	바	다

참고 정삼각형은 이등변삼각형이면서 예각삼각형입니다.

정답과 풀이 p.15

5-1 알맞은 것끼리 선으로 이어 보세요.

이등변삼각형 •

정삼각형 •

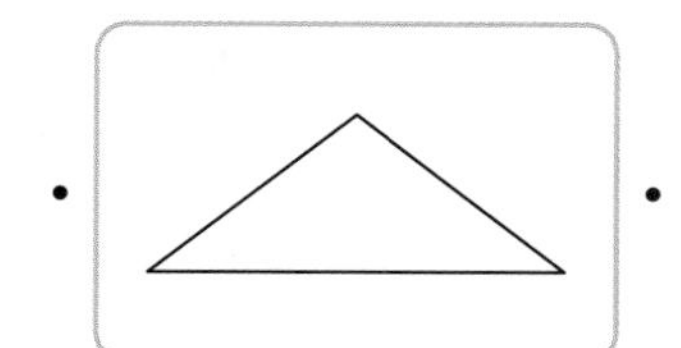

• 예각삼각형

• 직각삼각형

• 둔각삼각형

5-2 삼각형을 보고 □ 안에 알맞은 말을 보기 에서 찾아 써넣으세요.

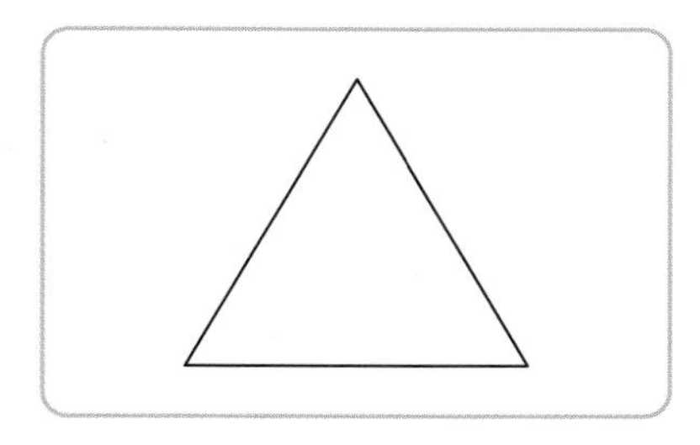

보기

이등변삼각형 정삼각형

예각삼각형 직각삼각형

(1) 세 변의 길이가 같기 때문에 □입니다.

(2) 세 각이 모두 예각이기 때문에 □입니다.

5-3 예각삼각형이면서 이등변삼각형인 것을 찾아 기호를 써 보세요.

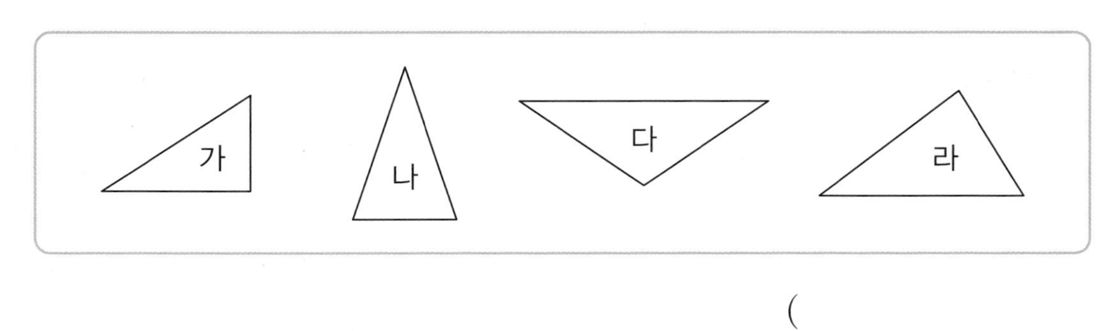

(   )

PLAY 교과서 개념 스토리

블라인드 완성하기

준비물 붙임딱지

창문으로 집 안의 모습이 너무 많이 보여서 블라인드를 내리려고 합니다.
친구들이 하는 말을 보고 알맞은 블라인드 붙임딱지를 붙여 집 안을 가려 보세요.

우리 집은 세 변의 길이가 모두 같은 삼각형이 그려진 블라인드로 가려줘.

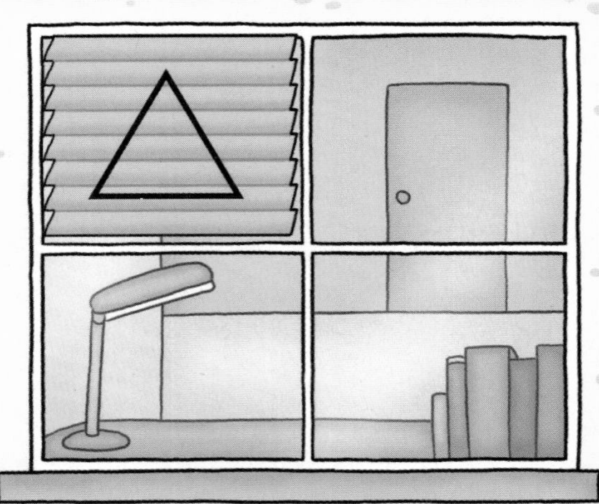

우리 집은 두 변의 길이만 같은 삼각형이 그려진 블라인드로 가려줘.

우리 집은 세 각이 모두
예각인 삼각형이 그려진
블라인드로 가려줘.
우리 집은 한 각이
둔각인 삼각형이 그려진
블라인드로 가려줘.
3
주
교과서

PLAY 교과서 개념 스토리

마법책 표지 완성하기

준비물 붙임딱지

도서관에 있는 마법책의 표지가 찢어져 있습니다. 마법책에 적힌 내용에 알맞은 삼각형이 그려진 책의 표지를 찾아 붙임딱지를 붙여 보세요. 그리고 표지에 그려진 삼각형의 이름을 빈 마법책에 써 보세요.

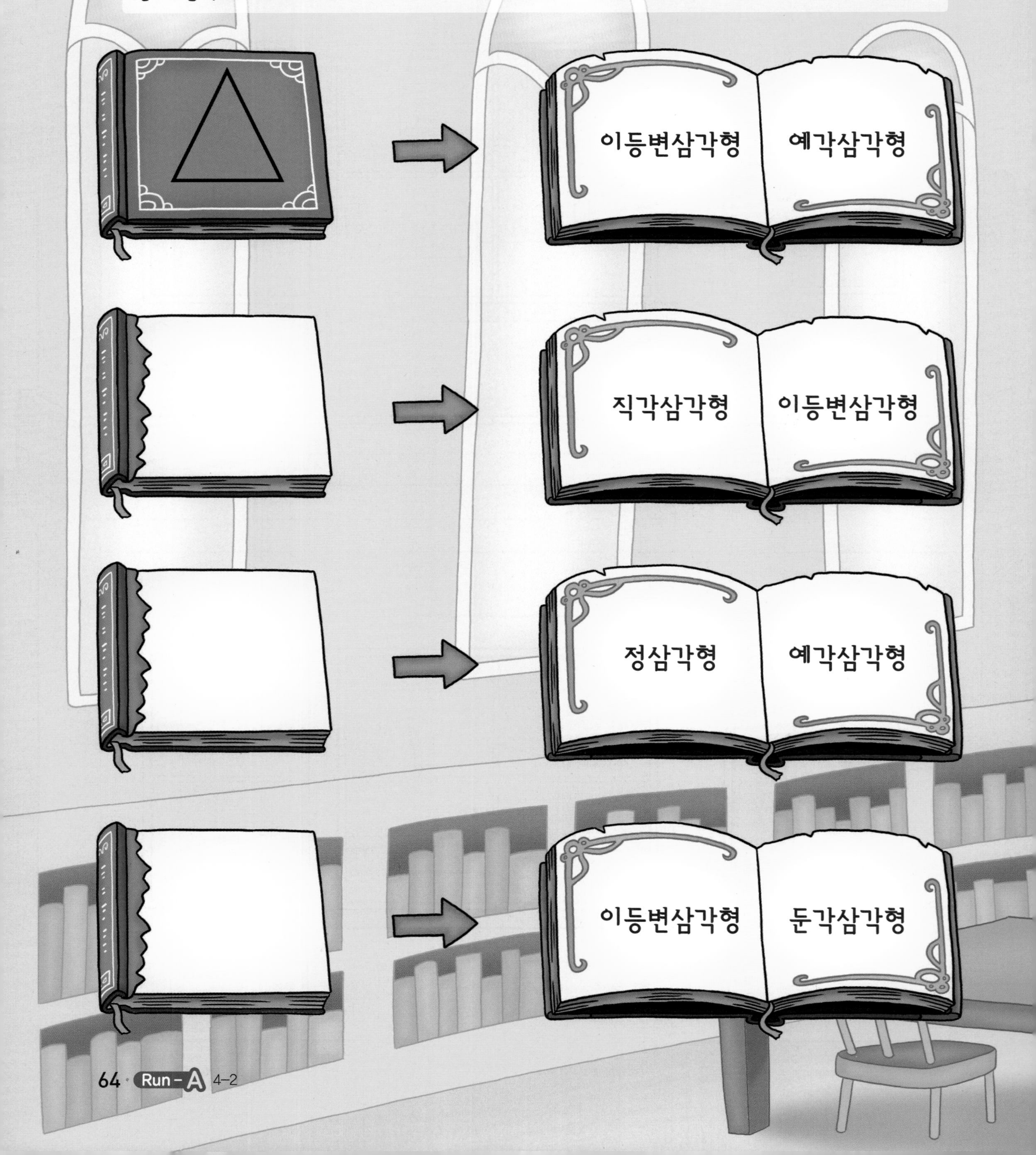

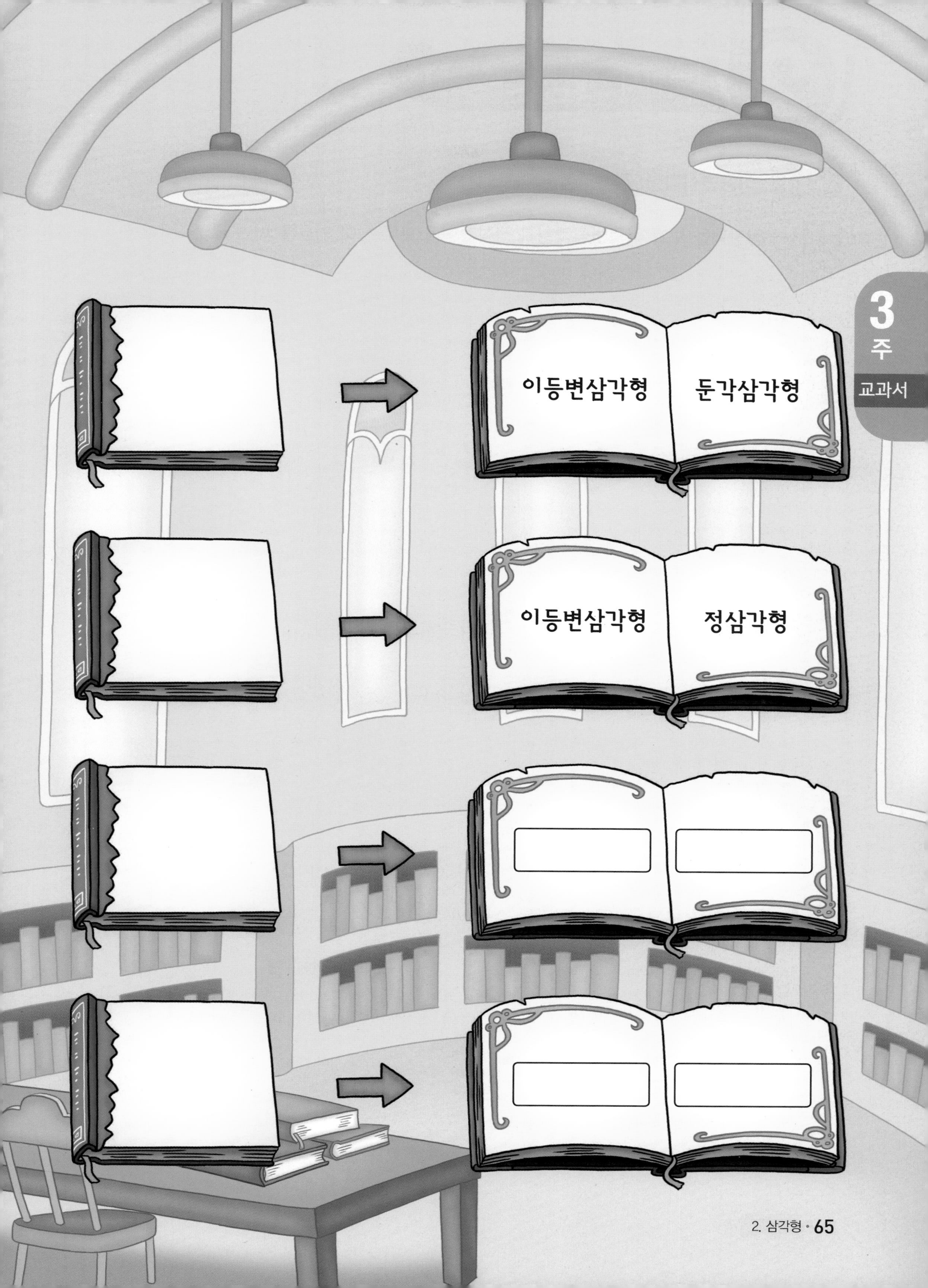
3
주
교과서
이등변삼각형
둔각삼각형
이등변삼각형
정삼각형

2 단계 교과서 개념 다지기

개념 1 이등변삼각형, 정삼각형 알아보기

01 삼각형을 보고 이등변삼각형과 정삼각형을 모두 찾아 기호를 써 보세요.

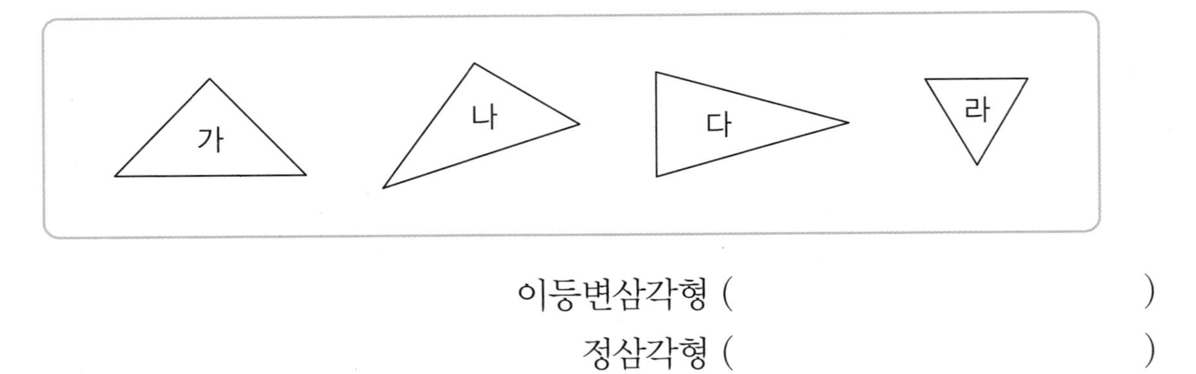

이등변삼각형 (　　　　　　　　　　)

정삼각형 (　　　　　　　　　　)

02 세 변의 길이가 다음과 같은 삼각형의 이름으로 알맞은 것에 ○표 하세요.

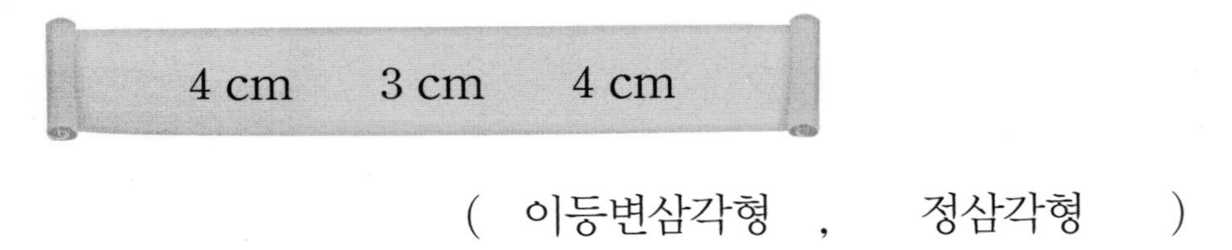

(이등변삼각형 , 정삼각형)

03 삼각형을 보고 □ 안에 알맞은 수를 써넣으세요.

(1) 이등변삼각형

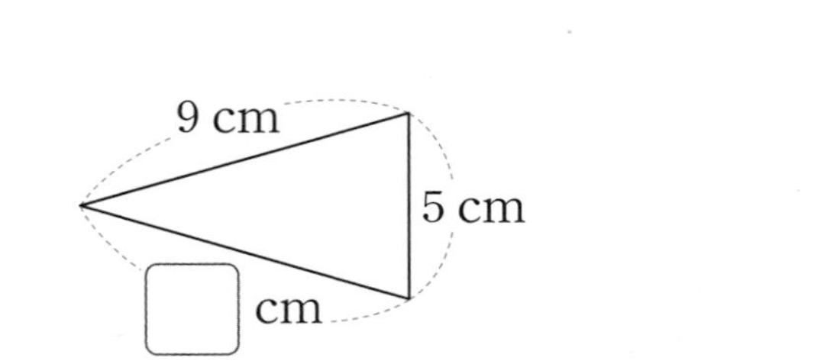

(2) 정삼각형

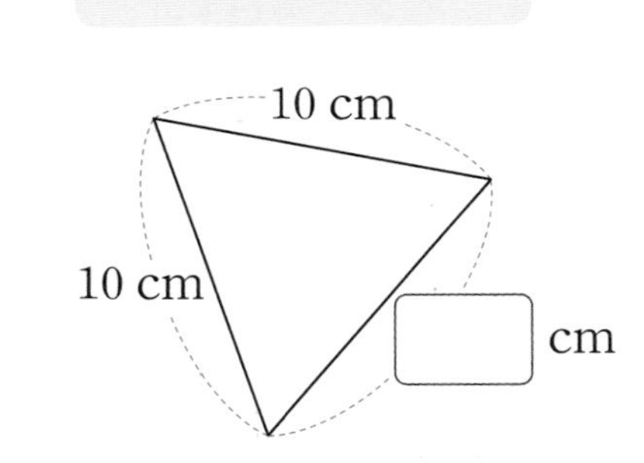

개념 2 이등변삼각형의 성질

04 이등변삼각형입니다. □ 안에 알맞은 수를 써넣으세요.

(1)

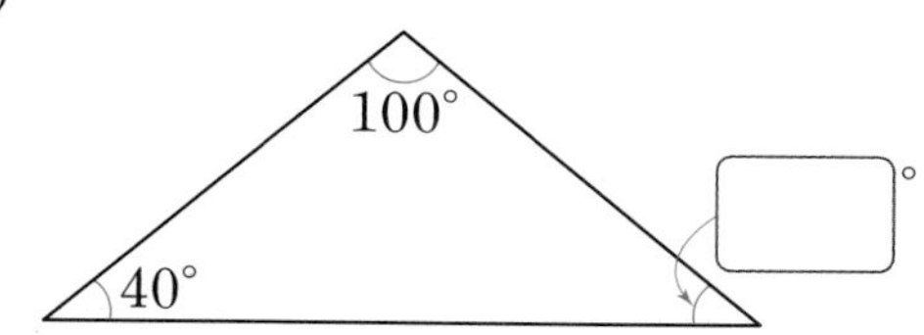

(2)

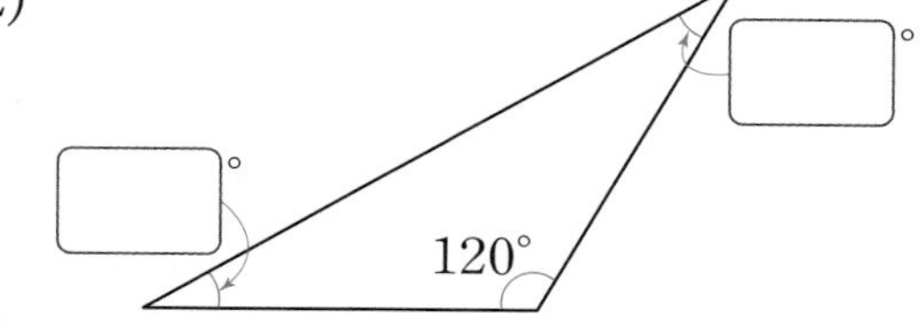

05 □ 안에 알맞은 수를 써넣으세요.

(1)

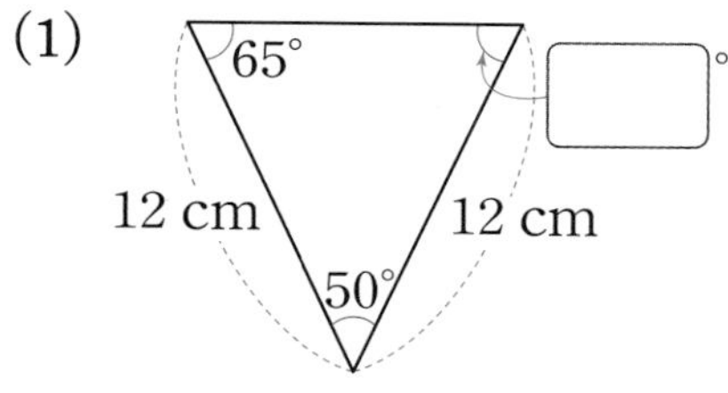

(2)

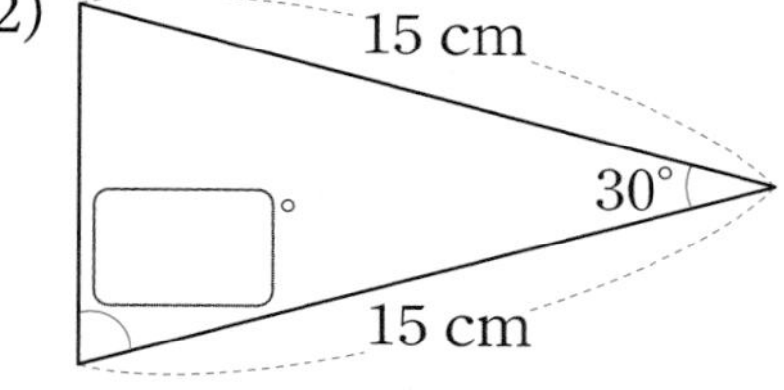

06 삼각형 ㄱㄴㄷ은 이등변삼각형입니다. 각 ㄱㄴㄷ의 크기는 몇 도인지 구해 보세요.

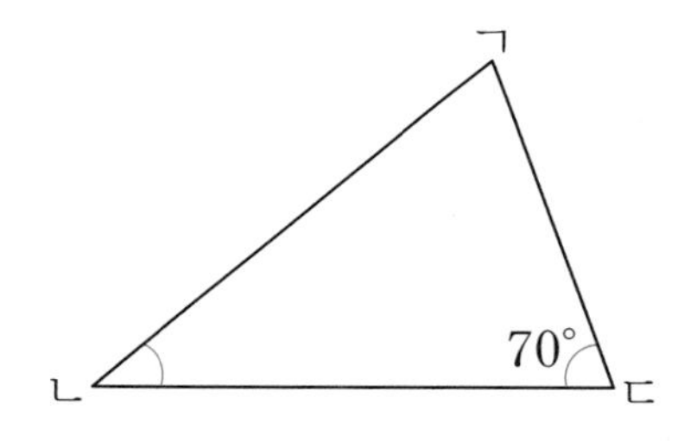

(　　　　　　　　)

07 삼각형의 세 각 중에서 두 각의 크기를 나타낸 것입니다. 이등변삼각형이 될 수 있는 것에 ○표 하세요.

30°, 80°	90°, 45°
(　　　)	(　　　)

개념 3 정삼각형의 성질

08 정삼각형의 한 각의 크기를 구해 보세요.

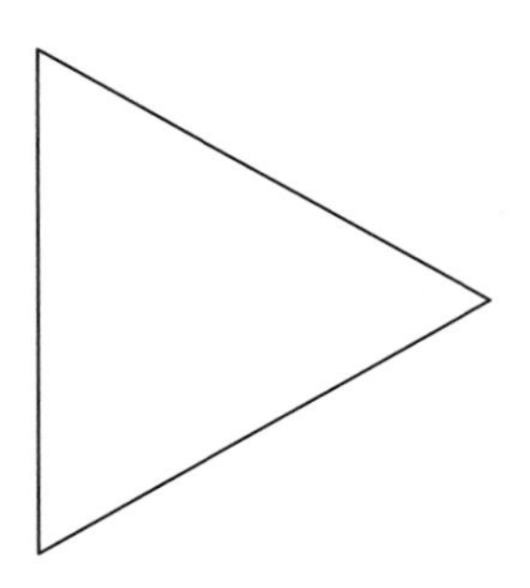

( )

09 다음 도형은 정삼각형입니다. □ 안에 알맞은 수를 써넣으세요.

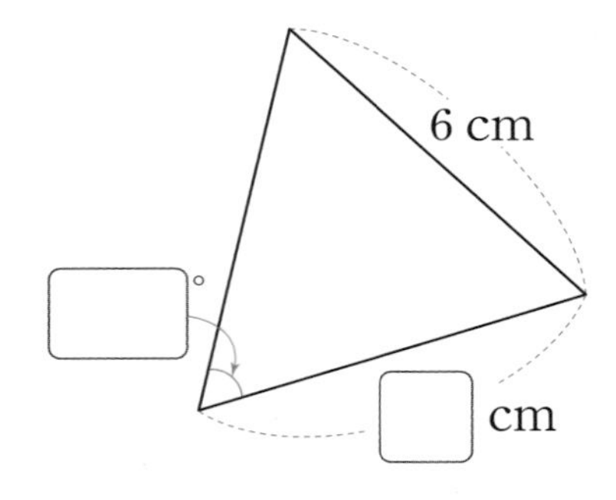

10 이집트의 피라미드는 정면에서 바라보면 정삼각형 모양입니다. ㉠과 ㉡의 각도의 합을 구해 보세요.

( )

개념 4 이등변삼각형, 정삼각형 그리기

11 선분 ㄱㄴ과 한 점을 이어 이등변삼각형을 그리려고 합니다. 선분의 양 끝점과 어느 점을 이어야 하는지 찾아 기호를 써 보세요.

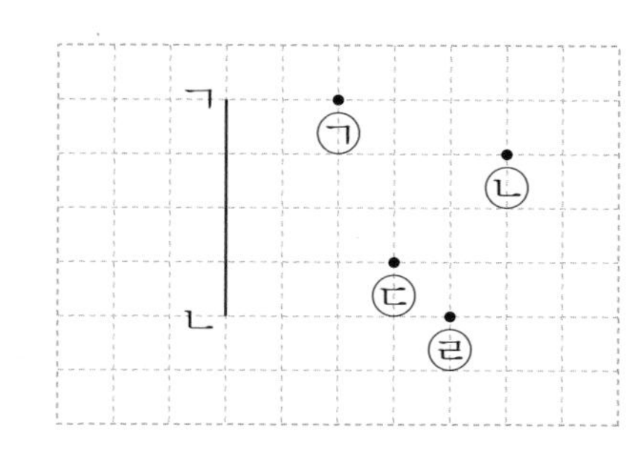

( )

12 주어진 선분을 이용하여 보기와 같은 이등변삼각형을 그려 보세요.

보기

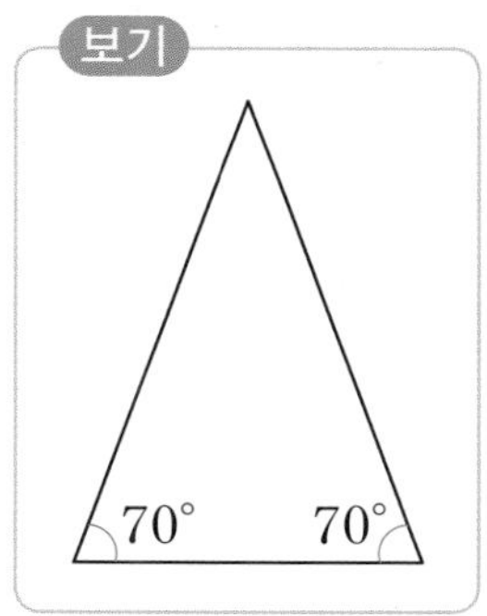

13 각도기와 자를 사용하여 주어진 선분을 한 변으로 하는 정삼각형을 그려 보세요.

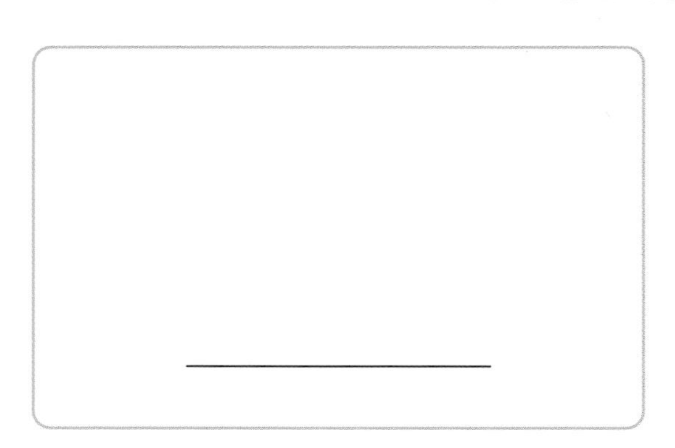

개념 5 예각삼각형, 직각삼각형, 둔각삼각형 알아보기

14 예각삼각형은 '예', 직각삼각형은 '직', 둔각삼각형은 '둔'을 □ 안에 써넣으세요.

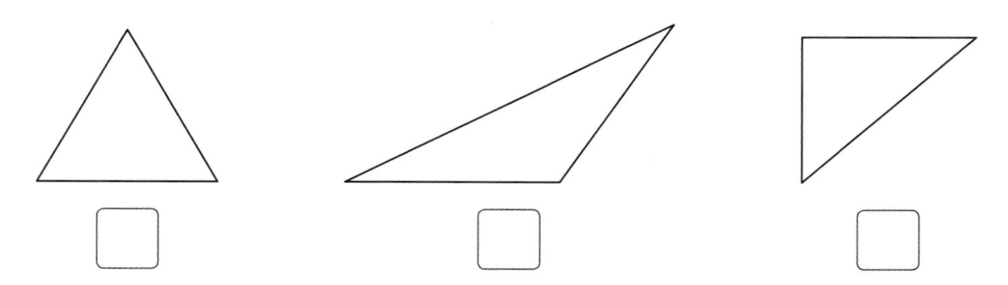

15 각의 크기에 따라 삼각형을 분류하여 표의 빈 곳에 알맞은 기호를 써넣으세요.

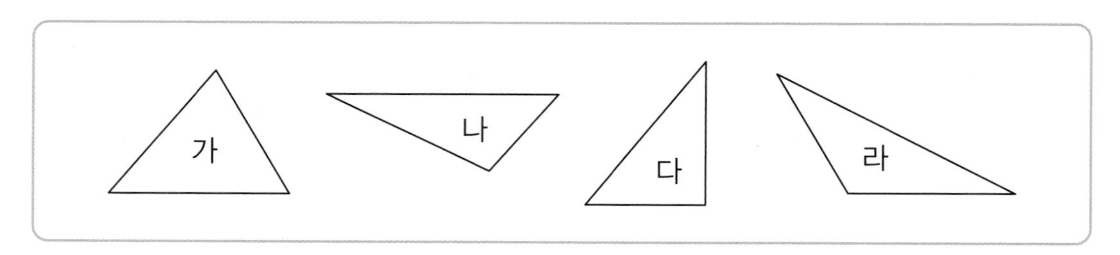

예각삼각형	직각삼각형	둔각삼각형

16 직사각형 모양의 종이를 점선을 따라 잘랐을 때 만들어지는 예각삼각형과 둔각삼각형은 각각 몇 개일까요?

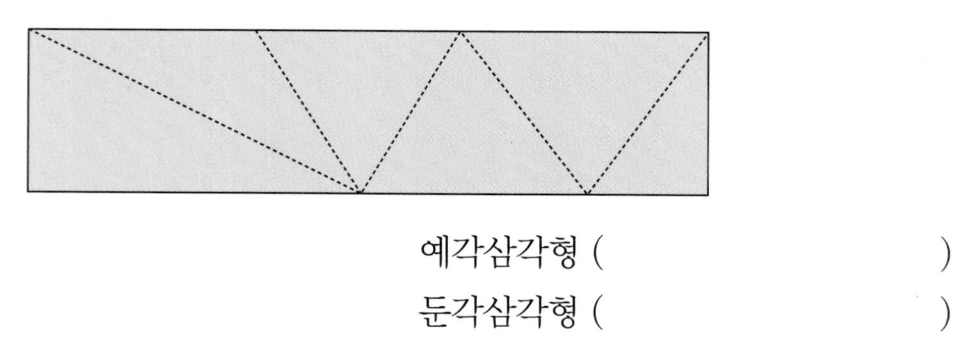

예각삼각형 (　　　　　　　　)

둔각삼각형 (　　　　　　　　)

개념 6 삼각형을 두 가지 기준으로 분류하기

17 □ 안에 알맞은 삼각형의 이름을 써넣으세요.

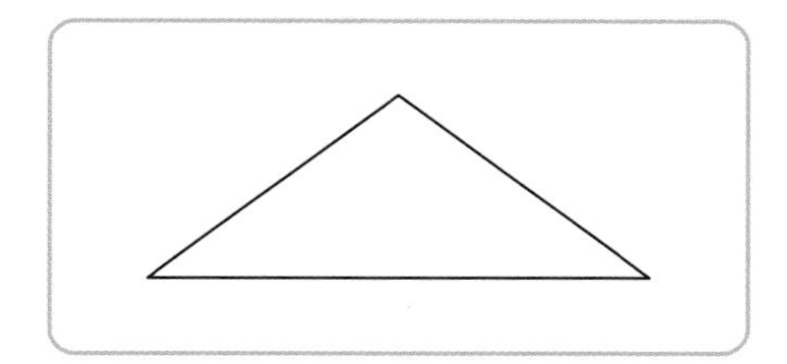

(1) 두 변의 길이가 같기 때문에 □입니다.

(2) 한 각이 둔각이기 때문에 □입니다.

18 삼각형을 분류하여 표의 빈 곳에 알맞은 기호를 써넣으세요.

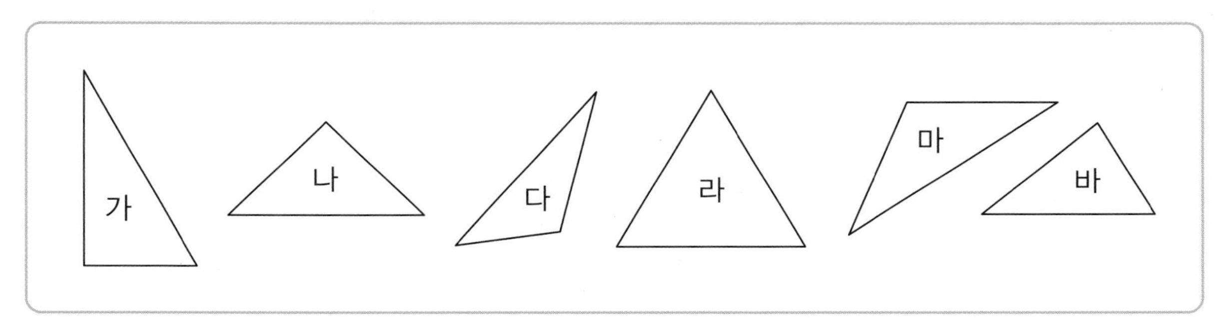

	예각삼각형	직각삼각형	둔각삼각형
이등변삼각형			
세 변의 길이가 모두 다른 삼각형			

19 다음 설명 중 옳은 것에 ○표 하세요.

이등변삼각형은 예각삼각형입니다. (　　　)

정삼각형은 예각삼각형입니다. (　　　)

3 단계 교과서 실력 다지기

★ 삼각형의 세 변의 길이의 합 구하기

1 이등변삼각형입니다. 세 변의 길이의 합은 몇 cm인지 구해 보세요.

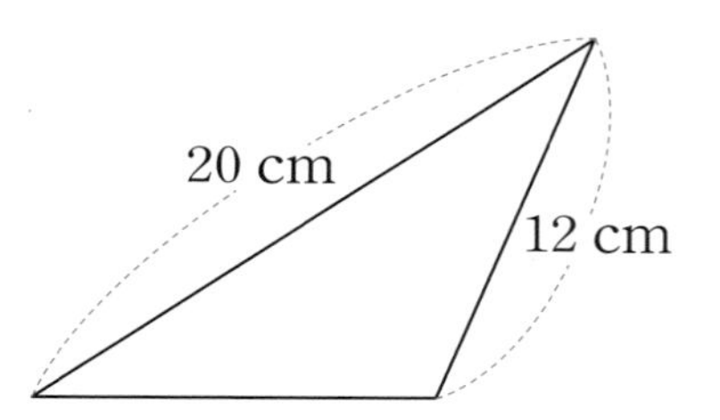

답 ____________________

① 이등변삼각형은 두 변의 길이가 같습니다.
② 정삼각형은 세 변의 길이가 모두 같습니다.

1-1 정삼각형입니다. 세 변의 길이의 합은 몇 cm인지 구해 보세요.

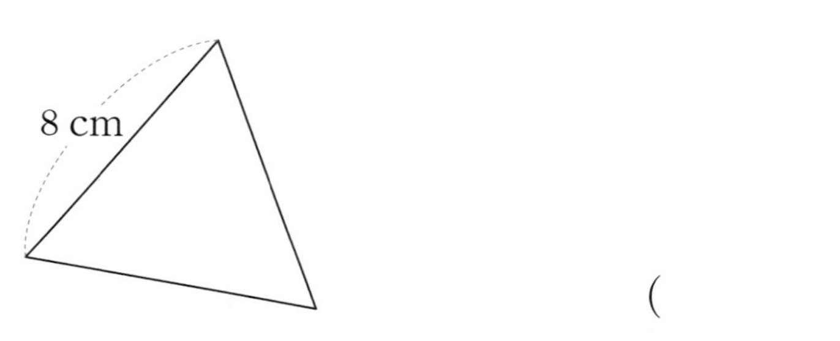

(　　　　　　　　　　)

1-2 한 각의 크기가 60°인 이등변삼각형입니다. 세 변의 길이의 합은 몇 cm인지 구해 보세요.

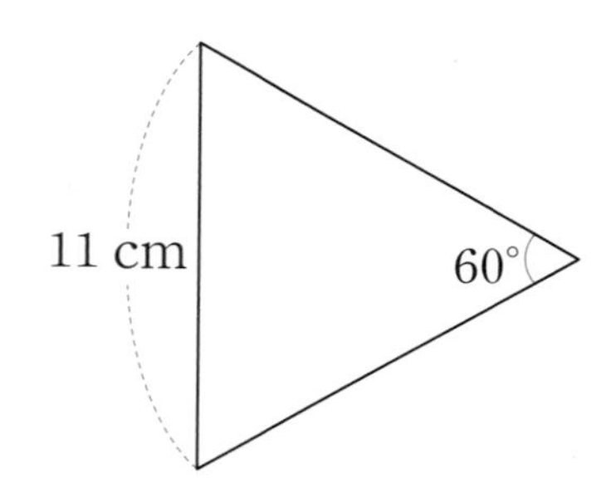

(　　　　　　　　　　)

삼각형에서 한 변의 길이 구하기

2 이등변삼각형 ㄱㄴㄷ의 세 변의 길이의 합은 35 cm입니다. 변 ㄱㄷ의 길이는 몇 cm인지 구해 보세요.

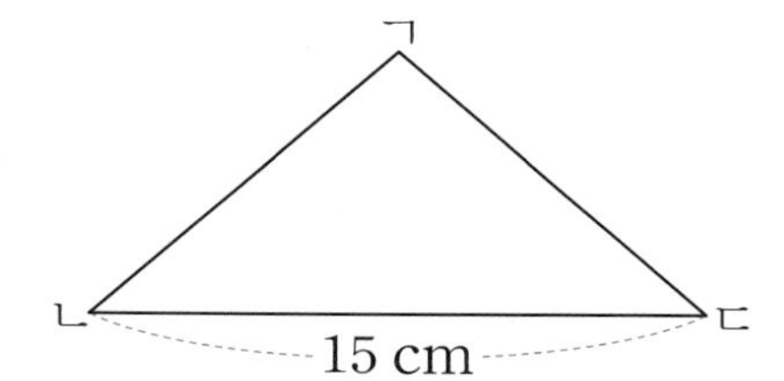

답 ______

개념 피드백

• 삼각형에서 세 변의 길이의 합을 알 때 한 변의 길이 구하는 방법

① 이등변삼각형과 정삼각형 중에서 어떤 삼각형인지 알아봅니다.

② 구하려는 한 변의 길이를 □로 놓고 이등변삼각형 또는 정삼각형의 성질을 이용하여 한 변의 길이를 구합니다.

2-1 이등변삼각형 ㄱㄴㄷ의 세 변의 길이의 합은 29 cm입니다. 변 ㄱㄴ의 길이는 몇 cm인지 구해 보세요.

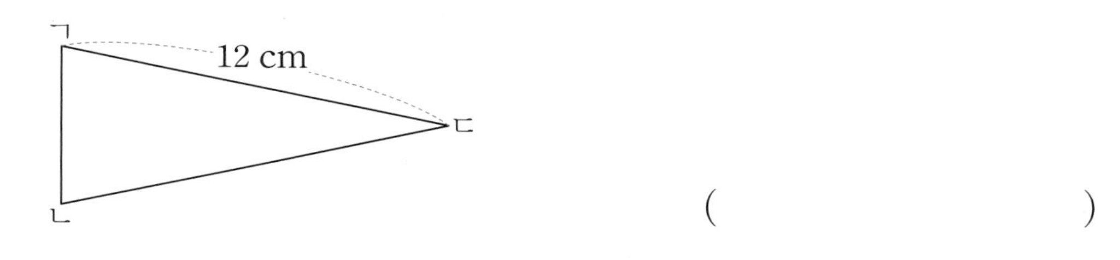

( )

2-2 삼각형 ㄱㄴㄷ의 세 변의 길이의 합이 42 cm일 때 변 ㄴㄷ의 길이는 몇 cm인지 구해 보세요.

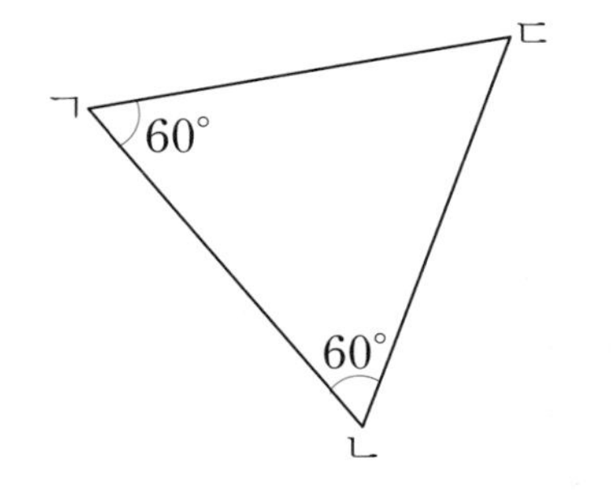

( )

★ 주어진 선분을 한 변으로 하는 삼각형 만들기

3 주어진 선분을 한 변으로 하는 정삼각형을 그리려고 합니다. 어느 점과 이어야 하는지 찾아 기호를 써 보세요.

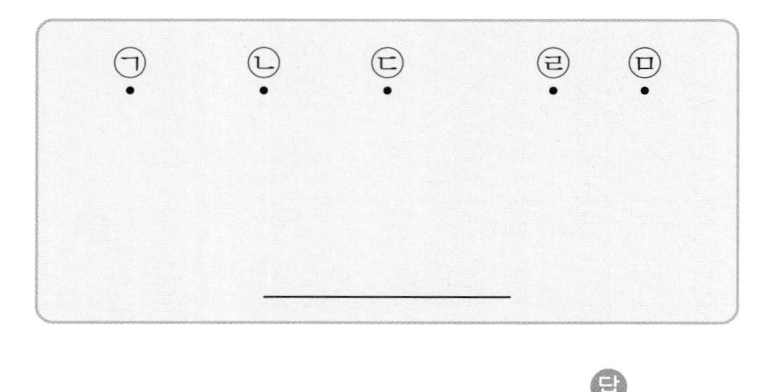

답 ____________________

개념 피드백
① 만들려고 하는 삼각형의 성질을 알아봅니다.
② 삼각형의 성질을 만족하는 점을 찾습니다.

3-1 선분 ㄱㄴ과 한 점을 이어 둔각삼각형을 그리려고 합니다. 선분의 양 끝점과 어느 점을 이어야 할까요? ( )

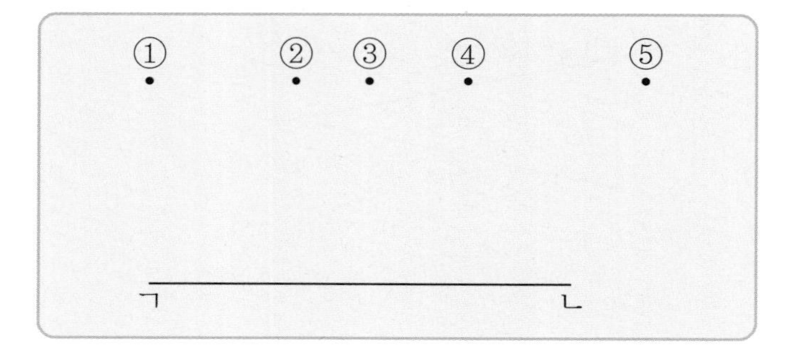

3-2 도형판에 고무줄을 걸어 둔각삼각형을 만들었습니다. 예각삼각형을 만들려면 가에 있는 고무줄을 어느 방향으로 몇 칸 움직여야 하는지 □ 안에 알맞은 수나 말을 써넣으세요.

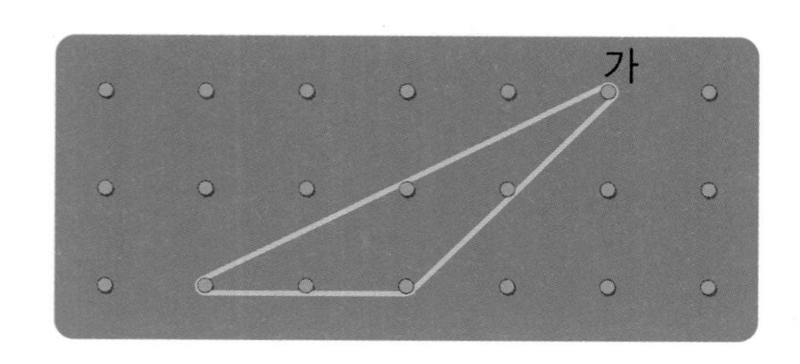

가에 있는 고무줄을 □쪽으로 □칸 움직여야 합니다.

정답과 풀이 p.18

조건에 맞는 도형 그리기

4 보기 에서 설명하는 도형을 그려 보세요.

보기
- 변이 3개입니다.
- 두 변의 길이가 같습니다.
- 세 각이 모두 예각입니다.

➔ 

개념 피드백
① 조건을 모두 만족하는 도형의 이름을 생각해 봅니다.
② 조건을 모두 만족하는 도형을 그립니다.

4-1 보기 에서 설명하는 도형을 그려 보세요.

보기
- 꼭짓점이 3개입니다.
- 두 변의 길이가 같습니다.
- 한 각이 둔각입니다.

➔ 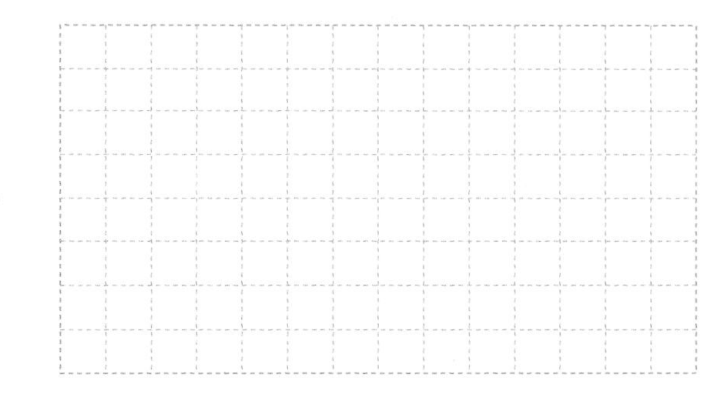

4-2 보기 에서 설명하는 도형을 그려 보세요.

보기
- 세 변의 길이가 같습니다.
- 세 각의 크기가 같습니다.

★ 삼각형의 이름 알아보기

5 다음 삼각형의 이름이 될 수 있는 것을 모두 찾아 ○표 하세요.

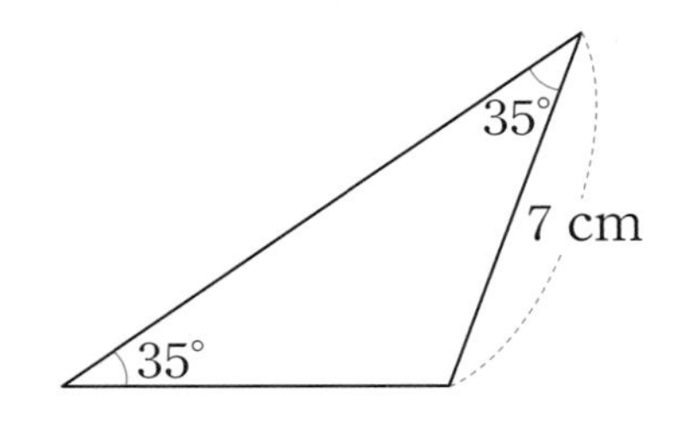

이등변삼각형 정삼각형
예각삼각형 직각삼각형 둔각삼각형

개념 피드백
① 삼각형을 변의 길이에 따라 분류하기 ➡ 이등변삼각형, 정삼각형
② 삼각형을 각의 크기에 따라 분류하기 ➡ 예각삼각형, 직각삼각형, 둔각삼각형

5-1 다음 삼각형의 이름이 될 수 있는 것을 모두 찾아 기호를 써 보세요.

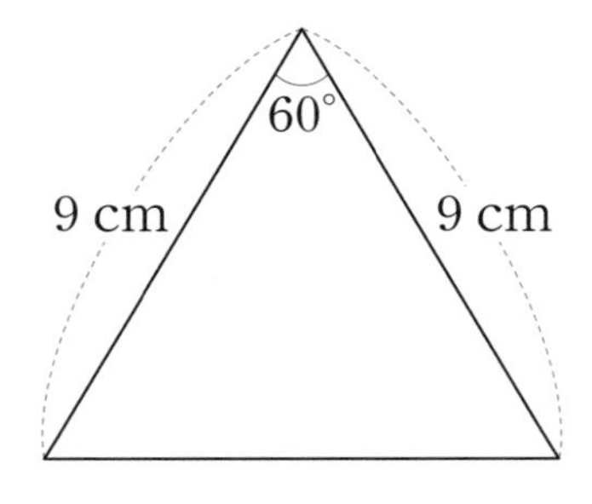

㉠ 이등변삼각형
㉡ 정삼각형
㉢ 예각삼각형
㉣ 둔각삼각형

( )

5-2 삼각형의 일부가 지워졌습니다. 변의 길이와 각의 크기에 따른 삼각형의 이름을 차례로 써 보세요.

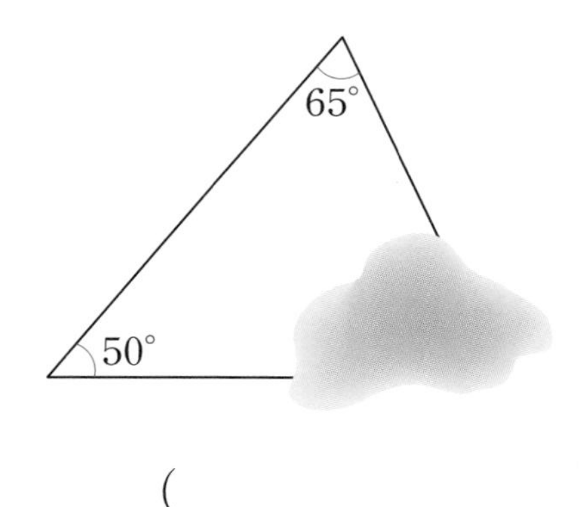

(,)

정삼각형 또는 이등변삼각형의 성질을 이용하여 각도 구하기

6 삼각형 ㄱㄴㄷ은 정삼각형입니다. ㉠의 각도를 구해 보세요.

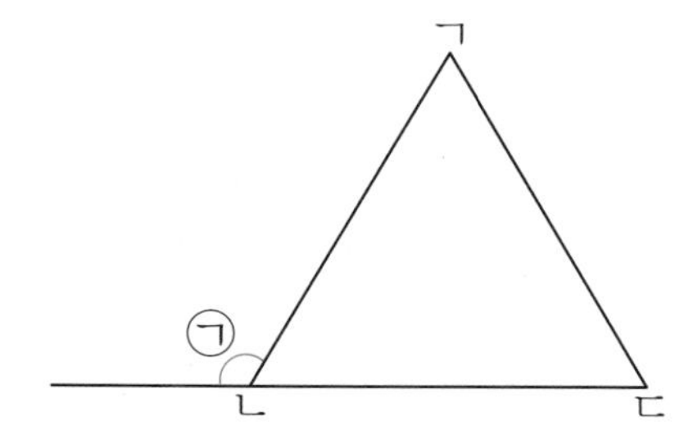

답 ____________________

개념 피드백
① 삼각형의 세 각의 크기의 합은 180°입니다.
② 직선이 이루는 각의 크기는 180°입니다.

6-1 삼각형 ㄱㄴㄷ은 이등변삼각형입니다. ㉠의 각도를 구해 보세요.

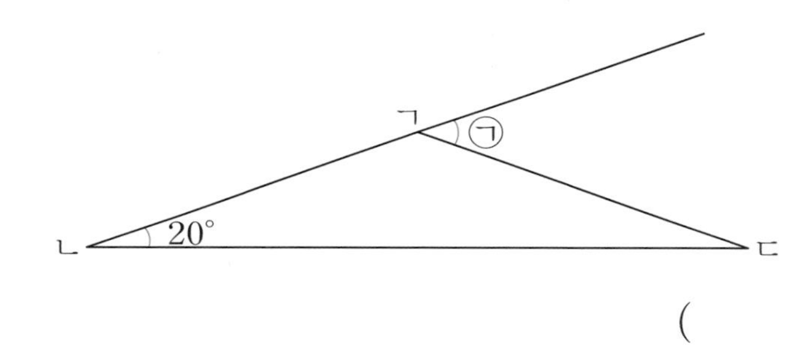

(　　　　　　　　　　)

6-2 삼각형 ㄱㄴㄷ은 이등변삼각형입니다. ㉠과 ㉡의 각도의 합을 구해 보세요.

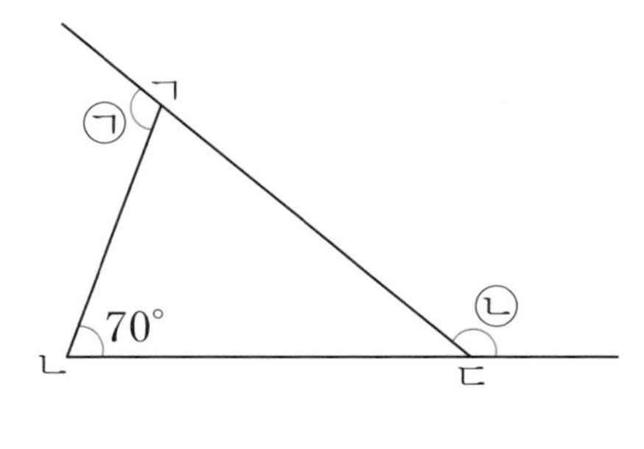

(　　　　　　　　　　)

3주 교과서

교과서 서술형 연습

서술형 연습 **1** 다음은 삼각형의 세 각 중에서 두 각의 크기를 나타낸 것입니다. 삼각형을 각의 크기에 따라 분류할 때 이 삼각형의 이름은 무엇인지 써 보세요.

80°, 30°

해결하기 삼각형의 세 각의 크기의 합은 □°이므로

나머지 한 각의 크기는 □° − 80° − 30° = □°입니다.

따라서 세 각이 모두 예각인 삼각형이므로 □입니다.

답 구하기 □

서술형 실전 **2** 다음은 삼각형의 세 각 중에서 두 각의 크기를 나타낸 것입니다. 이 삼각형의 이름은 무엇인지 써 보세요.

45°, 40°

해결하기

답 구하기

3

이등변삼각형과 정삼각형의 세 변의 길이의 합은 같습니다. 정삼각형의 한 변의 길이는 몇 cm인지 구해 보세요.

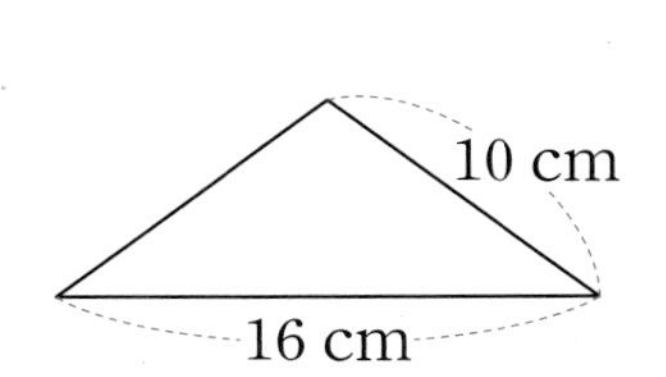

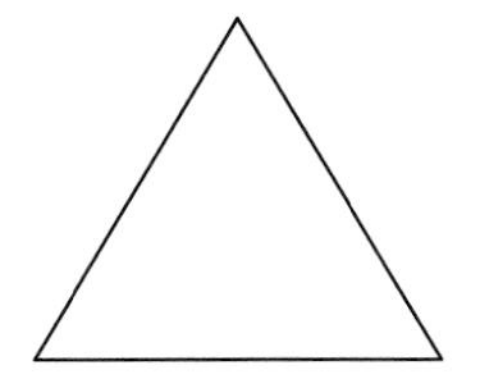

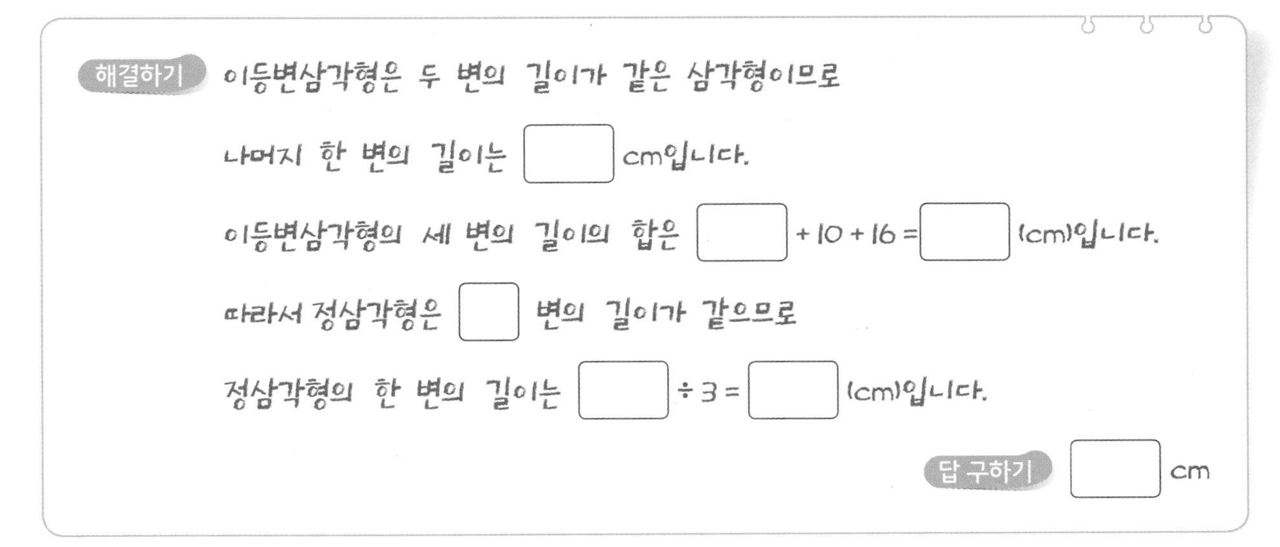

해결하기 이등변삼각형은 두 변의 길이가 같은 삼각형이므로

나머지 한 변의 길이는 ☐ cm입니다.

이등변삼각형의 세 변의 길이의 합은 ☐ + 10 + 16 = ☐ (cm)입니다.

따라서 정삼각형은 ☐ 변의 길이가 같으므로

정삼각형의 한 변의 길이는 ☐ ÷ 3 = ☐ (cm)입니다.

답 구하기 ☐ cm

4

이등변삼각형과 정삼각형의 세 변의 길이의 합은 같습니다. 정삼각형의 한 변의 길이는 몇 cm인지 구해 보세요.

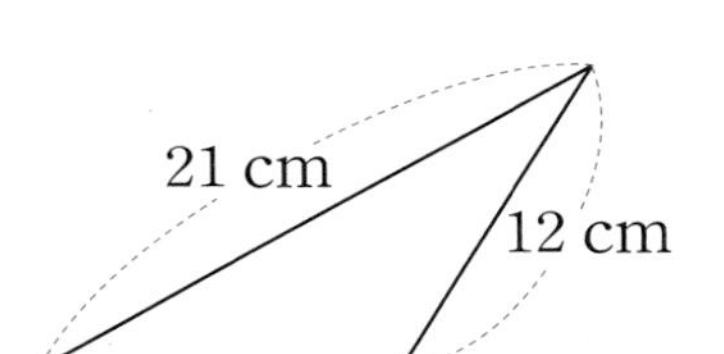

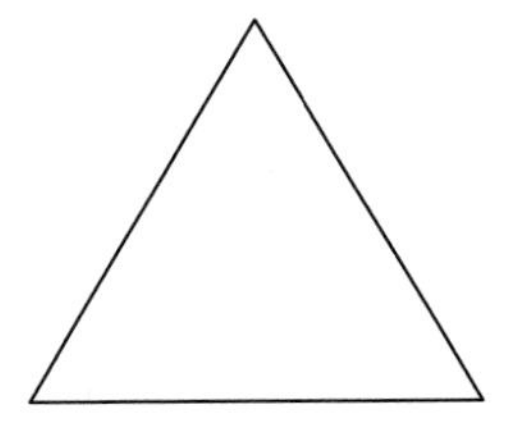

해결하기

답 구하기

3 주
교과서

PLAY 사고력 개념 스토리 삼각형의 이름 찾기

준비물 붙임딱지

수수깡 붙임딱지를 붙여 삼각형을 만들어 보고 만든 삼각형의 이름으로 알맞은 것에 모두 ○표 하세요.

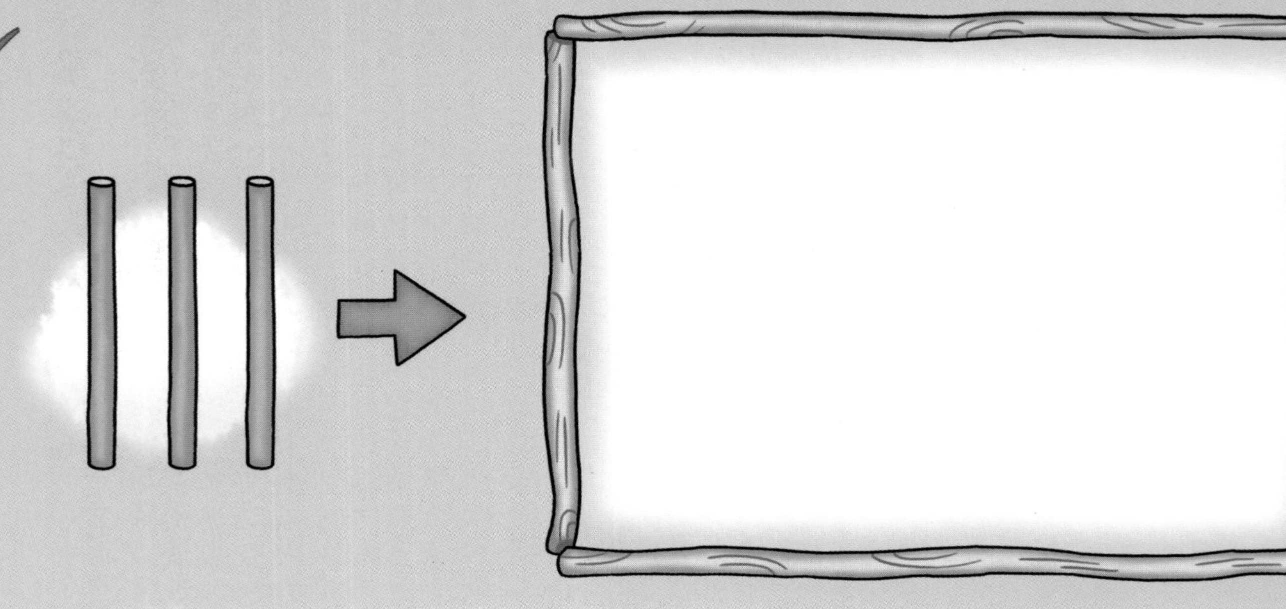

이등변삼각형 정삼각형 예각삼각형 직각삼각형 둔각삼각형

이등변삼각형 정삼각형 예각삼각형 직각삼각형 둔각삼각형

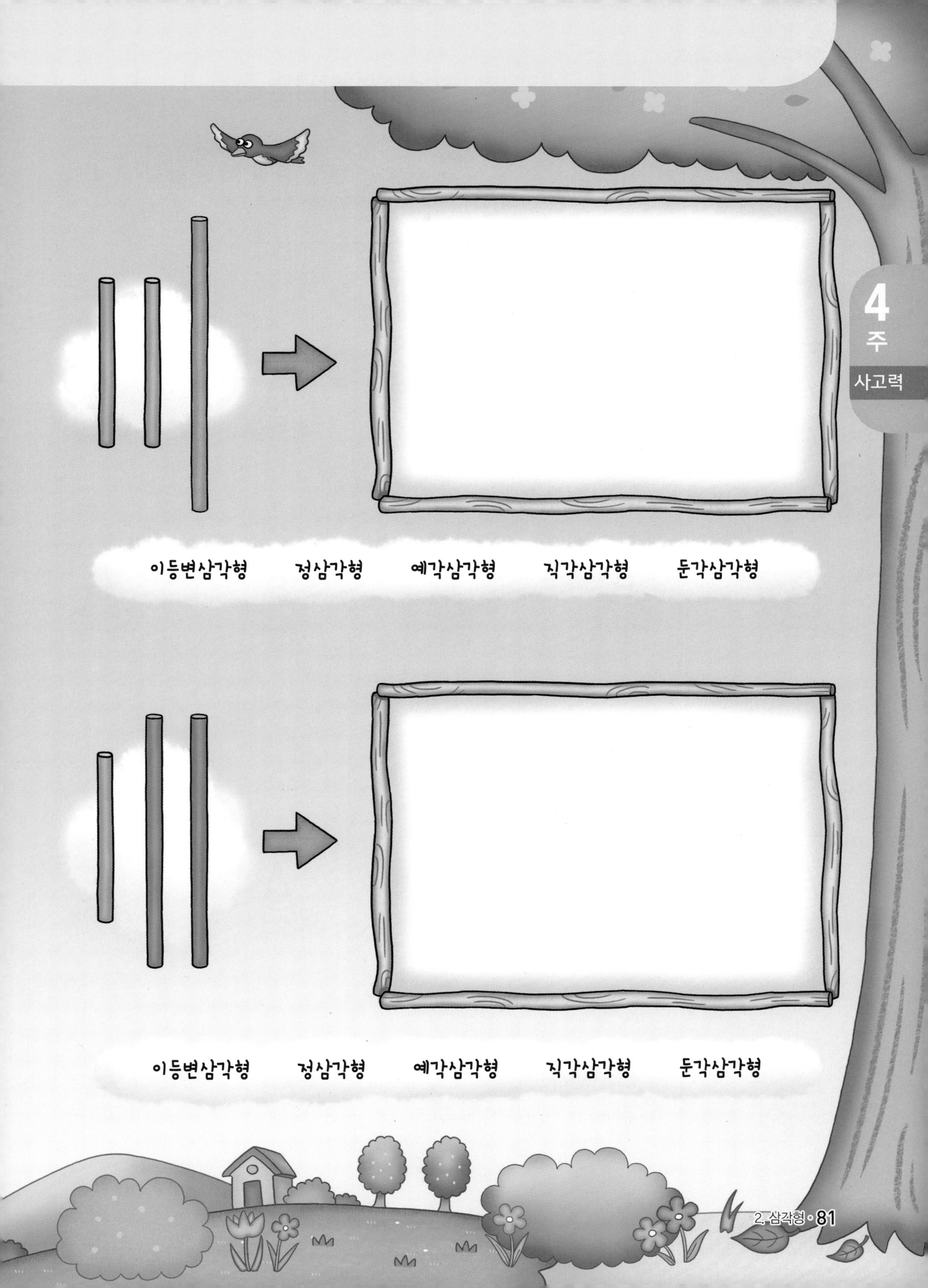
4
주
사고력
이등변삼각형
정삼각형
예각삼각형
직각삼각형
둔각삼각형
이등변삼각형
정삼각형
예각삼각형
직각삼각형
둔각삼각형

PLAY 사고력 개념 스토리

고무줄로 삼각형 만들기

준비물 붙임딱지

학생들이 운동장에서 고무줄 놀이를 하고 있습니다. 팻말에 적힌 삼각형이 되도록 고깔 모양에 캐릭터 붙임딱지를 붙인 다음 선으로 이어 삼각형을 그려 보세요.

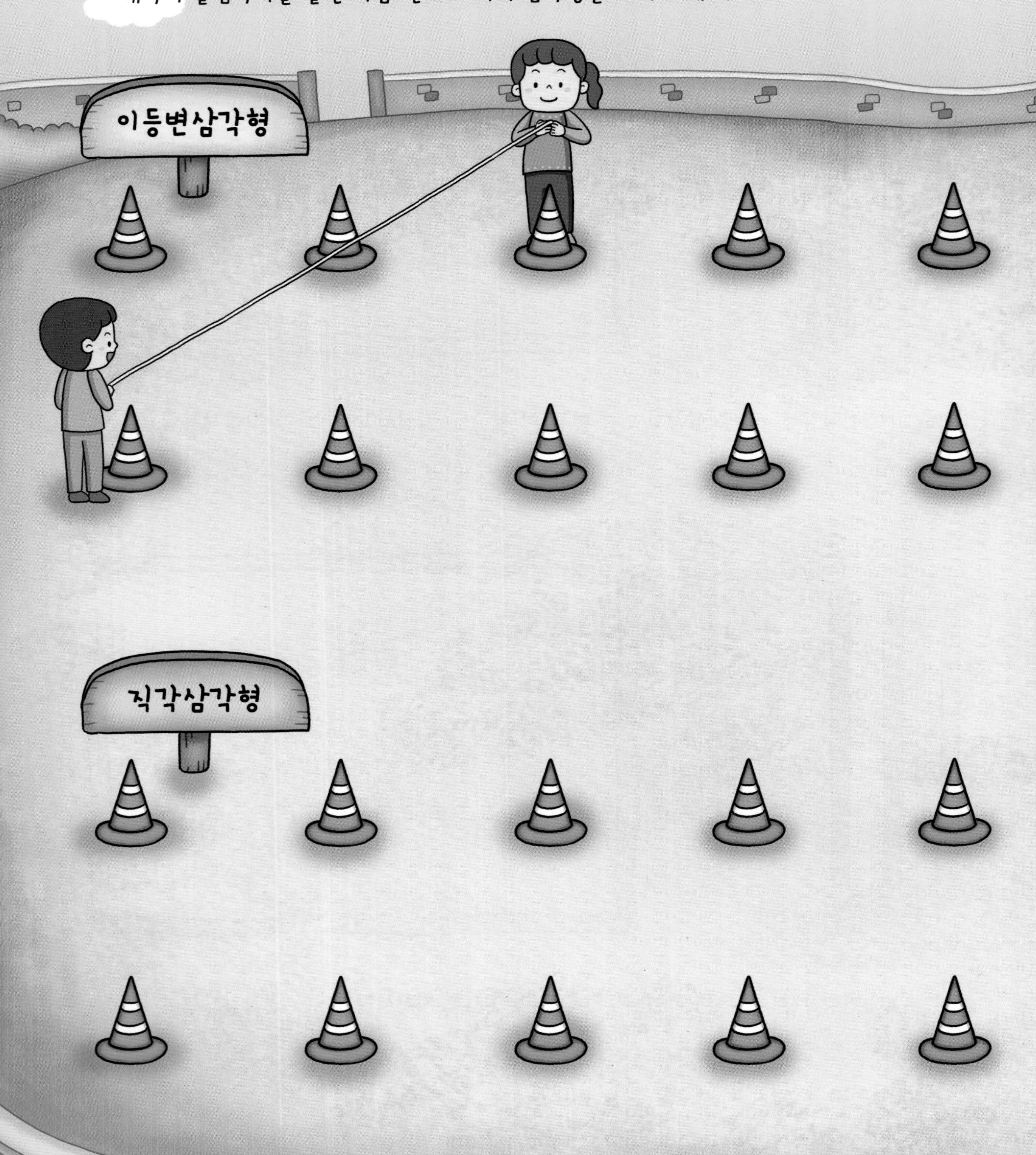

예각삼각형
둔각삼각형

1 단계 교과 사고력 잡기

1

그림과 같은 모양의 떡케이크가 있습니다. 떡케이크를 똑같이 6조각으로 나누었더니 한 조각의 위에 있는 면은 세 변의 길이의 합이 24 cm인 정삼각형 모양이 되었습니다. 자르기 전 떡케이크의 위에 있는 면의 여섯 변의 길이의 합은 몇 cm인지 구해 보세요.

❶ 떡케이크 조각의 위에 있는 면의 한 변의 길이는 몇 cm일까요?

( )

❷ 자르기 전 떡케이크의 위에 있는 면의 여섯 변의 길이의 합은 ❶에서 구한 떡케이크 조각의 위에 있는 면의 한 변의 길이의 몇 배일까요?

( )

❸ 자르기 전 떡케이크의 위에 있는 면의 여섯 변의 길이의 합은 몇 cm일까요?

( )

2

이등변삼각형 ㄱㄴㄷ과 정삼각형 ㄱㄷㄹ을 겹치지 않게 이어 붙여 사각형 ㄱㄴㄷㄹ을 만들었습니다. 사각형 ㄱㄴㄷㄹ의 네 변의 길이의 합은 몇 cm인지 구해 보세요.

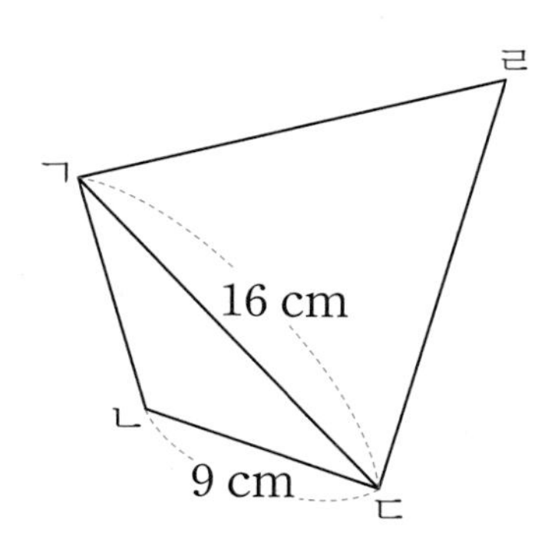

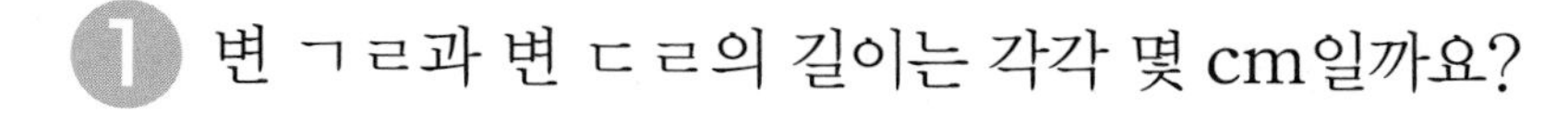
① 변 ㄱㄹ과 변 ㄷㄹ의 길이는 각각 몇 cm일까요?

변 ㄱㄹ (　　　　　　　　)
변 ㄷㄹ (　　　　　　　　)

② 변 ㄱㄴ의 길이는 몇 cm일까요?

(　　　　　　　　)

③ 사각형 ㄱㄴㄷㄹ의 네 변의 길이의 합은 몇 cm인지 구해 보세요.

(　　　　　　　　)

3 **삼각형 ㄱㄴㄷ은 정삼각형이고, 삼각형 ㄹㄴㄷ은 이등변삼각형입니다. 각 ㄱㄴㄹ의 크기는 몇 도인지 구해 보세요.**

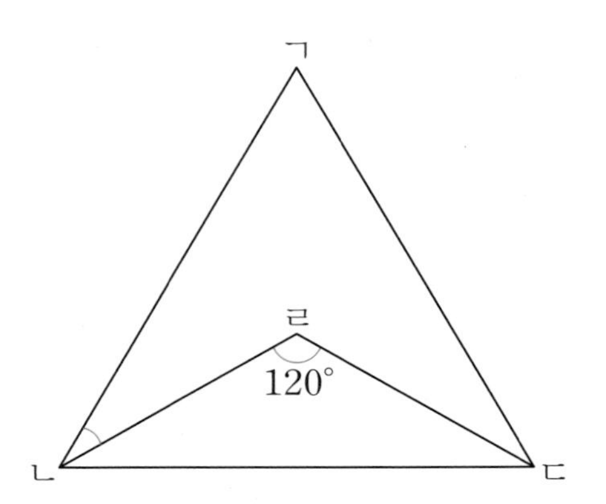

1 각 ㄹㄴㄷ의 크기는 몇 도인지 구해 보세요.

( )

2 각 ㄱㄴㄷ의 크기는 몇 도인지 구해 보세요.

( )

3 각 ㄱㄴㄹ의 크기는 몇 도인지 구해 보세요.

( )

정답과 풀이 p.21

4

삼각형 ㄱㄴㄷ과 삼각형 ㄷㄹㅁ은 이등변삼각형입니다. 각 ㄱㄷㅁ의 크기는 몇 도인지 구해 보세요.

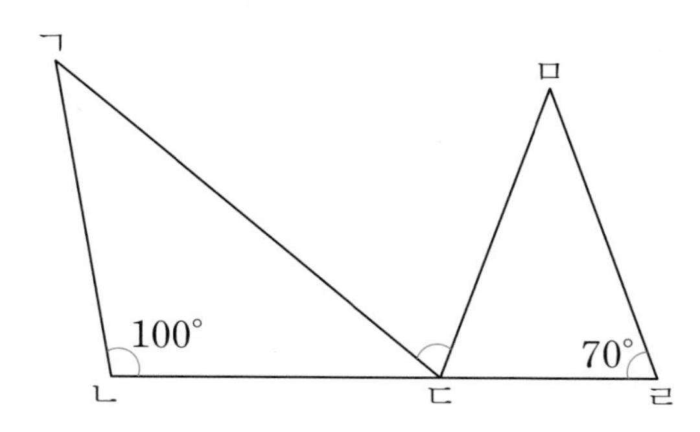

4 주
사고력

1 각 ㄱㄷㄴ의 크기는 몇 도인지 구해 보세요.

( )

2 각 ㅁㄷㄹ의 크기는 몇 도인지 구해 보세요.

( )

3 각 ㄱㄷㅁ의 크기는 몇 도인지 구해 보세요.

( )

1 바닷속 모습입니다. 모눈종이에 각각의 바다 생물을 완전히 둘러싸는 이등변삼각형을 그려 보세요.

2

성냥개비로 다음과 같은 모양을 만들었습니다. 만든 모양에서 찾을 수 있는 크고 작은 정삼각형은 모두 몇 개인지 구해 보세요.

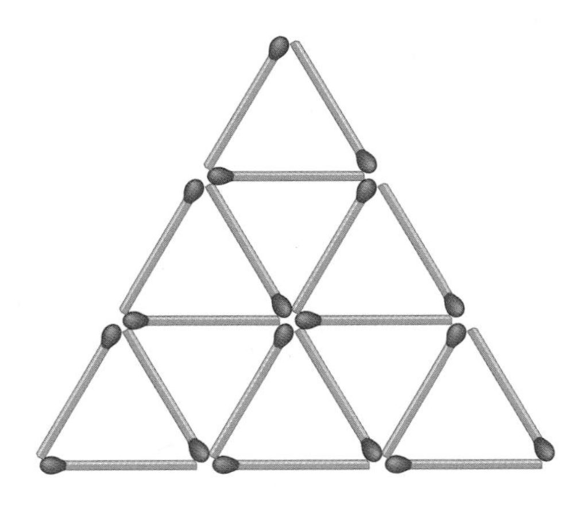

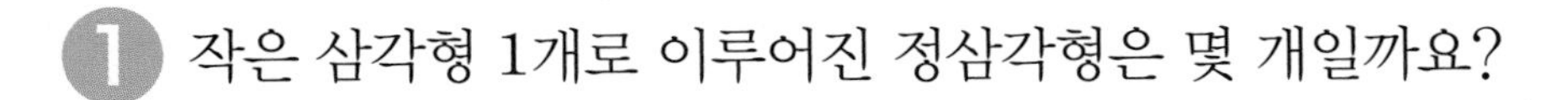

① 작은 삼각형 1개로 이루어진 정삼각형은 몇 개일까요?

( )

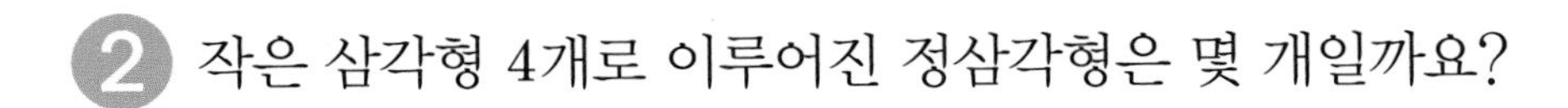

② 작은 삼각형 4개로 이루어진 정삼각형은 몇 개일까요?

( )

③ 작은 삼각형 9개로 이루어진 정삼각형은 몇 개일까요?

( )

④ 만든 모양에서 찾을 수 있는 크고 작은 정삼각형은 모두 몇 개일까요?

( )

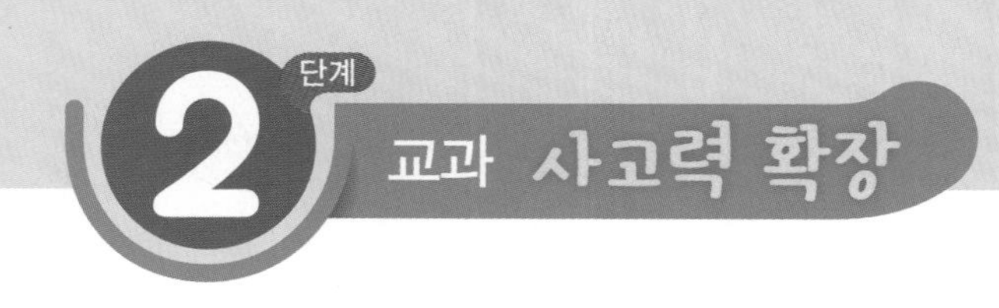

3 주어진 사각형의 꼭짓점을 선으로 이어 조건에 맞는 삼각형을 만들어 보세요.

① 예각삼각형을 2개 만들어 보세요.

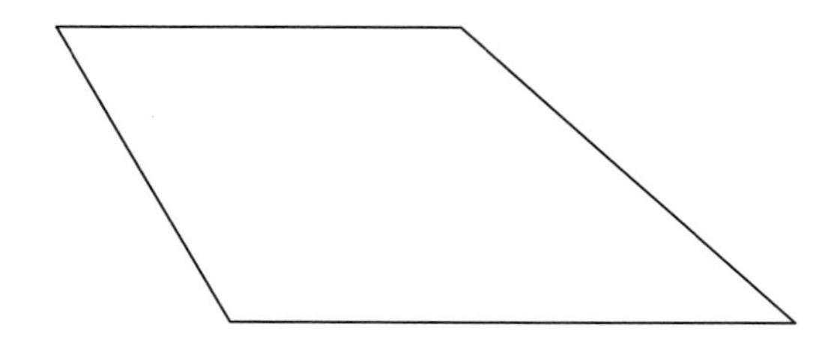

② 예각삼각형과 둔각삼각형을 각각 1개씩 만들어 보세요.

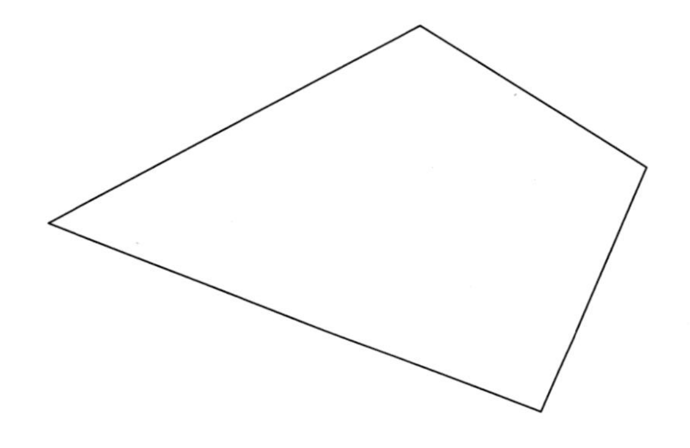

③ 둔각삼각형을 2개 만들어 보세요.

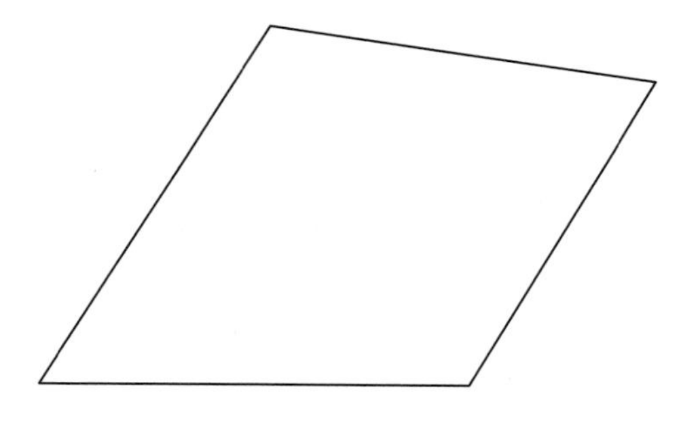

정답과 풀이 p.22

4 그림에서 찾을 수 있는 크고 작은 예각삼각형은 모두 몇 개인지 구해 보세요.

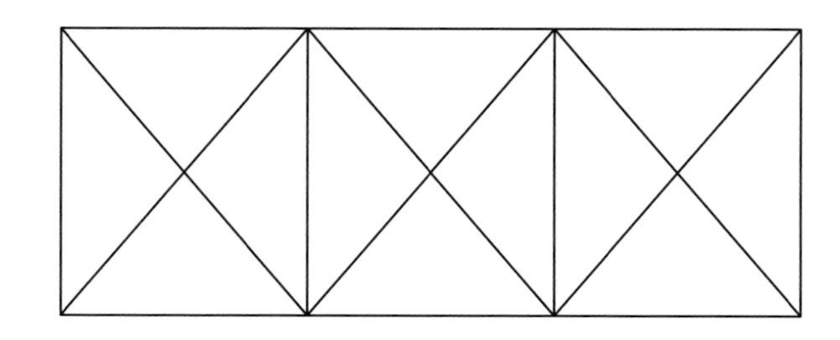

4주 사고력

① 작은 삼각형 1개로 이루어진 예각삼각형은 몇 개일까요?

( )

② 작은 삼각형 4개로 이루어진 예각삼각형은 몇 개일까요?

( )

③ 그림에서 찾을 수 있는 크고 작은 예각삼각형은 모두 몇 개일까요?

( )

평가 영역 ☐개념 이해력 ☐개념 응용력 ☑창의력 ☐문제 해결력

1 삼각형을 그린 종이의 일부가 찢어졌습니다. 관계있는 것끼리 이어 보세요.

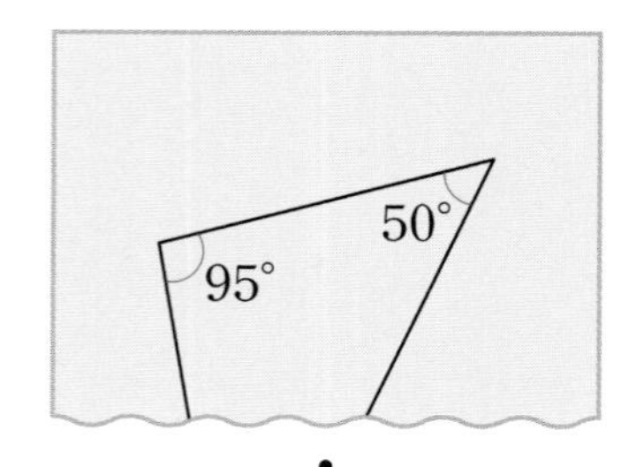

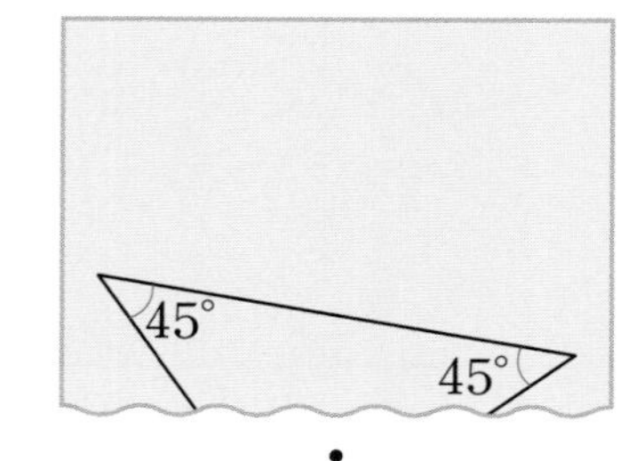

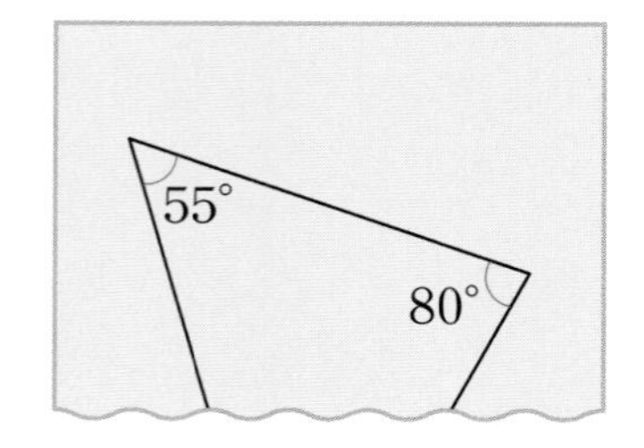

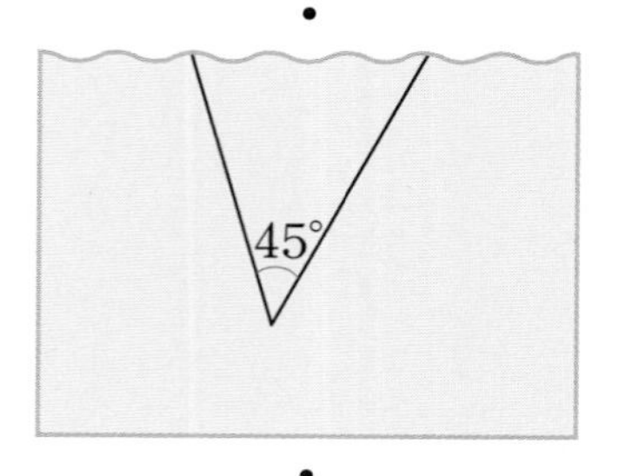

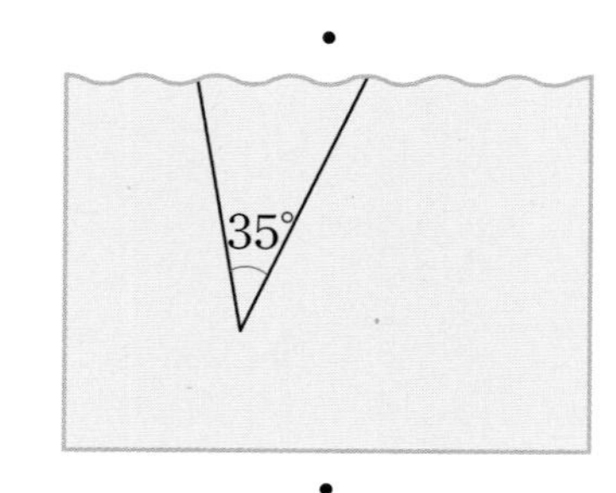

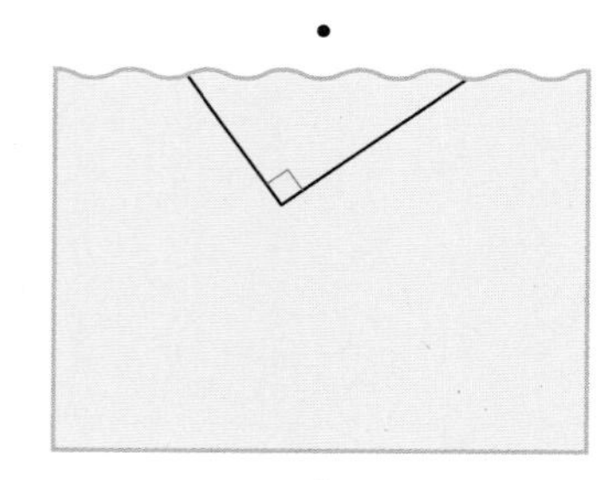

먼저 두 각의 크기가 제시된 종이에 있는 삼각형의 나머지 한 각의 크기를 구합니다.

정답과 풀이 p.23

평가 영역 ☑개념 이해력 □개념 응용력 □창의력 □문제 해결력

2 **색종이로 그림과 같이 삼각형을 만들었습니다. 만든 삼각형이 정삼각형인지 아닌지 알아보고 그렇게 생각한 이유를 써 보세요.**

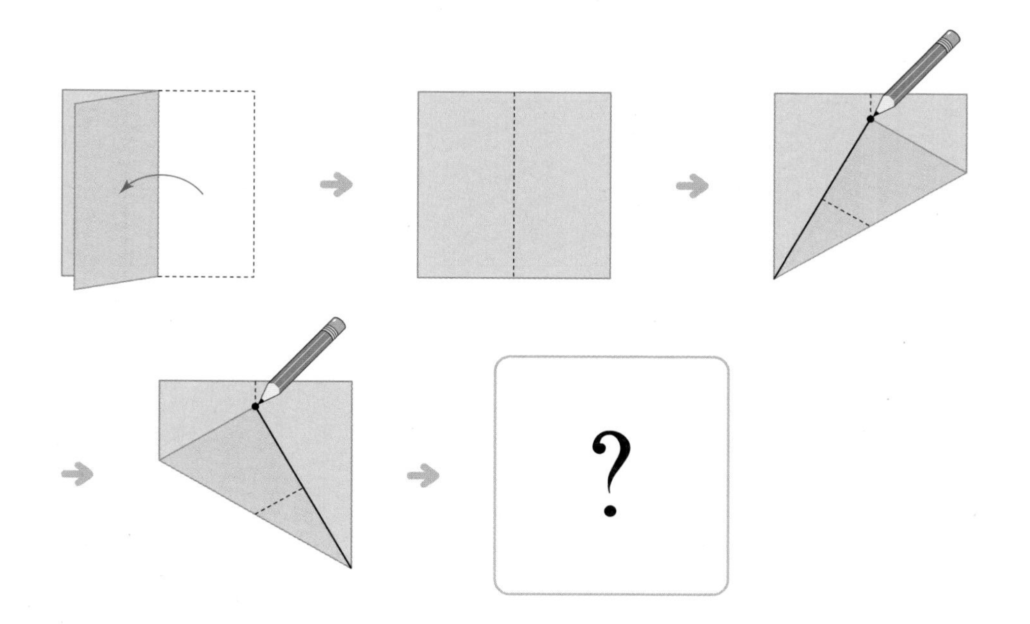

4주 사고력

① 만든 삼각형에 대한 설명이 맞을까요, 틀릴까요?

만든 삼각형은 두 변의 길이만 같으므로
정삼각형이 아닙니다.

( )

② 그렇게 생각한 이유를 써 보세요.

이유 ______________________________

____

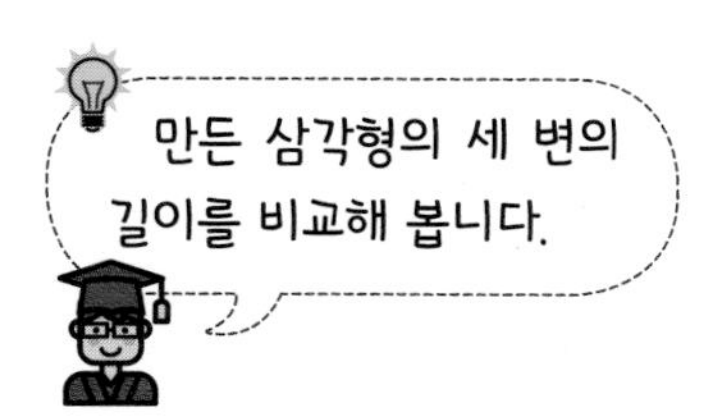

만든 삼각형의 세 변의
길이를 비교해 봅니다.

맞은 개수

[1~2] 삼각형을 보고 물음에 답하세요.

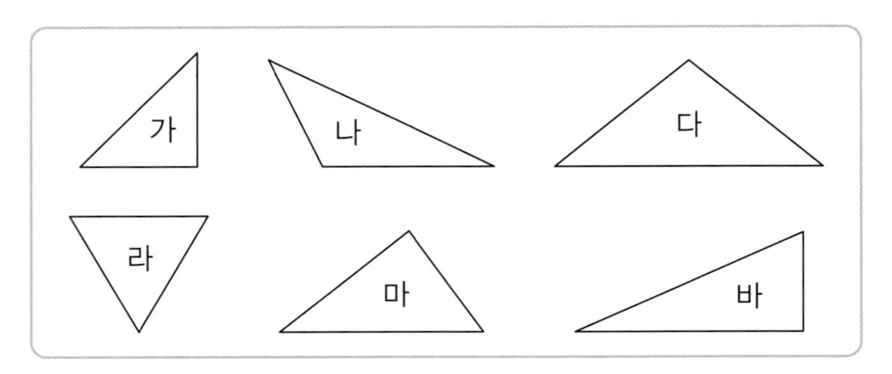

1 이등변삼각형을 모두 찾아 기호를 써 보세요.

( )

2 둔각삼각형을 모두 찾아 기호를 써 보세요.

( )

3 삼각형의 세 변의 길이를 나타낸 것입니다. 정삼각형을 찾아 ○표 하세요.

8 cm, 5 cm, 8 cm	6 cm, 6 cm, 6 cm	7 cm, 4 cm, 4 cm
( )	( )	( )

4 삼각형을 보고 □ 안에 알맞은 수를 써넣으세요.

(1) 이등변삼각형

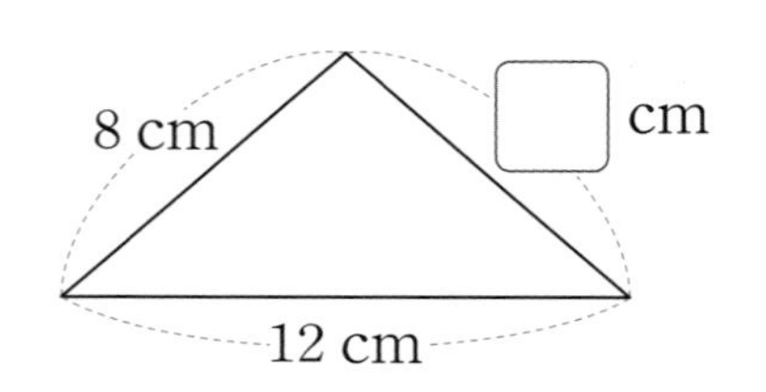

(2) 정삼각형

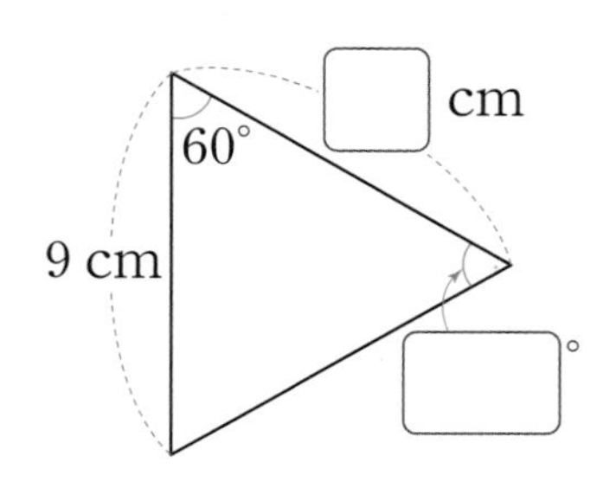

5 알맞은 것끼리 선으로 이어 보세요.

이등변삼각형 정삼각형

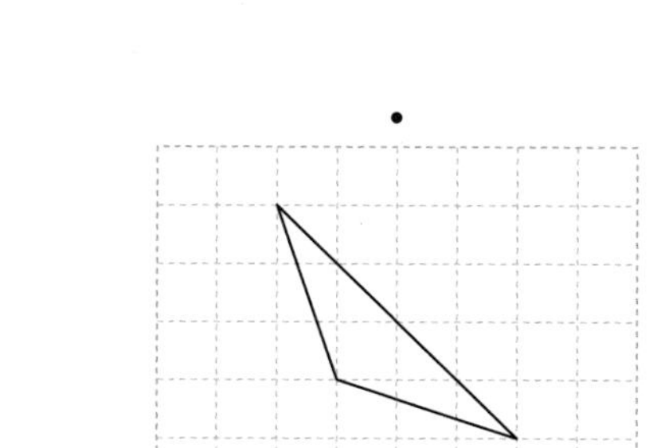

예각삼각형 직각삼각형 둔각삼각형

6 다음은 삼각형의 세 각 중에서 두 각의 크기를 나타낸 것입니다. 각의 크기에 따른 삼각형의 이름을 써 보세요.

( )

7 주어진 선분을 이용하여 보기 와 같은 이등변삼각형을 그려 보세요.

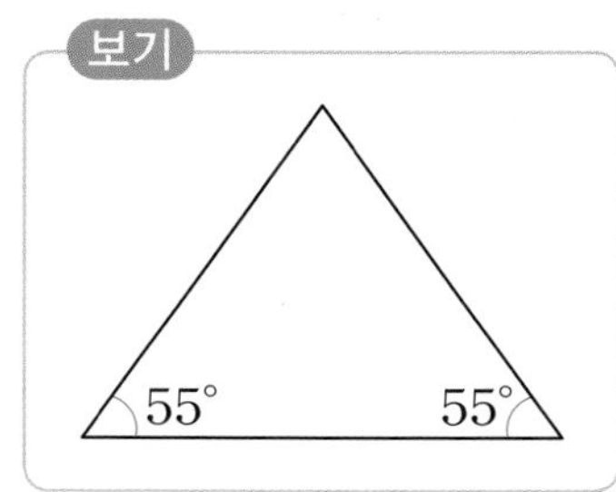

8

다음 도형은 이등변삼각형입니다. 세 변의 길이의 합은 몇 cm일까요?

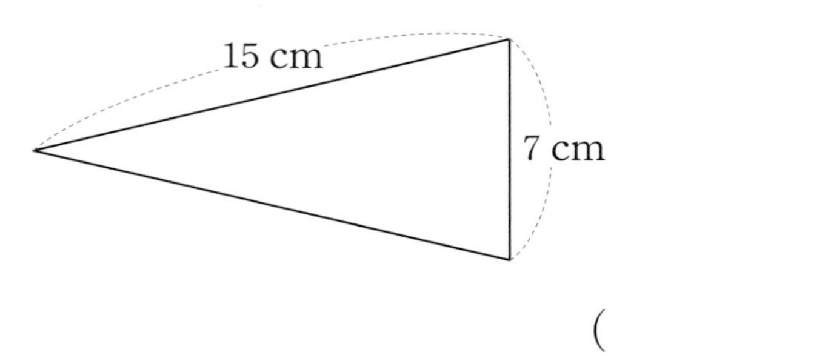

( )

9

보기에서 설명하는 도형을 그려 보세요.

보기
- 변이 3개 있습니다.
- 두 변의 길이가 같습니다.
- 한 각이 둔각입니다.

10

직사각형 모양의 종이를 점선을 따라 오렸습니다. 예각삼각형과 직각삼각형을 모두 찾아 각각 기호를 써 보세요.

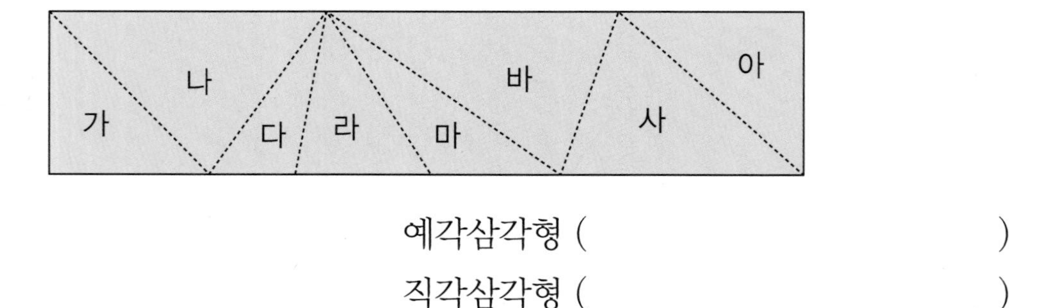

예각삼각형 ( )

직각삼각형 ( )

11 한 변의 길이가 12 cm인 정삼각형의 세 변의 길이의 합은 몇 cm일까요?

( )

12 □ 안에 알맞은 수를 써넣으세요.

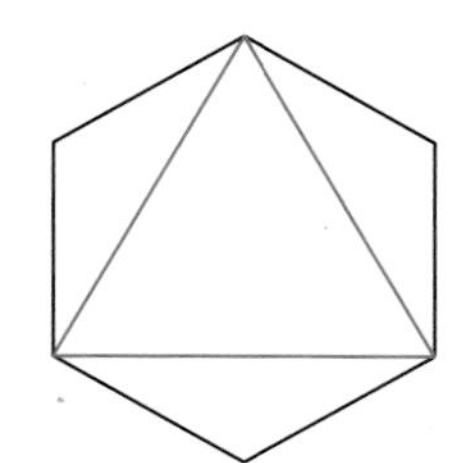

그림과 같이 도형의 꼭짓점을 이으면 예각삼각형이 □개, 둔각삼각형이 □개 생깁니다.

13 삼각형 ㄱㄴㄷ은 이등변삼각형입니다. 삼각형의 세 변의 길이의 합이 41 cm일 때 변 ㄱㄴ의 길이는 몇 cm인지 구해 보세요.

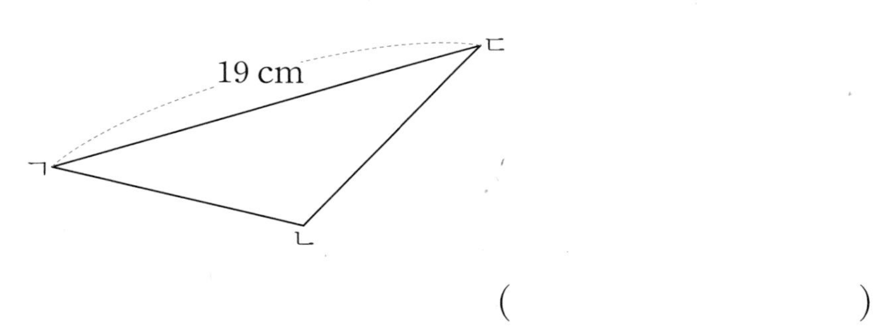

( )

14 정사각형과 정삼각형을 붙여서 만든 도형입니다. 빨간색 선의 길이는 몇 cm인지 구해 보세요.

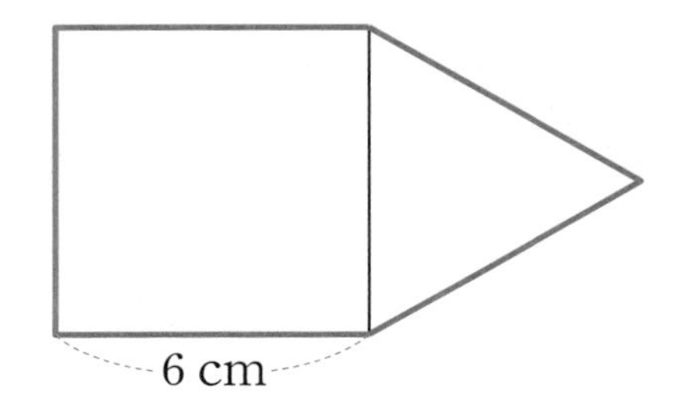

( )

15

그림에서 찾을 수 있는 크고 작은 둔각삼각형은 모두 몇 개인지 구해 보세요.

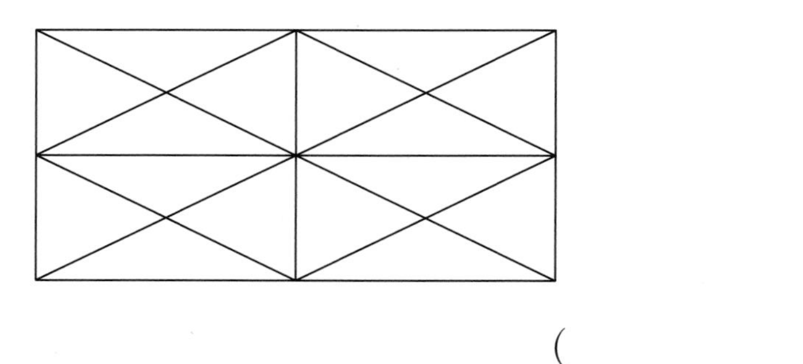

(　　　　　　　　)

16

삼각형 ㄱㄴㄷ은 이등변삼각형입니다. ㉠의 각도를 구해 보세요.

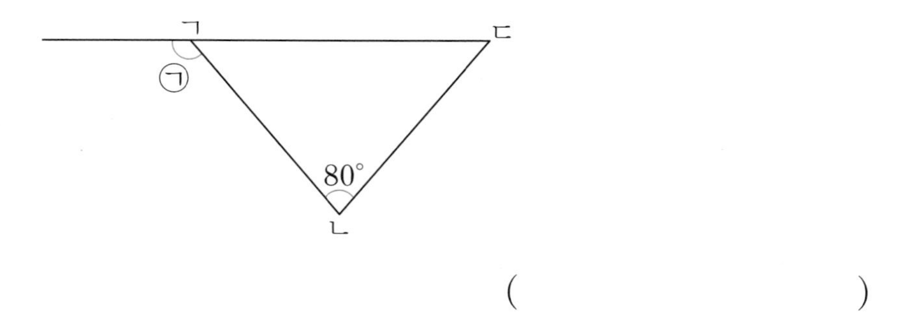

(　　　　　　　　)

17

삼각형 ㄱㄴㄹ과 삼각형 ㄴㄷㄹ은 이등변삼각형입니다. 각 ㄱㄴㄷ의 크기는 몇 도인지 구해 보세요.

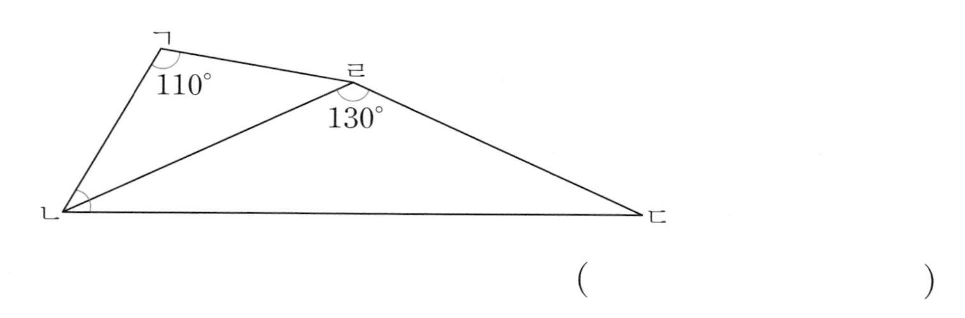

(　　　　　　　　)

특강 창의·융합 사고력

정답과 풀이 p.24

1 삼각형을 그리는 방법에는 자와 각도기를 사용하여 그리는 방법, 모눈종이나 점 종이에 그리는 방법 외에도 원 위에 그리는 방법이 있습니다. 그림과 같이 돌림판을 똑같이 9개로 나누어 만든 원의 두 반지름을 변으로 하는 이등변삼각형을 그리려고 합니다. 물음에 답하세요.

한 바퀴는 360°이고
원을 똑같이 9개로 나누었
으니까 한 각의 크기는
360°÷9=40°예요.

(1) 위 돌림판에 한 각의 크기가 40°인 이등변삼각형을 그려 보세요.

(2) 위 돌림판에 두 각의 크기가 각각 50°인 이등변삼각형을 그려 보세요.

(3) 돌림판의 원의 반지름을 변으로 하는 크고 작은 예각삼각형은 모두 몇 개인지 구해 보세요.

( )

Memo

4-2 Run - A호 Play 붙임딱지

문제의 알맞은 곳에 붙임딱지를 붙여 보세요.

14~15쪽

16~17쪽

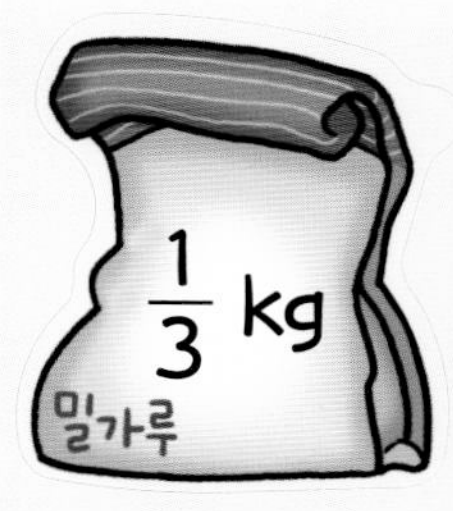

32~33쪽

34~35쪽

자르는 선

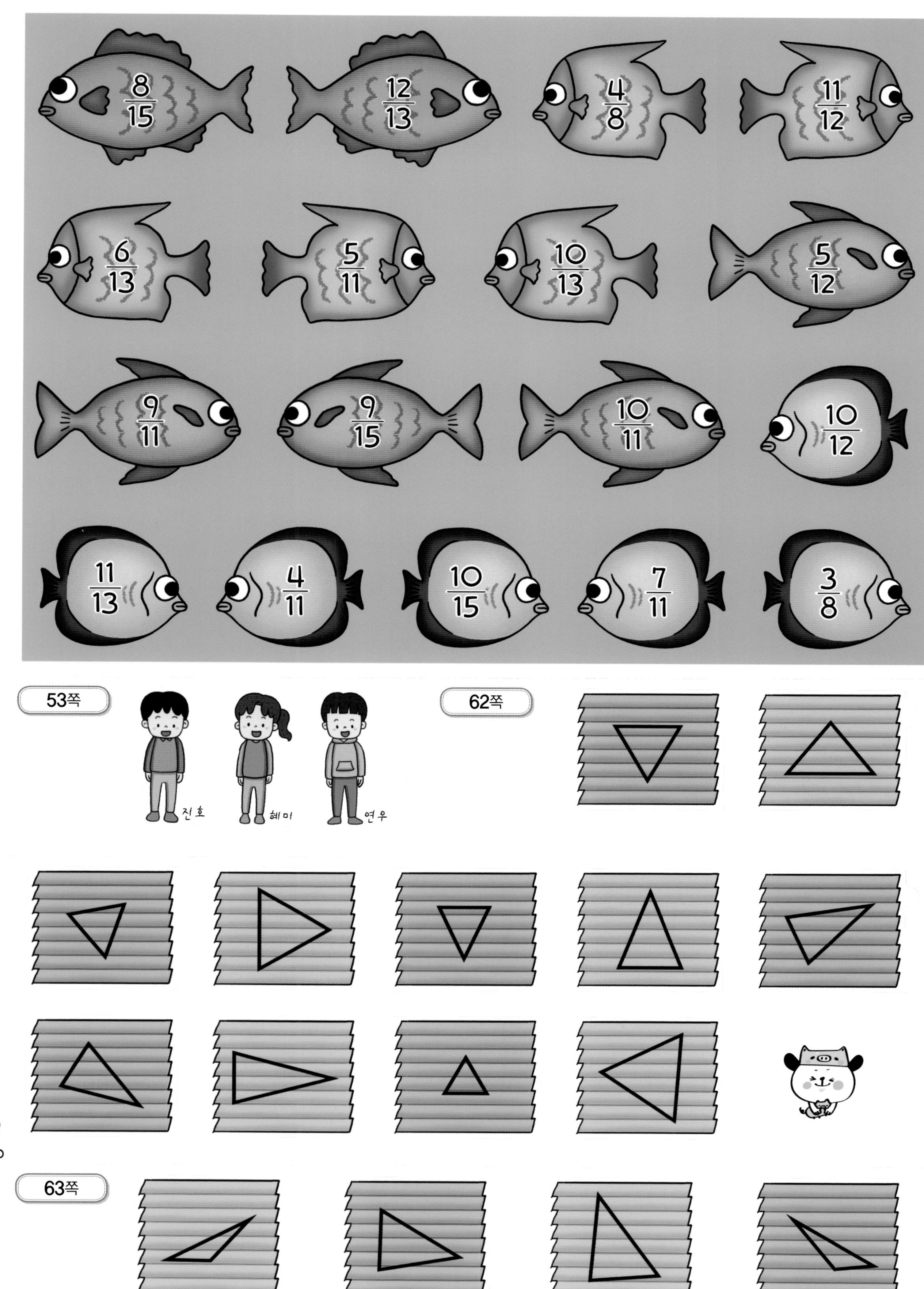
8/15
12/13
4/8
11/12
6/13
5/11
10/13
5/12
9/11
9/15
10/11
10/12
11/13
4/11
10/15
7/11
3/8
53쪽
진호
혜미
연우
62쪽
63쪽

자르는 선

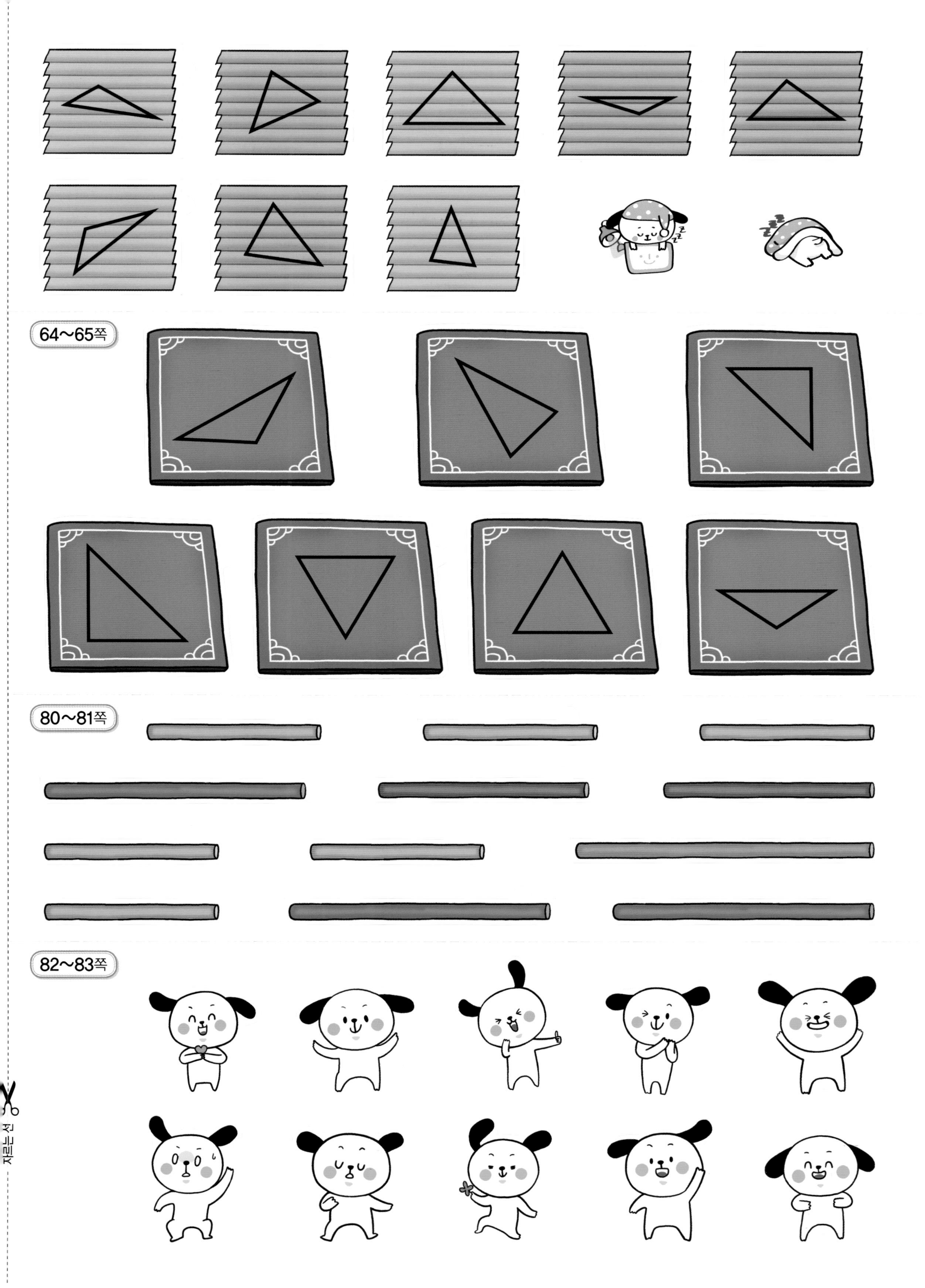
64~65쪽
80~81쪽
82~83쪽
자르는 선

Go!
예쓰

GO!

사고력
중심

교과서 GO! 사고력 GO!

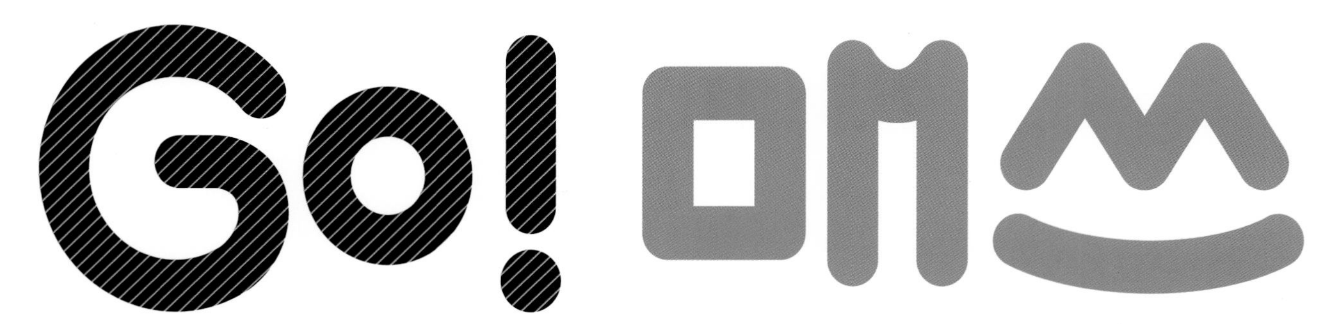

정답과 풀이

수학 4-2

열심히
풀었으니까,
한 번 맞춰 볼까?

1 분수의 덧셈과 뺄셈

먹고 남은 케이크의 양

영호와 진주는 학교에서 케이크를 만들었습니다. 만든 케이크는 각자 집으로 가지고 가서 가족들과 함께 나누어 먹기로 했습니다. 케이크를 영호는 똑같이 10조각으로 나누고, 진주는 똑같이 8조각으로 나누었습니다. 영호네 가족과 진주네 가족이 먹고 남은 케이크의 조각 수를 보고 남은 케이크의 양을 분수의 뺄셈으로 나타내어 보세요.

먹고 남은 케이크의 양을 분수의 뺄셈으로 나타내기

• 영호네 가족

전체 케이크 조각 수 → 10조각
가족들이 먹은 케이크 조각 수 → 8조각
먹고 남은 케이크 조각 수 → 2조각

케이크 전체를 1이라고 할 때
먹은 케이크의 양 → $\frac{8}{10}$
먹고 남은 케이크의 양 → $\frac{2}{10}$

영호네 가족이 먹고 남은 케이크의 양을 분수의 뺄셈으로 나타내면 $1-\frac{8}{10}=\frac{2}{10}$입니다. (전체, 먹은 양, 남은 양)

• 진주네 가족

전체 케이크 조각 수 → 8조각
가족들이 먹은 케이크 조각 수 → 7조각
먹고 남은 케이크 조각 수 → 1조각

케이크 전체를 1이라고 할 때
먹은 케이크의 양 → $\frac{7}{8}$
먹고 남은 케이크의 양 → $\frac{1}{8}$

진주네 가족이 먹고 남은 케이크의 양을 분수의 뺄셈으로 나타내면 $1-\frac{7}{8}=\frac{1}{8}$입니다. (전체, 먹은 양, 남은 양)

주어진 분수만큼 색칠해 보세요.

❶ $\frac{7}{6}$ 예)

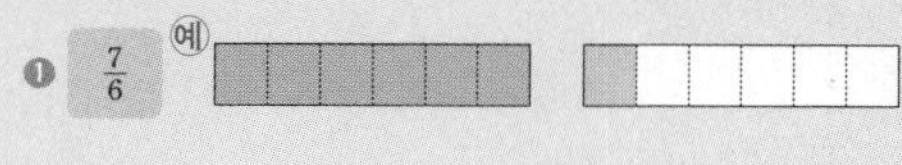

❷ $\frac{17}{8}$ 예)

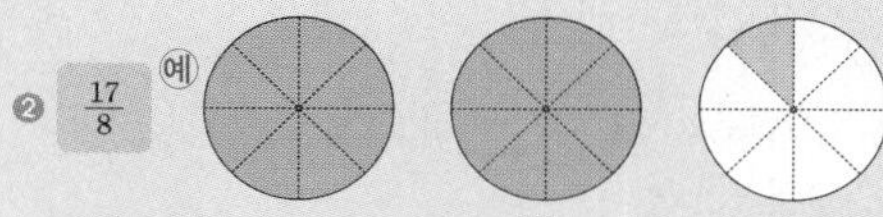

✤ ❶ $\frac{7}{6}$은 $\frac{1}{6}$씩 7칸입니다. ❷ $\frac{17}{8}$은 $\frac{1}{8}$씩 17칸입니다.

먹고 남은 초콜릿 조각만큼 색칠하고 분수의 뺄셈으로 나타내어 보세요.

❶ 예)

초콜릿 8조각 중에서 [4]조각을 먹고 [4]조각 남았습니다. → $1-\frac{4}{8}=\frac{4}{8}$

❷ 예)

초콜릿 8조각 중에서 [6]조각을 먹고 [2]조각 남았습니다. → $1-\frac{6}{8}=\frac{2}{8}$

1단계 교과서 개념 잡기

개념 1 분모가 같은 분수의 덧셈 (1)

• 합이 1보다 작은 (진분수)+(진분수)

$\frac{2}{5}+\frac{1}{5}=\frac{2+1}{5}=\frac{3}{5}$ (분자끼리 더합니다. 분모는 그대로 둡니다.)

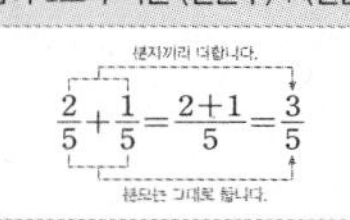

• 합이 1보다 큰 (진분수)+(진분수)

$\frac{3}{6}+\frac{5}{6}=\frac{3+5}{6}=\frac{8}{6}=1\frac{2}{6}$ (분모는 그대로 두고 분자끼리 더합니다. 계산 결과를 대분수로 바꿉니다.)

참고 수직선으로 알아보기

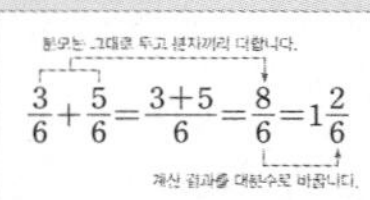

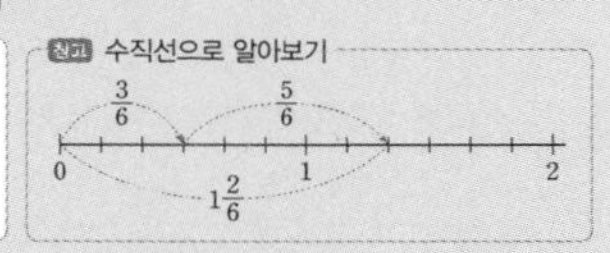

개념 2 분모가 같은 분수의 뺄셈 (1)

• 받아내림이 없는 (진분수)−(진분수)

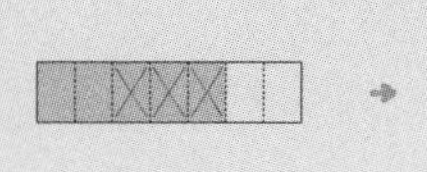

$\frac{5}{7}-\frac{3}{7}=\frac{5-3}{7}=\frac{2}{7}$ (분자끼리 뺍니다. 분모는 그대로 둡니다.)

• 1−(진분수)

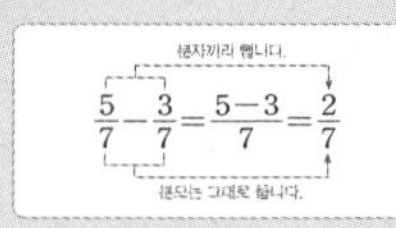

$1-\frac{1}{4}=\frac{4}{4}-\frac{1}{4}=\frac{4-1}{4}=\frac{3}{4}$ (1을 $\frac{4}{4}$로 바꿉니다. 분모는 그대로 두고 분자끼리 뺍니다.)

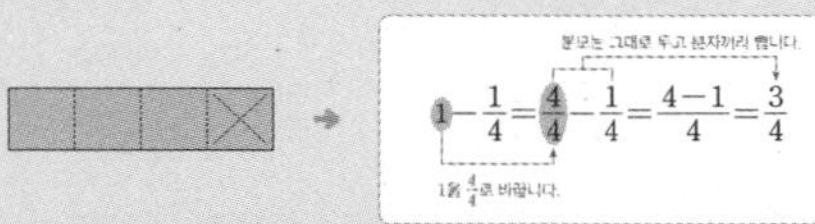

1−(진분수)의 계산은 1을 빼는 분수와 분모가 같은 가분수로 바꾸어 분모는 그대로 두고 분자끼리 뺍니다.

개념 확인 문제

정답과 풀이 p.1

1-1 그림에 $\frac{2}{6}+\frac{3}{6}$만큼 색칠하고 □ 안에 알맞은 수를 써넣으세요.

예)

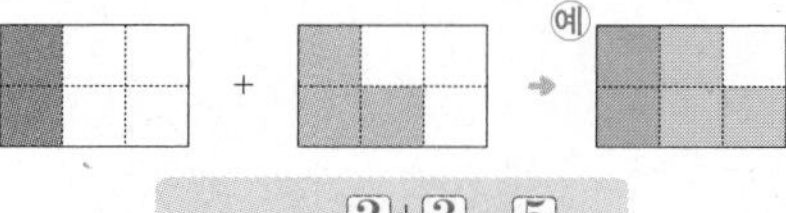

$\frac{2}{6}+\frac{3}{6}=\frac{2+3}{6}=\frac{5}{6}$

✤ $\frac{1}{6}$이 5개이므로 $\frac{5}{6}$입니다.

1-2 계산해 보세요.

(1) $\frac{3}{8}+\frac{1}{8}=\frac{4}{8}$ (2) $\frac{4}{11}+\frac{5}{11}=\frac{9}{11}$

✤ (1) $\frac{3}{8}+\frac{1}{8}=\frac{3+1}{8}=\frac{4}{8}$ (2) $\frac{4}{11}+\frac{5}{11}=\frac{4+5}{11}=\frac{9}{11}$

2-1 수직선을 이용하여 $\frac{8}{10}-\frac{2}{10}$가 얼마인지 알아보세요.

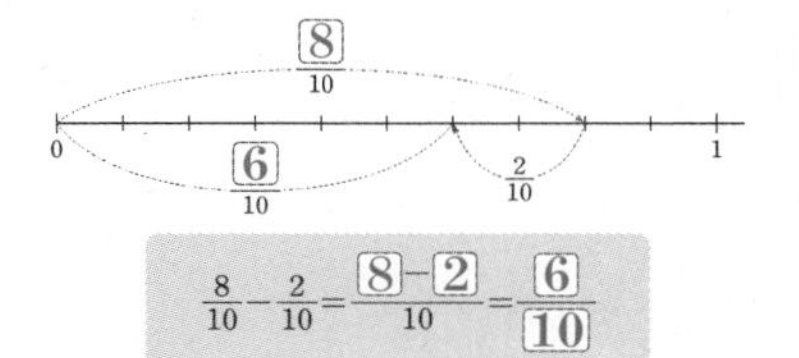

$\frac{8}{10}-\frac{2}{10}=\frac{8-2}{10}=\frac{6}{10}$

2-2 계산해 보세요.

(1) $\frac{5}{7}-\frac{1}{7}=\frac{4}{7}$ (2) $\frac{12}{15}-\frac{8}{15}=\frac{4}{15}$

(3) $1-\frac{2}{6}=\frac{4}{6}$ (4) $1-\frac{5}{9}=\frac{4}{9}$

✤ (1) $\frac{5}{7}-\frac{1}{7}=\frac{5-1}{7}=\frac{4}{7}$ (2) $\frac{12}{15}-\frac{8}{15}=\frac{12-8}{15}=\frac{4}{15}$

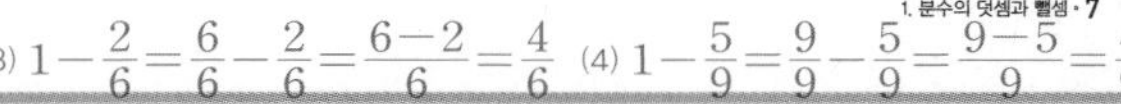

(3) $1-\frac{2}{6}=\frac{6}{6}-\frac{2}{6}=\frac{6-2}{6}=\frac{4}{6}$ (4) $1-\frac{5}{9}=\frac{9}{9}-\frac{5}{9}=\frac{9-5}{9}=\frac{4}{9}$

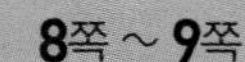

1단계 교과서 개념 잡기

개념 3 분모가 같은 분수의 덧셈 (2)

- 받아올림이 없는 (대분수)+(대분수)

방법1 자연수 부분끼리, 진분수 부분끼리 더한 결과를 더합니다.

$2\frac{2}{7}+1\frac{3}{7}=(2+1)+\left(\frac{2}{7}+\frac{3}{7}\right)=3+\frac{5}{7}=3\frac{5}{7}$

방법2 대분수를 가분수로 바꾸어 더한 다음 계산 결과를 대분수로 바꿉니다.

$2\frac{2}{7}+1\frac{3}{7}=\frac{16}{7}+\frac{10}{7}=\frac{26}{7}=3\frac{5}{7}$

(대분수 → 가분수, 가분수 → 대분수)

- 받아올림이 있는 (대분수)+(대분수)

방법1 자연수 부분끼리, 진분수 부분끼리 더한 결과를 더합니다.

$5\frac{2}{3}+1\frac{2}{3}=(5+1)+\left(\frac{2}{3}+\frac{2}{3}\right)=6+\frac{4}{3}=6+1\frac{1}{3}=7\frac{1}{3}$

(가분수 → 대분수)

방법2 대분수를 가분수로 바꾸어 더한 다음 계산 결과를 대분수로 바꿉니다.

$5\frac{2}{3}+1\frac{2}{3}=\frac{17}{3}+\frac{5}{3}=\frac{22}{3}=7\frac{1}{3}$

개념 4 분모가 같은 분수의 뺄셈 (2)

- 받아내림이 없는 (대분수)−(대분수)

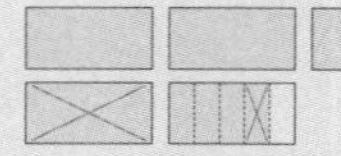

$4\frac{4}{5}-1\frac{1}{5}=3\frac{3}{5}$

$4\frac{4}{5}$에서 $1\frac{1}{5}$만큼 ×표 하고 남은 부분은 $3\frac{3}{5}$이에요.

방법1 자연수 부분끼리, 진분수 부분끼리 뺀 결과를 더합니다.

$4\frac{4}{5}-1\frac{1}{5}=(4-1)+\left(\frac{4}{5}-\frac{1}{5}\right)=3+\frac{3}{5}=3\frac{3}{5}$

방법2 대분수를 가분수로 바꾸어 뺀 다음 계산 결과를 대분수로 바꿉니다.

$4\frac{4}{5}-1\frac{1}{5}=\frac{24}{5}-\frac{6}{5}=\frac{18}{5}=3\frac{3}{5}$

개념 확인 문제

정답과 풀이 p.2

3-1 □ 안에 알맞은 수를 써넣으세요.

$3\frac{3}{8}+1\frac{4}{8}=(3+\boxed{1})+\left(\frac{\boxed{3}}{8}+\frac{\boxed{4}}{8}\right)=\boxed{4}+\frac{\boxed{7}}{8}=\boxed{4}\frac{\boxed{7}}{\boxed{8}}$

✤ 자연수는 자연수끼리, 분수는 분수끼리 더한 결과를 더합니다.

1주 교과서

3-2 보기 와 같은 방법으로 계산해 보세요.

보기 $2\frac{3}{4}+1\frac{2}{4}=\frac{11}{4}+\frac{6}{4}=\frac{17}{4}=4\frac{1}{4}$

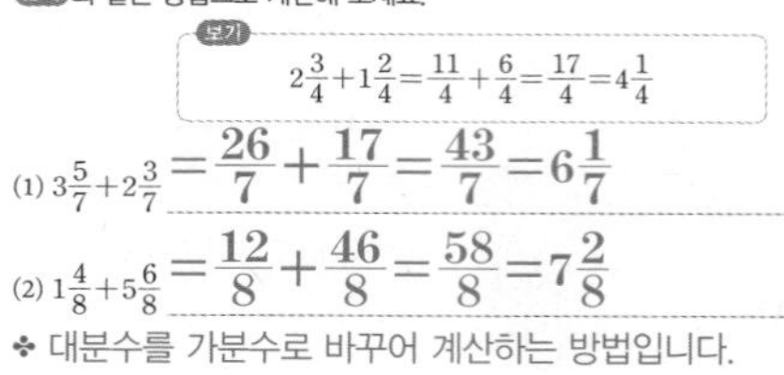

(1) $3\frac{5}{7}+2\frac{3}{7}=\frac{26}{7}+\frac{17}{7}=\frac{43}{7}=6\frac{1}{7}$

(2) $1\frac{4}{8}+5\frac{6}{8}=\frac{12}{8}+\frac{46}{8}=\frac{58}{8}=7\frac{2}{8}$

✤ 대분수를 가분수로 바꾸어 계산하는 방법입니다.

4-1 계산해 보세요.

(1) $6\frac{7}{11}-2\frac{3}{11}=4\frac{4}{11}$ (2) $2\frac{6}{7}-1\frac{3}{7}=1\frac{3}{7}$

✤ (1) $6\frac{7}{11}-2\frac{3}{11}=(6-2)+\left(\frac{7}{11}-\frac{3}{11}\right)=4+\frac{4}{11}=4\frac{4}{11}$

(2) $2\frac{6}{7}-1\frac{3}{7}=(2-1)+\left(\frac{6}{7}-\frac{3}{7}\right)=1+\frac{3}{7}=1\frac{3}{7}$

4-2 빈칸에 알맞은 수를 써넣으세요.

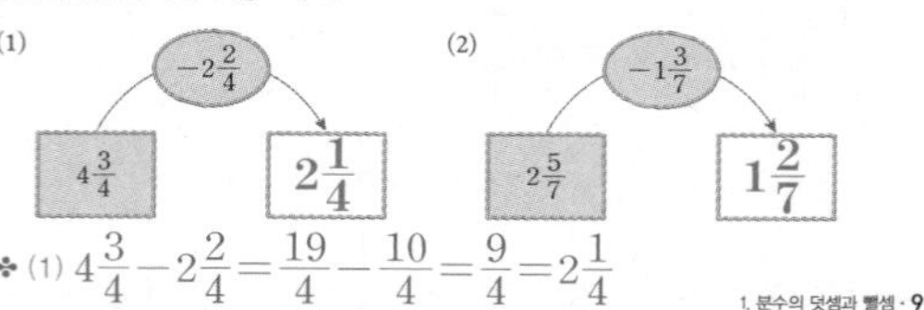

✤ (1) $4\frac{3}{4}-2\frac{2}{4}=\frac{19}{4}-\frac{10}{4}=\frac{9}{4}=2\frac{1}{4}$

(2) $2\frac{5}{7}-1\frac{3}{7}=\frac{19}{7}-\frac{10}{7}=\frac{9}{7}=1\frac{2}{7}$

1단계 교과서 개념 잡기

개념 5 분모가 같은 분수의 뺄셈 (3)

- (자연수)−(대분수)

① 그림으로 $3-1\frac{3}{4}$ 알아보기

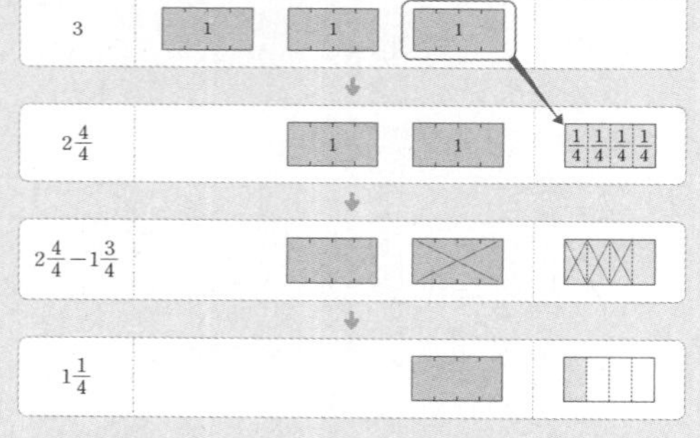

② 계산 방법 알아보기

방법1 자연수에서 1만큼을 분수로 바꾸어 자연수 부분끼리, 분수 부분끼리 뺀 결과를 더합니다.

(자연수에서 1만큼을 분수로 바꿉니다.)

$3-1\frac{3}{4}=2\frac{4}{4}-1\frac{3}{4}=(2-1)+\left(\frac{4}{4}-\frac{3}{4}\right)=1+\frac{1}{4}=1\frac{1}{4}$

방법2 두 수를 가분수로 바꾸어 뺀 다음 계산 결과를 대분수로 바꿉니다.

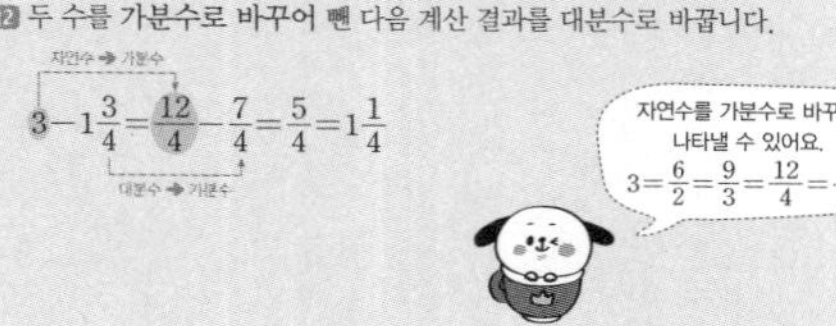

(자연수 → 가분수, 대분수 → 가분수)

$3-1\frac{3}{4}=\frac{12}{4}-\frac{7}{4}=\frac{5}{4}=1\frac{1}{4}$

자연수를 가분수로 바꾸어 나타낼 수 있어요.
$3=\frac{6}{2}=\frac{9}{3}=\frac{12}{4}=\cdots\cdots$

개념 확인 문제

정답과 풀이 p.2

5-1 그림을 보고 □ 안에 알맞은 수를 써넣으세요.

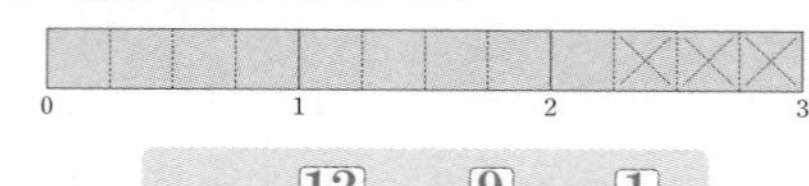

$3-\frac{3}{4}=\frac{\boxed{12}}{4}-\frac{3}{4}=\frac{\boxed{9}}{4}=\boxed{2}\frac{\boxed{1}}{\boxed{4}}$

✤ $\frac{1}{4}$씩 12칸이 있는데 그중에서 3칸을 지우면 9칸이 남습니다.

→ $\frac{9}{4}\left(=2\frac{1}{4}\right)$

1주 교과서

5-2 수직선을 보고 □ 안에 알맞은 수를 써넣으세요.

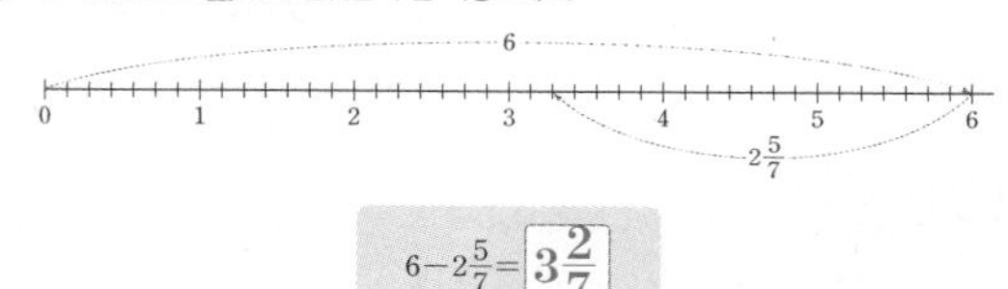

$6-2\frac{5}{7}=\boxed{3\frac{2}{7}}$

✤ 수직선에서 6만큼 간 다음 $2\frac{5}{7}$를 되돌아 가면 $3\frac{2}{7}$를 간 것과 같습니다.

5-3 빈칸에 알맞은 수를 써넣으세요.

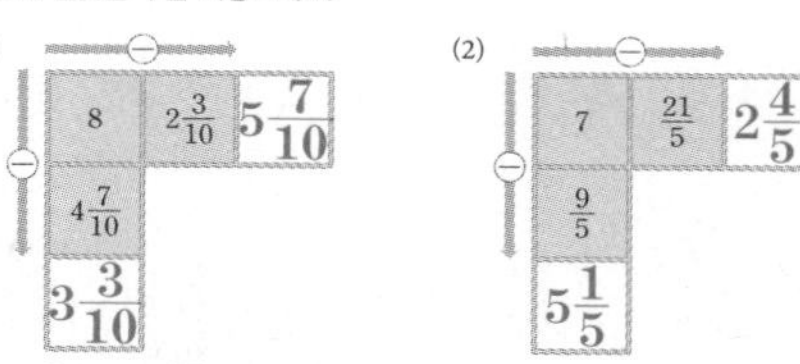

✤ (1) $8-2\frac{3}{10}=7\frac{10}{10}-2\frac{3}{10}=5\frac{7}{10}$, $8-4\frac{7}{10}=7\frac{10}{10}-4\frac{7}{10}=3\frac{3}{10}$

(2) $7-\frac{21}{5}=\frac{35}{5}-\frac{21}{5}=\frac{14}{5}=2\frac{4}{5}$,

$7-\frac{9}{5}=\frac{35}{5}-\frac{9}{5}=\frac{26}{5}=5\frac{1}{5}$

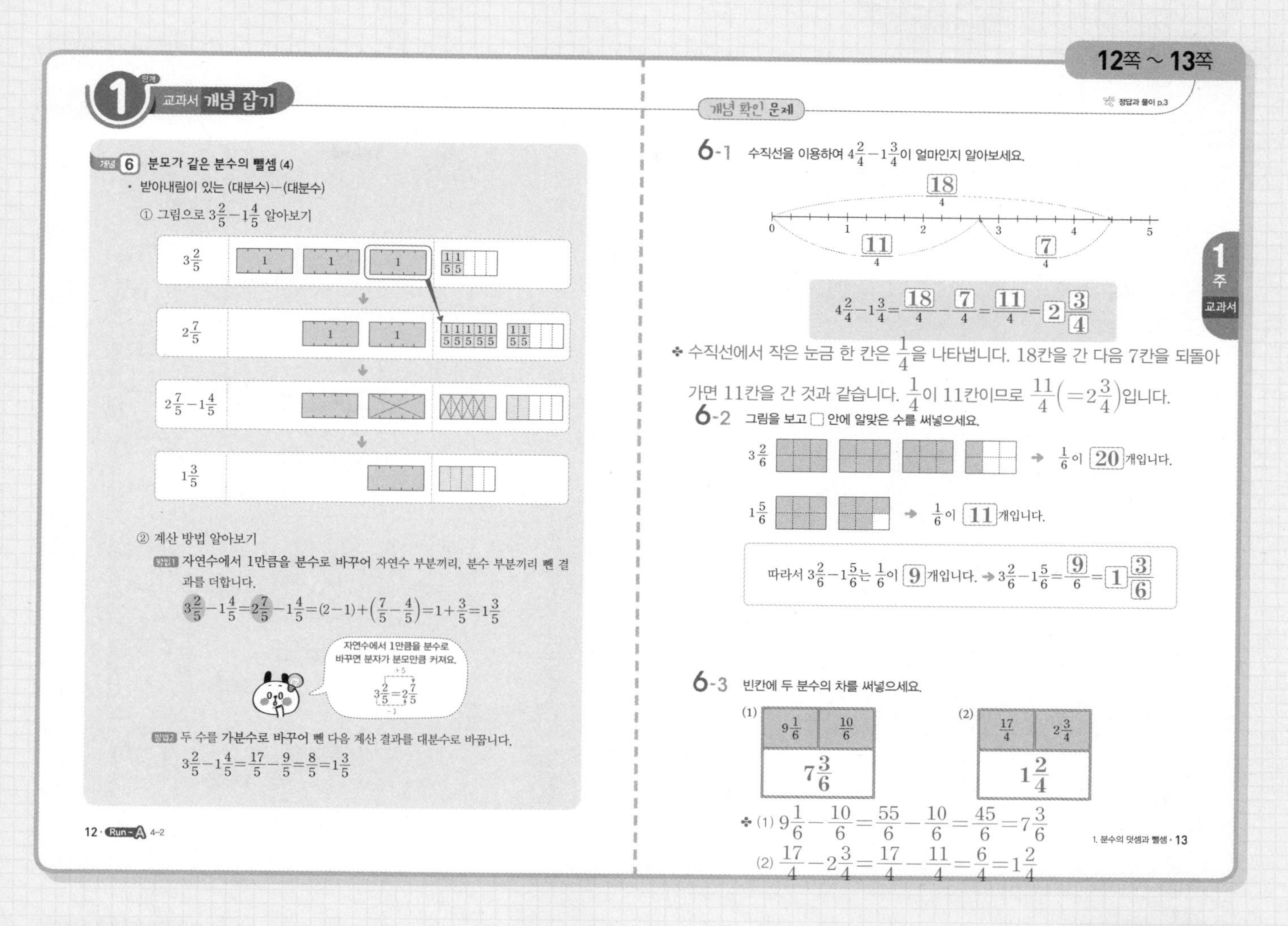

12쪽 ~ 13쪽

1단계 교과서 개념 잡기

개념 6 분모가 같은 분수의 뺄셈 (4)

- 받아내림이 있는 (대분수)−(대분수)

① 그림으로 $3\frac{2}{5}-1\frac{4}{5}$ 알아보기

$3\frac{2}{5}$ / $2\frac{7}{5}$ / $2\frac{7}{5}-1\frac{4}{5}$ / $1\frac{3}{5}$

② 계산 방법 알아보기

방법1 자연수에서 1만큼을 분수로 바꾸어 자연수 부분끼리, 분수 부분끼리 뺀 결과를 더합니다.

$3\frac{2}{5}-1\frac{4}{5}=2\frac{7}{5}-1\frac{4}{5}=(2-1)+\left(\frac{7}{5}-\frac{4}{5}\right)=1+\frac{3}{5}=1\frac{3}{5}$

자연수에서 1만큼을 분수로 바꾸면 분자가 분모만큼 커져요.

$3\frac{2}{5}=2\frac{7}{5}$

방법2 두 수를 가분수로 바꾸어 뺀 다음 계산 결과를 대분수로 바꿉니다.

$3\frac{2}{5}-1\frac{4}{5}=\frac{17}{5}-\frac{9}{5}=\frac{8}{5}=1\frac{3}{5}$

12 · Run-A 4-2

개념 확인 문제

정답과 풀이 p.3

6-1 수직선을 이용하여 $4\frac{2}{4}-1\frac{3}{4}$이 얼마인지 알아보세요.

$\frac{18}{4}$, $\frac{11}{4}$, $\frac{7}{4}$

$4\frac{2}{4}-1\frac{3}{4}=\frac{18}{4}-\frac{7}{4}=\frac{11}{4}=2\frac{3}{4}$

✣ 수직선에서 작은 눈금 한 칸은 $\frac{1}{4}$을 나타냅니다. 18칸을 간 다음 7칸을 되돌아가면 11칸을 간 것과 같습니다. $\frac{1}{4}$이 11칸이므로 $\frac{11}{4}\left(=2\frac{3}{4}\right)$입니다.

6-2 그림을 보고 □ 안에 알맞은 수를 써넣으세요.

$3\frac{2}{6}$ → $\frac{1}{6}$이 20개입니다.

$1\frac{5}{6}$ → $\frac{1}{6}$이 11개입니다.

따라서 $3\frac{2}{6}-1\frac{5}{6}$는 $\frac{1}{6}$이 9개입니다. → $3\frac{2}{6}-1\frac{5}{6}=\frac{9}{6}=1\frac{3}{6}$

6-3 빈칸에 두 분수의 차를 써넣으세요.

(1)

$9\frac{1}{6}$	$\frac{10}{6}$
$7\frac{3}{6}$	

(2)

$\frac{17}{4}$	$2\frac{3}{4}$
$1\frac{2}{4}$	

✣ (1) $9\frac{1}{6}-\frac{10}{6}=\frac{55}{6}-\frac{10}{6}=\frac{45}{6}=7\frac{3}{6}$

(2) $\frac{17}{4}-2\frac{3}{4}=\frac{17}{4}-\frac{11}{4}=\frac{6}{4}=1\frac{2}{4}$

1. 분수의 덧셈과 뺄셈 · 13

1주 교과서

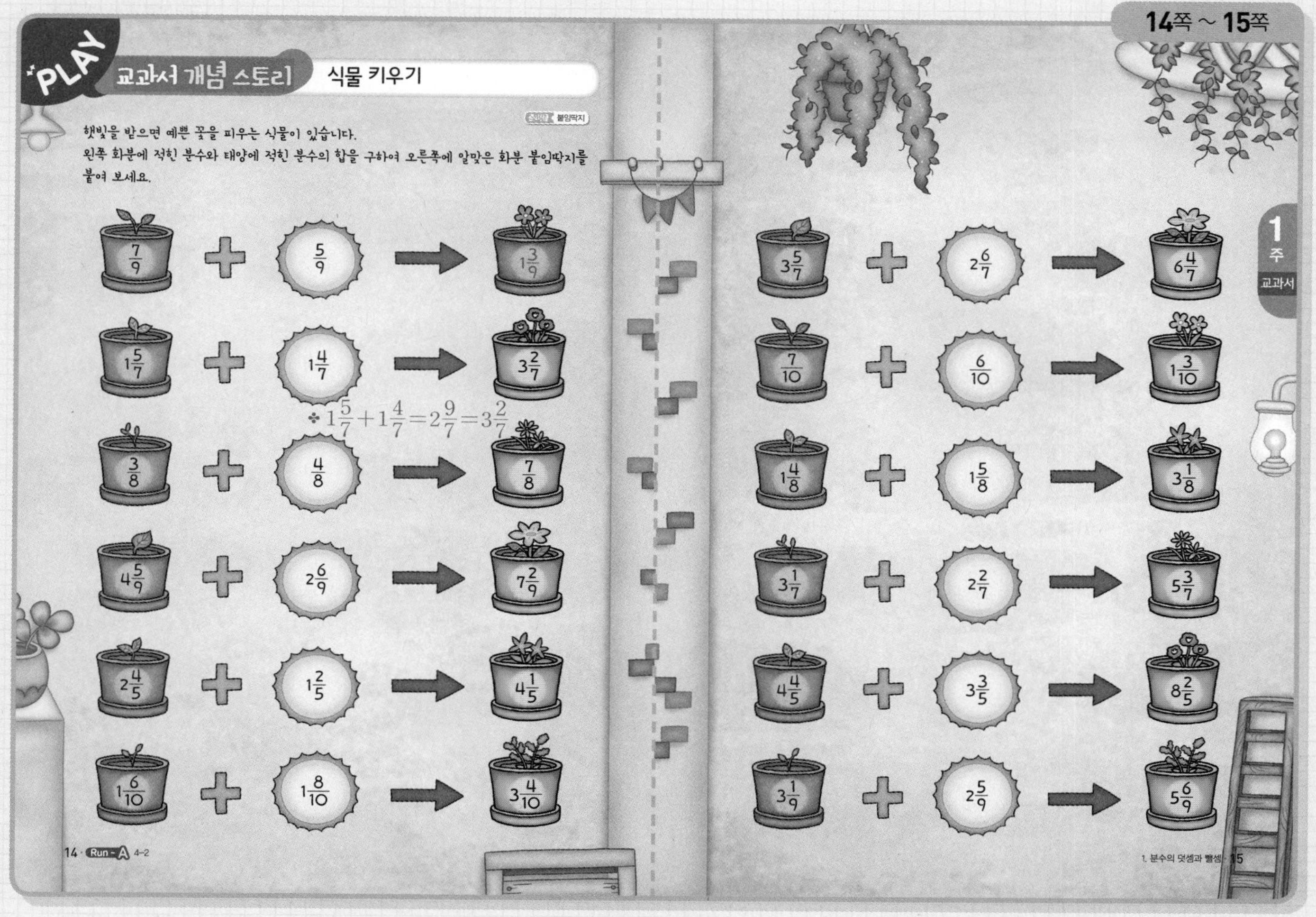

14쪽 ~ 15쪽

PLAY 교과서 개념 스토리 식물 키우기

준비물 붙임딱지

햇빛을 받으면 예쁜 꽃을 피우는 식물이 있습니다.
왼쪽 화분에 적힌 분수와 태양에 적힌 분수의 합을 구하여 오른쪽에 알맞은 화분 붙임딱지를 붙여 보세요.

$\frac{7}{9}$ + $\frac{5}{9}$ → $1\frac{3}{9}$

$1\frac{5}{7}$ + $1\frac{4}{7}$ → $3\frac{2}{7}$

✣ $1\frac{5}{7}+1\frac{4}{7}=2\frac{9}{7}=3\frac{2}{7}$

$\frac{3}{8}$ + $\frac{4}{8}$ → $\frac{7}{8}$

$4\frac{5}{9}$ + $2\frac{6}{9}$ → $7\frac{2}{9}$

$2\frac{4}{5}$ + $1\frac{2}{5}$ → $4\frac{1}{5}$

$1\frac{6}{10}$ + $1\frac{8}{10}$ → $3\frac{4}{10}$

$3\frac{5}{7}$ + $2\frac{6}{7}$ → $6\frac{4}{7}$

$\frac{7}{10}$ + $\frac{6}{10}$ → $1\frac{3}{10}$

$1\frac{4}{8}$ + $1\frac{5}{8}$ → $3\frac{1}{8}$

$3\frac{1}{7}$ + $2\frac{2}{7}$ → $5\frac{3}{7}$

$4\frac{4}{5}$ + $3\frac{3}{5}$ → $8\frac{2}{5}$

$3\frac{1}{9}$ + $2\frac{5}{9}$ → $5\frac{6}{9}$

14 · Run-A 4-2

1. 분수의 덧셈과 뺄셈 · 15

1주 교과서

16쪽 ~ 17쪽

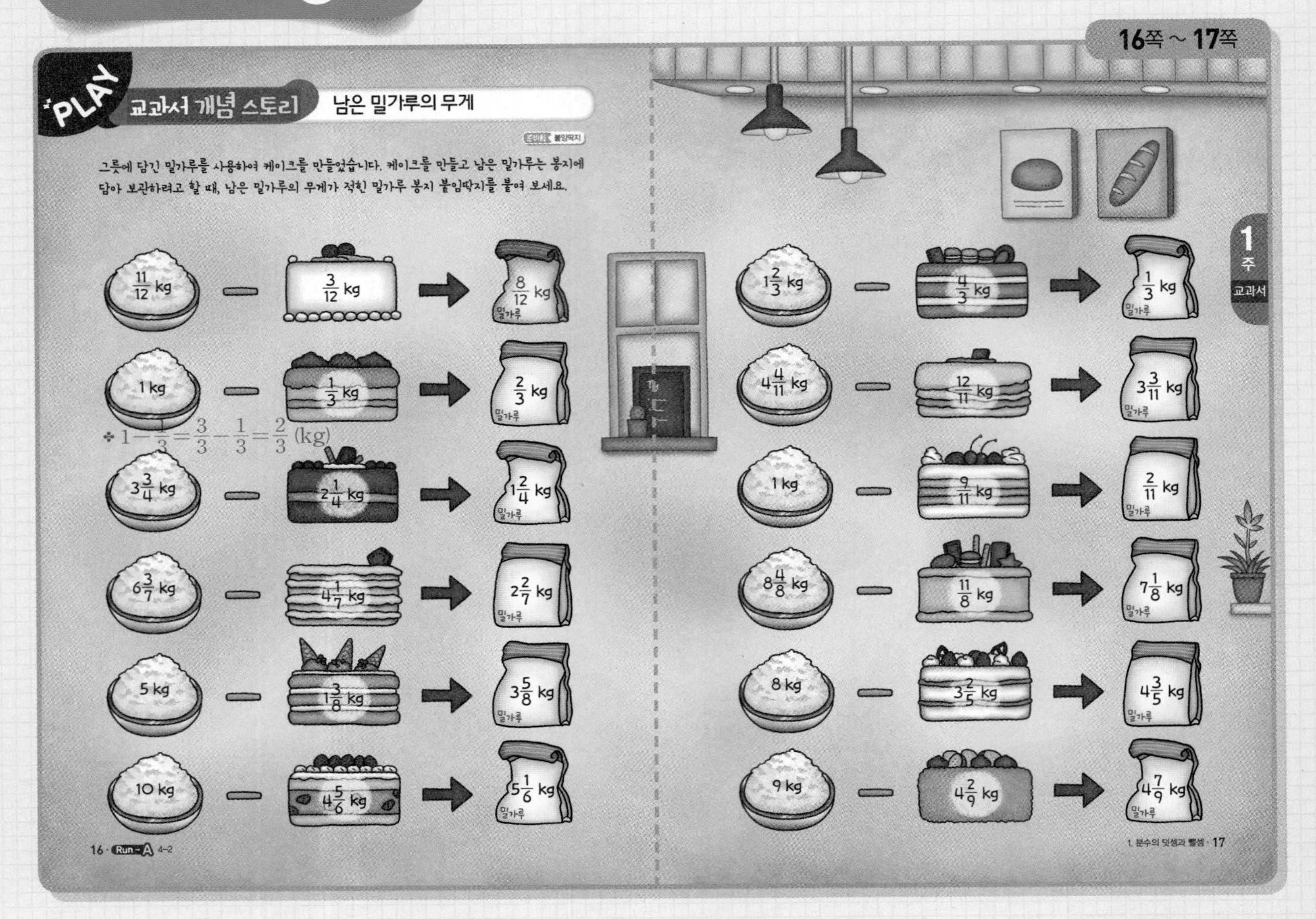

18쪽 ~ 19쪽

2단계 교과서 개념 다지기

정답과 풀이 p.4

개념 1 (진분수)+(진분수)

01 □ 안에 알맞은 수를 써넣으세요.

$\frac{2}{9}$는 $\frac{1}{9}$이 [2]개, $\frac{5}{9}$는 $\frac{1}{9}$이 [5]개이므로 $\frac{2}{9}+\frac{5}{9}$는 $\frac{1}{9}$이 모두 [7]개입니다.

따라서 $\frac{2}{9}+\frac{5}{9}=\frac{[7]}{[9]}$입니다.

✤ 진분수의 덧셈은 분모는 그대로 두고 분자끼리 더합니다.

02 수직선을 이용하여 $\frac{4}{5}+\frac{4}{5}$가 얼마인지 알아보세요.

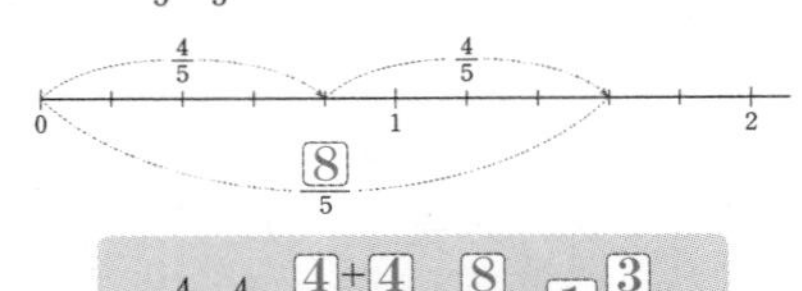

$\frac{4}{5}+\frac{4}{5}=\frac{[4]+[4]}{5}=\frac{[8]}{5}=[1]\frac{[3]}{[5]}$

✤ 진분수의 덧셈은 분모는 그대로 두고 분자끼리 더한 다음 가분수이면 대분수로 바꿉니다.

03 계산 결과가 같은 것끼리 선으로 이어 보세요.

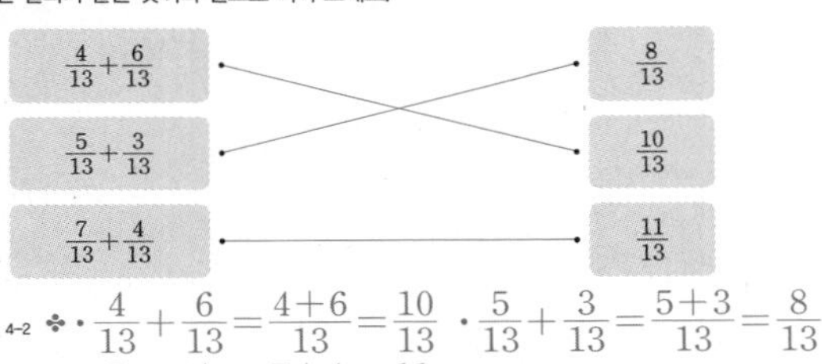

✤ • $\frac{4}{13}+\frac{6}{13}=\frac{4+6}{13}=\frac{10}{13}$ • $\frac{5}{13}+\frac{3}{13}=\frac{5+3}{13}=\frac{8}{13}$

• $\frac{7}{13}+\frac{4}{13}=\frac{7+4}{13}=\frac{11}{13}$

개념 2 (진분수)−(진분수), 1−(진분수)

04 전체를 1이라고 할 때 $\frac{2}{7}$만큼 ×표 하고, $1-\frac{2}{7}$는 얼마인지 알아보세요.

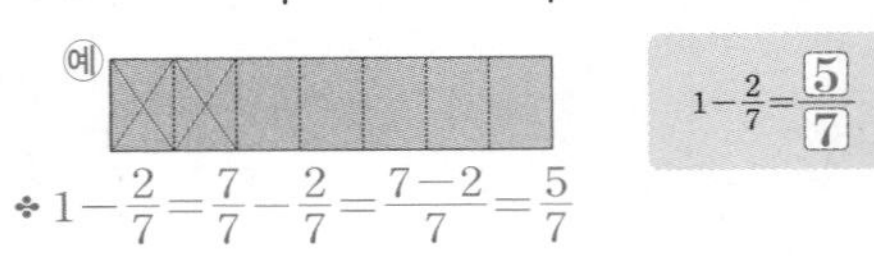

$1-\frac{2}{7}=\frac{[5]}{[7]}$

✤ $1-\frac{2}{7}=\frac{7}{7}-\frac{2}{7}=\frac{7-2}{7}=\frac{5}{7}$

05 빈 곳에 알맞은 수를 써넣으세요.

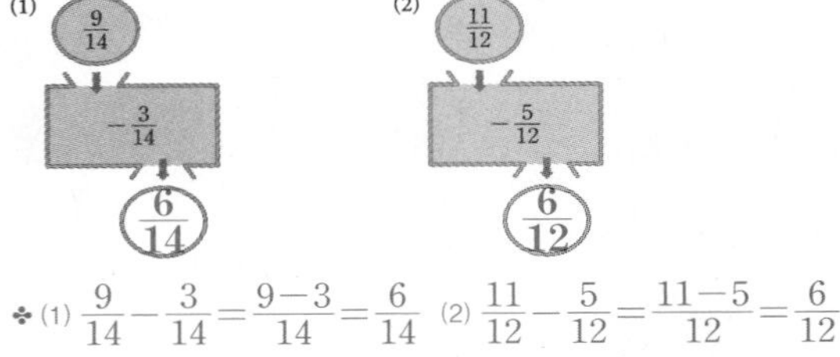

✤ (1) $\frac{9}{14}-\frac{3}{14}=\frac{9-3}{14}=\frac{6}{14}$ (2) $\frac{11}{12}-\frac{5}{12}=\frac{11-5}{12}=\frac{6}{12}$

06 1 L짜리 주스 한 병을 동혁이는 $\frac{3}{13}$ L, 혜주는 $\frac{4}{13}$ L씩 컵에 따랐습니다. 두 사람이 컵에 따르고 남은 주스는 몇 L인지 구해 보세요.

(1) 동혁이의 컵에 따르고 남은 주스는 몇 L일까요?

($\frac{10}{13}$ L)

(2) 동혁이와 혜주의 컵에 따르고 남은 주스는 몇 L일까요?

($\frac{6}{13}$ L)

✤ (1) $1-\frac{3}{13}=\frac{13}{13}-\frac{3}{13}=\frac{13-3}{13}=\frac{10}{13}$ (L)

(2) $\frac{10}{13}-\frac{4}{13}=\frac{10-4}{13}=\frac{6}{13}$ (L)

1 주 교과서

정답과 풀이 p.5

개념 3 (대분수)+(대분수)

07 빈칸에 알맞은 수를 써넣으세요.

(1) ⊕

$3\frac{3}{8}$	$1\frac{6}{8}$	$5\frac{1}{8}$
$5\frac{4}{7}$	$2\frac{5}{7}$	$8\frac{2}{7}$

(2) ⊕

$2\frac{1}{3}$	$6\frac{2}{3}$	9
$4\frac{4}{5}$	$5\frac{1}{5}$	10

✤ (1) $3\frac{3}{8}+1\frac{6}{8}=(3+1)+\left(\frac{3}{8}+\frac{6}{8}\right)=4+\frac{9}{8}=4+1\frac{1}{8}=5\frac{1}{8}$,

$5\frac{4}{7}+2\frac{5}{7}=(5+2)+\left(\frac{4}{7}+\frac{5}{7}\right)=7+\frac{9}{7}=7+1\frac{2}{7}=8\frac{2}{7}$

(2) $2\frac{1}{3}+6\frac{2}{3}=\frac{7}{3}+\frac{20}{3}=\frac{27}{3}=9$,

$4\frac{4}{5}+5\frac{1}{5}=\frac{24}{5}+\frac{26}{5}=\frac{50}{5}=10$

08 계산 결과가 3과 4 사이인 덧셈식에 모두 색칠해 보세요.

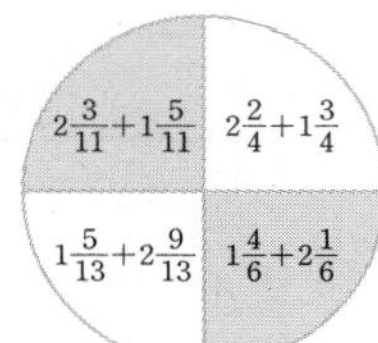

$2\frac{3}{11}+1\frac{5}{11}$
$2\frac{2}{4}+1\frac{3}{4}$
$1\frac{5}{13}+2\frac{9}{13}$
$1\frac{4}{6}+2\frac{1}{6}$

✤ • $2\frac{3}{11}+1\frac{5}{11}=3\frac{8}{11}$ • $2\frac{2}{4}+1\frac{3}{4}=3\frac{5}{4}=4\frac{1}{4}$

• $1\frac{5}{13}+2\frac{9}{13}=3\frac{14}{13}=4\frac{1}{13}$ • $1\frac{4}{6}+2\frac{1}{6}=3\frac{5}{6}$

09 길이가 $1\frac{8}{10}$ m인 끈과 길이가 $3\frac{5}{10}$ m인 끈이 있습니다. 두 끈을 겹치는 부분 없이 이어 붙였을 때 이어진 끈의 길이는 몇 m인지 구해 보세요.

식 $1\frac{8}{10}+3\frac{5}{10}=5\frac{3}{10}$

답 $5\frac{3}{10}$ m

✤ (이어진 끈의 길이) $=1\frac{8}{10}+3\frac{5}{10}=(1+3)+\left(\frac{8}{10}+\frac{5}{10}\right)$

$=4+\frac{13}{10}=4+1\frac{3}{10}=5\frac{3}{10}$ (m)

개념 4 (대분수)−(대분수) (1)

10 보기 와 같은 방법으로 계산해 보세요.

보기
$2\frac{3}{5}-1\frac{1}{5}=\frac{13}{5}-\frac{6}{5}=\frac{7}{5}=1\frac{2}{5}$

$5\frac{5}{6}-2\frac{3}{6}=\frac{35}{6}-\frac{15}{6}=\frac{20}{6}=3\frac{2}{6}$

✤ 대분수를 가분수로 바꾸어 계산하는 방법입니다.

11 다음에서 나타내는 수를 구해 보세요.

(1) $5\frac{9}{10}$보다 $2\frac{4}{10}$만큼 작은 수 ($3\frac{5}{10}$)

(2) $3\frac{6}{7}$보다 $1\frac{5}{7}$만큼 작은 수 ($2\frac{1}{7}$)

✤ (1) $5\frac{9}{10}-2\frac{4}{10}=3\frac{5}{10}$ (2) $3\frac{6}{7}-1\frac{5}{7}=2\frac{1}{7}$

12 정수 어머니께서 딸기를 $3\frac{3}{4}$ kg 사 오셨습니다. 잼을 만드는 데 딸기를 $1\frac{1}{4}$ kg 사용했다면 남은 딸기는 몇 kg인지 구해 보세요.

식 $3\frac{3}{4}-1\frac{1}{4}=2\frac{2}{4}$

답 $2\frac{2}{4}$ kg

✤ (남은 딸기의 무게)

$=3\frac{3}{4}-1\frac{1}{4}=(3-1)+\left(\frac{3}{4}-\frac{1}{4}\right)$

$=2+\frac{2}{4}=2\frac{2}{4}$ (kg)

정답과 풀이 p.5

단계 교과서 개념 다지기

개념 5 (자연수)−(분수)

13 계산 결과가 다른 하나를 찾아 기호를 써 보세요.

㉠ $5-2\frac{2}{9}$ ㉡ $3-1\frac{2}{9}$ ㉢ $7-4\frac{2}{9}$

(㉡)

✤ ㉠ $5-2\frac{2}{9}=4\frac{9}{9}-2\frac{2}{9}=2\frac{7}{9}$, ㉡ $3-1\frac{2}{9}=2\frac{9}{9}-1\frac{2}{9}=1\frac{7}{9}$,

㉢ $7-4\frac{2}{9}=6\frac{9}{9}-4\frac{2}{9}=2\frac{7}{9}$

14 계산 결과가 1과 2 사이인 뺄셈식에 ○표 하세요.

$4-\frac{3}{8}$	$3-1\frac{5}{7}$	$6-5\frac{1}{2}$
	○	

✤ • $4-\frac{3}{8}=3\frac{8}{8}-\frac{3}{8}=3\frac{5}{8}$ • $3-1\frac{5}{7}=2\frac{7}{7}-1\frac{5}{7}=1\frac{2}{7}$

• $6-5\frac{1}{2}=5\frac{2}{2}-5\frac{1}{2}=\frac{1}{2}$

15 우유가 2 L 있습니다. 민재가 우유를 $\frac{2}{10}$ L 마셨다면, 남은 우유는 몇 L인지 구해 보세요.

식 $2-\frac{2}{10}=1\frac{8}{10}$

답 $1\frac{8}{10}$ L

✤ (남은 우유의 양) $=2-\frac{2}{10}=1\frac{10}{10}-\frac{2}{10}=1\frac{8}{10}$ (L)

16 형식이의 몸무게는 50 kg이고 수찬이는 형식이보다 $3\frac{6}{9}$ kg 가볍습니다. 수찬이의 몸무게는 몇 kg인지 구해 보세요.

($46\frac{3}{9}$ kg)

✤ (수찬이의 몸무게) $=$ (형식이의 몸무게) $-3\frac{6}{9}$

$=50-3\frac{6}{9}=49\frac{9}{9}-3\frac{6}{9}=46\frac{3}{9}$ (kg)

개념 6 (대분수)−(대분수) (2)

17 그림을 보고 $4\frac{1}{5}-1\frac{3}{5}$이 얼마인지 알아보세요.

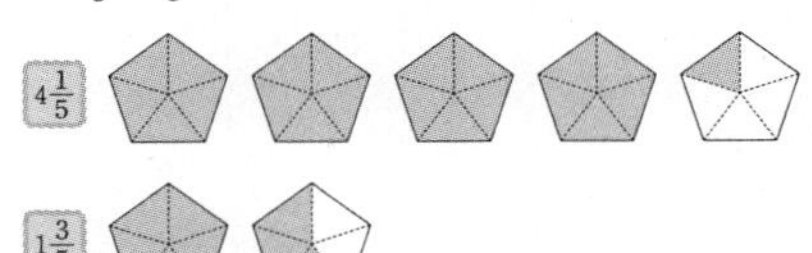

$4\frac{1}{5}$은 $\frac{1}{5}$이 21개, $1\frac{3}{5}$은 $\frac{1}{5}$이 8개이므로 $4\frac{1}{5}-1\frac{3}{5}$은 $\frac{1}{5}$이 13개입니다. ➡ $4\frac{1}{5}-1\frac{3}{5}=\frac{21}{5}-\frac{8}{5}=\frac{13}{5}=2\frac{3}{5}$

✤ 대분수를 가분수로 바꾸어 분자끼리 뺀 다음 가분수를 대분수로 바꿉니다.

18 보기 와 같은 방법으로 계산해 보세요.

보기
$9\frac{1}{3}-1\frac{2}{3}=8\frac{4}{3}-1\frac{2}{3}=7\frac{2}{3}$

(1) $8\frac{2}{9}-5\frac{8}{9}=7\frac{11}{9}-5\frac{8}{9}=2\frac{3}{9}$

(2) $7\frac{4}{8}-2\frac{6}{8}=6\frac{12}{8}-2\frac{6}{8}=4\frac{6}{8}$

✤ 자연수에서 1만큼을 가분수로 바꾼 다음 자연수 부분끼리, 분수 부분끼리 뺍니다.

19 직사각형에서 가로는 세로보다 몇 cm 더 길까요?

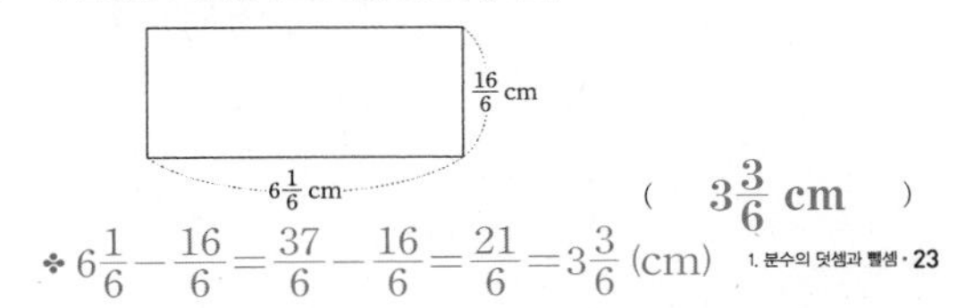

($3\frac{3}{6}$ cm)

✤ $6\frac{1}{6}-\frac{16}{6}=\frac{37}{6}-\frac{16}{6}=\frac{21}{6}=3\frac{3}{6}$ (cm)

1 주 교과서

3단계 교과서 실력 다지기

정답과 풀이 p.6

바르게 계산하기

1 잘못 계산한 곳을 찾아 바르게 계산해 보세요.

$\frac{2}{7}+\frac{4}{7}=\frac{2+4}{7+7}=\frac{6}{14}$

→ 예) $\frac{2}{7}+\frac{4}{7}=\frac{2+4}{7}=\frac{6}{7}$

개념 피드백 분모가 같은 분수의 덧셈과 뺄셈은 분모는 그대로 두고 분자끼리 계산합니다.

1-1 잘못 계산한 곳을 찾아 바르게 계산해 보세요.

$5\frac{5}{11}-1\frac{7}{11}=5\frac{16}{11}-1\frac{7}{11}=4\frac{9}{11}$

→ 예) $5\frac{5}{11}-1\frac{7}{11}=4\frac{16}{11}-1\frac{7}{11}=3\frac{9}{11}$

✤ 자연수에서 1만큼을 가분수로 바꾸면 자연수는 1만큼 작아지고 분자는 분모만큼 커집니다.

1-2 잘못 계산한 사람의 이름을 쓰고 바르게 계산해 보세요.

영지: $8-3\frac{1}{4}=(8-3)+\frac{1}{4}=5+\frac{1}{4}=5\frac{1}{4}$

동호: $6\frac{1}{9}-2\frac{5}{9}=5\frac{10}{9}-2\frac{5}{9}=3\frac{5}{9}$

(영지)

→ 예) $8-3\frac{1}{4}=7\frac{4}{4}-3\frac{1}{4}=(7-3)+\left(\frac{4}{4}-\frac{1}{4}\right)$
$=4+\frac{3}{4}=4\frac{3}{4}$

계산 결과 비교하기

2 계산 결과를 비교하여 ○ 안에 >, =, <를 알맞게 써넣으세요.

$1\frac{2}{9}+3\frac{8}{9}$ (>) $6-1\frac{3}{9}$

개념 피드백
• 분모가 같은 대분수의 크기 비교하기
① 자연수 부분의 크기가 클수록 큰 분수입니다.
② 자연수 부분의 크기가 같으면 분자의 크기가 클수록 큰 분수입니다.

✤ $1\frac{2}{9}+3\frac{8}{9}=4\frac{10}{9}=5\frac{1}{9}$, $6-1\frac{3}{9}=5\frac{9}{9}-1\frac{3}{9}=4\frac{6}{9}$
→ $5\frac{1}{9}>4\frac{6}{9}$

2-1 계산 결과가 더 큰 것의 기호를 써 보세요.

㉠ $3\frac{5}{7}+\frac{11}{7}$ ㉡ $6\frac{2}{7}-1\frac{4}{7}$

(㉠)

✤ ㉠ $3\frac{5}{7}+\frac{11}{7}=\frac{26}{7}+\frac{11}{7}=\frac{37}{7}=5\frac{2}{7}$, ㉡ $6\frac{2}{7}-1\frac{4}{7}=5\frac{9}{7}-1\frac{4}{7}=4\frac{5}{7}$
→ $5\frac{2}{7}>4\frac{5}{7}$

2-2 계산 결과가 큰 것부터 차례로 기호를 써 보세요.

㉠ $4-\frac{13}{8}$
㉡ $1\frac{7}{8}+1\frac{6}{8}$
㉢ $5\frac{1}{8}-1\frac{5}{8}$

(㉡, ㉢, ㉠)

✤ ㉠ $4-\frac{13}{8}=\frac{32}{8}-\frac{13}{8}=\frac{19}{8}=2\frac{3}{8}$, ㉡ $1\frac{7}{8}+1\frac{6}{8}=2\frac{13}{8}=3\frac{5}{8}$,
㉢ $5\frac{1}{8}-1\frac{5}{8}=4\frac{9}{8}-1\frac{5}{8}=3\frac{4}{8}$
→ ㉡ $3\frac{5}{8}>$ ㉢ $3\frac{4}{8}>$ ㉠ $2\frac{3}{8}$

정답과 풀이 p.6

분수의 크기를 비교하여 계산하기

3 가장 큰 분수와 가장 작은 분수의 차를 구해 보세요.

$2\frac{5}{13}$ $\frac{66}{13}$ $3\frac{2}{13}$

답 $2\frac{9}{13}$

개념 피드백
• 분모가 같은 대분수와 가분수의 크기 비교하기
방법1 대분수를 가분수로 바꾸어 분자의 크기를 비교합니다.
방법2 가분수를 대분수로 바꾸어 자연수 부분과 분자의 크기를 차례로 비교합니다.

✤ $\frac{66}{13}=5\frac{1}{13}$이므로 $\frac{66}{13}\left(=5\frac{1}{13}\right)>3\frac{2}{13}>2\frac{5}{13}$입니다.
→ $\frac{66}{13}-2\frac{5}{13}=\frac{66}{13}-\frac{31}{13}=\frac{35}{13}=2\frac{9}{13}$

3-1 가장 큰 분수와 가장 작은 분수의 합을 구해 보세요.

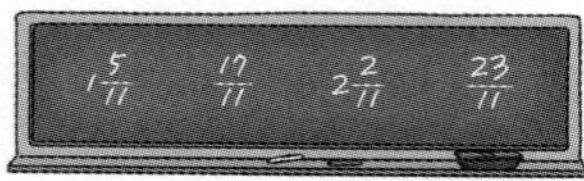

$1\frac{5}{11}$ $\frac{17}{11}$ $2\frac{2}{11}$ $\frac{23}{11}$

($3\frac{7}{11}$)

✤ $1\frac{5}{11}=\frac{16}{11}$, $2\frac{2}{11}=\frac{24}{11}$이므로
$2\frac{2}{11}\left(=\frac{24}{11}\right)>\frac{23}{11}>\frac{17}{11}>1\frac{5}{11}\left(=\frac{16}{11}\right)$입니다. → $2\frac{2}{11}+1\frac{5}{11}=3\frac{7}{11}$

3-2 상자의 무게를 보고 가장 무거운 상자와 가장 가벼운 상자의 무게의 차를 구해 보세요.

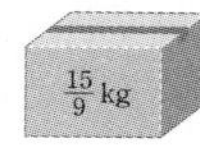

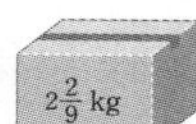

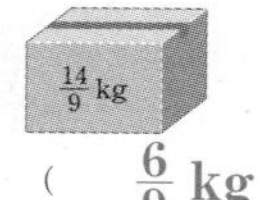

($\frac{6}{9}$ kg)

✤ $2\frac{2}{9}=\frac{20}{9}$이므로 $2\frac{2}{9}\left(=\frac{20}{9}\right)>\frac{15}{9}>\frac{14}{9}$입니다.
→ $2\frac{2}{9}-\frac{14}{9}=\frac{20}{9}-\frac{14}{9}=\frac{6}{9}$ (kg)

조건에 맞는 식 만들기

4 두 수를 골라 □ 안에 써넣어 계산 결과가 가장 작은 뺄셈식을 만들고 계산해 보세요.

2, 6, 7

$5\frac{2}{9}-1\frac{7}{9}$

답 $3\frac{4}{9}$

개념 피드백
① (빼어지는 수)−(빼는 수)에서 빼어지는 수가 클수록, 빼는 수가 작을수록 계산 결과가 커집니다.
② (더해지는 수)+(더하는 수)에서 더해지는 수와 더하는 수가 클수록 계산 결과가 커집니다.

✤ 계산 결과가 가장 작은 뺄셈식을 만들려면 빼어지는 수를 가장 작게, 빼는 수를 가장 크게 만듭니다. → $5\frac{2}{9}-1\frac{7}{9}=4\frac{11}{9}-1\frac{7}{9}=3\frac{4}{9}$

4-1 두 수를 골라 □ 안에 써넣어 계산 결과가 가장 큰 덧셈식을 만들고 계산해 보세요.

6, 8, 9

$9\frac{5}{10}+\frac{8}{10}$

($10\frac{3}{10}$)

✤ 더해지는 수와 더하는 수가 클수록 계산 결과가 커집니다.
→ $9\frac{5}{10}+\frac{8}{10}=9\frac{13}{10}=10\frac{3}{10}$

4-2 두 수를 골라 □ 안에 써넣어 계산 결과가 가장 큰 뺄셈식을 만들고 계산해 보세요.

1, 3, 4

$9-1\frac{3}{5}$

($7\frac{2}{5}$)

✤ 빼는 수가 작을수록 계산 결과가 커집니다.
→ $9-1\frac{3}{5}=8\frac{5}{5}-1\frac{3}{5}=7\frac{2}{5}$

정답과 풀이 p.7

★ 세 분수의 계산

5 빈칸에 알맞은 수를 써넣으세요.

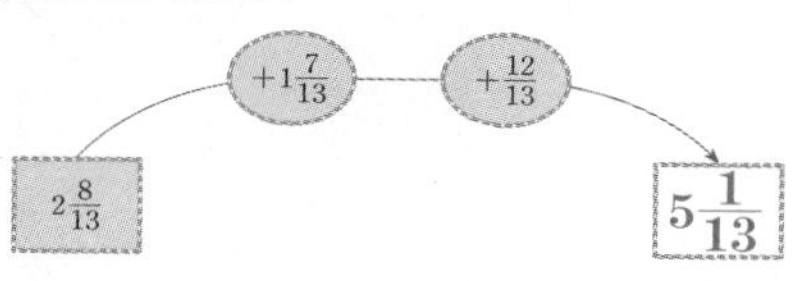

개념 피드백 세 분수의 덧셈과 뺄셈은 앞에서부터 차례로 계산합니다.

예 $\frac{5}{6}-\frac{2}{6}+\frac{1}{6}=\frac{3}{6}+\frac{1}{6}=\frac{4}{6}$

❖ $2\frac{8}{13}+1\frac{7}{13}+\frac{12}{13}=3\frac{15}{13}+\frac{12}{13}=4\frac{2}{13}+\frac{12}{13}=4\frac{14}{13}=5\frac{1}{13}$

5-1 빈칸에 알맞은 수를 써넣으세요.

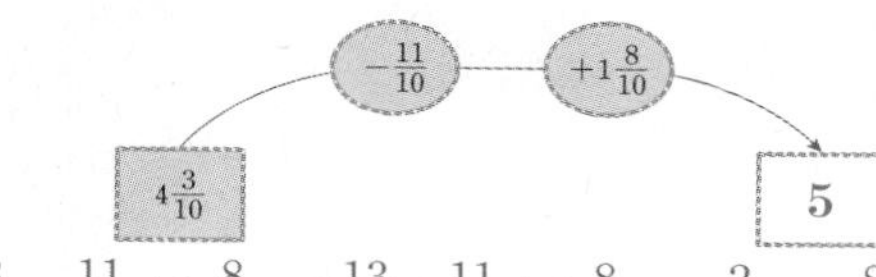

❖ $4\frac{3}{10}-\frac{11}{10}+1\frac{8}{10}=3\frac{13}{10}-\frac{11}{10}+1\frac{8}{10}=3\frac{2}{10}+1\frac{8}{10}=4\frac{10}{10}=5$

5-2 어머니께서 오이 $2\frac{3}{5}$ kg, 가지 $1\frac{4}{5}$ kg, 무 $2\frac{1}{5}$ kg을 사 오셨습니다. 어머니께서 사 오신 채소는 모두 몇 kg일까요?

($6\frac{3}{5}$ kg)

❖ (사 오신 채소의 무게)=(오이의 무게)+(가지의 무게)+(무의 무게)

$=2\frac{3}{5}+1\frac{4}{5}+2\frac{1}{5}=3\frac{7}{5}+2\frac{1}{5}=4\frac{2}{5}+2\frac{1}{5}$

$=6\frac{3}{5}$ (kg)

★ □ 안에 들어갈 수 있는 자연수 구하기

6 □ 안에 들어갈 수 있는 자연수를 모두 써 보세요.

$\frac{5}{7}+\frac{□}{7}<1\frac{3}{7}$

답 1, 2, 3, 4

개념 피드백 방법1 식을 간단하게 정리하여 분수의 크기를 비교합니다.
방법2 □ 안에 1부터 차례로 넣어 계산해 봅니다.

❖ $\frac{5}{7}+\frac{□}{7}=\frac{5+□}{7}$, $1\frac{3}{7}=\frac{10}{7}$에서 $\frac{5+□}{7}<\frac{10}{7}$ ➔ $5+□<10$입니다.
따라서 □ 안에 들어갈 수 있는 자연수는 1, 2, 3, 4입니다.

6-1 □ 안에 들어갈 수 있는 자연수는 모두 몇 개인지 구해 보세요.

$2-\frac{□}{10}>1\frac{7}{10}$

(2개)

❖ $2-\frac{□}{10}=\frac{20}{10}-\frac{□}{10}=\frac{20-□}{10}$, $1\frac{7}{10}=\frac{17}{10}$
$\frac{20-□}{10}>\frac{17}{10}$ ➔ $20-□>17$에서 □ 안에 들어갈 수 있는 자연수는 1, 2로 모두 2개입니다.

6-2 □ 안에 들어갈 수 있는 자연수 중에서 가장 큰 수를 구해 보세요.

$1\frac{4}{11}-\frac{□}{11}>\frac{9}{11}$

(5)

❖ $1\frac{4}{11}-\frac{□}{11}=\frac{15}{11}-\frac{□}{11}=\frac{15-□}{11}$
$\frac{15-□}{11}>\frac{9}{11}$ ➔ $15-□>9$에서 □ 안에 들어갈 수 있는 자연수는 1, 2, 3, 4, 5이므로 가장 큰 수는 5입니다.

1주 교과서

Test 교과서 서술형 연습

정답과 풀이 p.7

1 어떤 수에서 $2\frac{4}{7}$를 빼야 할 것을 잘못하여 $4\frac{2}{7}$를 뺐더니 $2\frac{3}{7}$이 되었습니다. 바르게 계산하면 얼마인지 구해 보세요.

구하려는 것, 주어진 것에 선을 그어 봅니다.

해결하기 어떤 수를 ■라 하여 잘못 계산한 식을 세우면 $■-4\frac{2}{7}=2\frac{3}{7}$입니다.
➔ $■=2\frac{3}{7}+4\frac{2}{7}=6\frac{5}{7}$
따라서 바르게 계산하면 $6\frac{5}{7}-2\frac{4}{7}=4\frac{1}{7}$입니다.

답 구하기 $4\frac{1}{7}$

2 어떤 수에 $5\frac{6}{10}$을 더해야 할 것을 잘못하여 $6\frac{5}{10}$를 더했더니 $9\frac{1}{10}$이 되었습니다. 바르게 계산하면 얼마인지 구해 보세요.

주어진 것 / 구하려는 것

구하려는 것, 주어진 것에 선을 그어 봅니다.

해결하기 예 어떤 수를 □라 하여 잘못 계산한 식을 세우면 $□+6\frac{5}{10}=9\frac{1}{10}$입니다.
➔ $□=9\frac{1}{10}-6\frac{5}{10}=8\frac{11}{10}-6\frac{5}{10}=2\frac{6}{10}$
따라서 바르게 계산하면 $2\frac{6}{10}+5\frac{6}{10}=7\frac{12}{10}=8\frac{2}{10}$입니다.

답 구하기 $8\frac{2}{10}$

3 색 테이프가 $2\frac{2}{9}$ m 있습니다. 상자 한 개를 포장하는 데 색 테이프가 $\frac{7}{9}$ m 필요합니다. 포장할 수 있는 상자는 몇 개이고, 남는 색 테이프는 몇 m인지 구해 보세요.

구하려는 것, 주어진 것에 선을 그어 봅니다.

해결하기 처음 색 테이프의 길이를 가분수로 나타내면 $2\frac{2}{9}$ m $=\frac{20}{9}$ m입니다.
상자 한 개를 포장하는 데 색 테이프가 $\frac{7}{9}$ m 필요하므로 상자를 포장하고 남는 색 테이프의 길이는 $\frac{20}{9}-\frac{7}{9}-\frac{7}{9}=\frac{6}{9}$ (m)입니다.
따라서 포장할 수 있는 상자는 2개이고, 남는 색 테이프는 $\frac{6}{9}$ m입니다.

답 구하기 2개, $\frac{6}{9}$ m

4 밀가루가 $3\frac{2}{5}$ kg 있습니다. 피자 한 판을 만드는 데 밀가루가 $\frac{4}{5}$ kg 필요합니다. 만들 수 있는 피자는 몇 판이고, 남는 밀가루는 몇 kg인지 구해 보세요.

주어진 것 / 구하려는 것

구하려는 것, 주어진 것에 선을 그어 봅니다.

해결하기 예 처음 밀가루의 무게를 가분수로 나타내면 $3\frac{2}{5}$ kg $=\frac{17}{5}$ kg입니다. 피자 한 판을 만드는 데 밀가루가 $\frac{4}{5}$ kg 필요하므로 피자를 만들고 남는 밀가루의 무게는 $\frac{17}{5}-\frac{4}{5}-\frac{4}{5}-\frac{4}{5}-\frac{4}{5}=\frac{1}{5}$ (kg)입니다. 따라서 만들 수 있는 피자는 4판이고, 남는 밀가루는 $\frac{1}{5}$ kg입니다.

답 구하기 4판, $\frac{1}{5}$ kg

1주 교과서

32쪽 ~ 33쪽

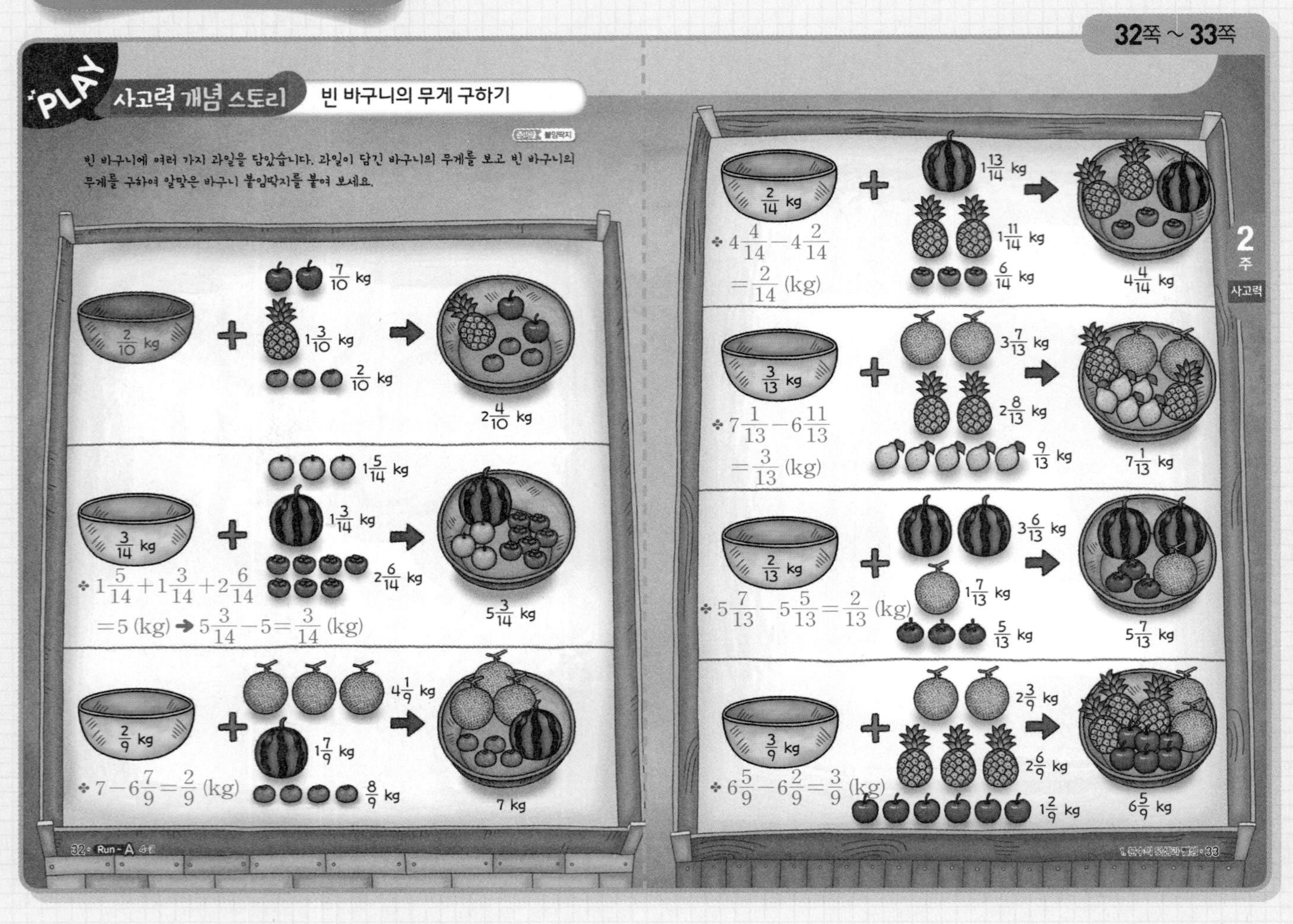
PLAY 사고력 개념 스토리 빈 바구니의 무게 구하기
빈 바구니에 여러 가지 과일을 담았습니다. 과일이 담긴 바구니의 무게를 보고 빈 바구니의 무게를 구하여 알맞은 바구니 붙임딱지를 붙여 보세요.
$\frac{2}{10}$ kg
$\frac{7}{10}$ kg
$1\frac{3}{10}$ kg
$\frac{2}{10}$ kg
$2\frac{4}{10}$ kg
$\frac{3}{14}$ kg
$1\frac{5}{14}$ kg
$1\frac{3}{14}$ kg
$2\frac{6}{14}$ kg
$5\frac{3}{14}$ kg
✣ $1\frac{5}{14}+1\frac{3}{14}+2\frac{6}{14}=5$ (kg) ➔ $5\frac{3}{14}-5=\frac{3}{14}$ (kg)
$\frac{2}{9}$ kg
$4\frac{1}{9}$ kg
$1\frac{7}{9}$ kg
$\frac{8}{9}$ kg
7 kg
✣ $7-6\frac{7}{9}=\frac{2}{9}$ (kg)
$\frac{2}{14}$ kg
$1\frac{13}{14}$ kg
$1\frac{11}{14}$ kg
$\frac{6}{14}$ kg
$4\frac{4}{14}$ kg
✣ $4\frac{4}{14}-4\frac{2}{14}=\frac{2}{14}$ (kg)
$\frac{3}{13}$ kg
$3\frac{7}{13}$ kg
$2\frac{8}{13}$ kg
$\frac{9}{13}$ kg
$7\frac{1}{13}$ kg
✣ $7\frac{1}{13}-6\frac{11}{13}=\frac{3}{13}$ (kg)
$\frac{2}{13}$ kg
$3\frac{6}{13}$ kg
$1\frac{7}{13}$ kg
$\frac{5}{13}$ kg
$5\frac{7}{13}$ kg
✣ $5\frac{7}{13}-5\frac{5}{13}=\frac{2}{13}$ (kg)
$\frac{3}{9}$ kg
$2\frac{3}{9}$ kg
$2\frac{6}{9}$ kg
$1\frac{2}{9}$ kg
$6\frac{5}{9}$ kg
✣ $6\frac{5}{9}-6\frac{2}{9}=\frac{3}{9}$ (kg)
2주 사고력

34쪽 ~ 35쪽

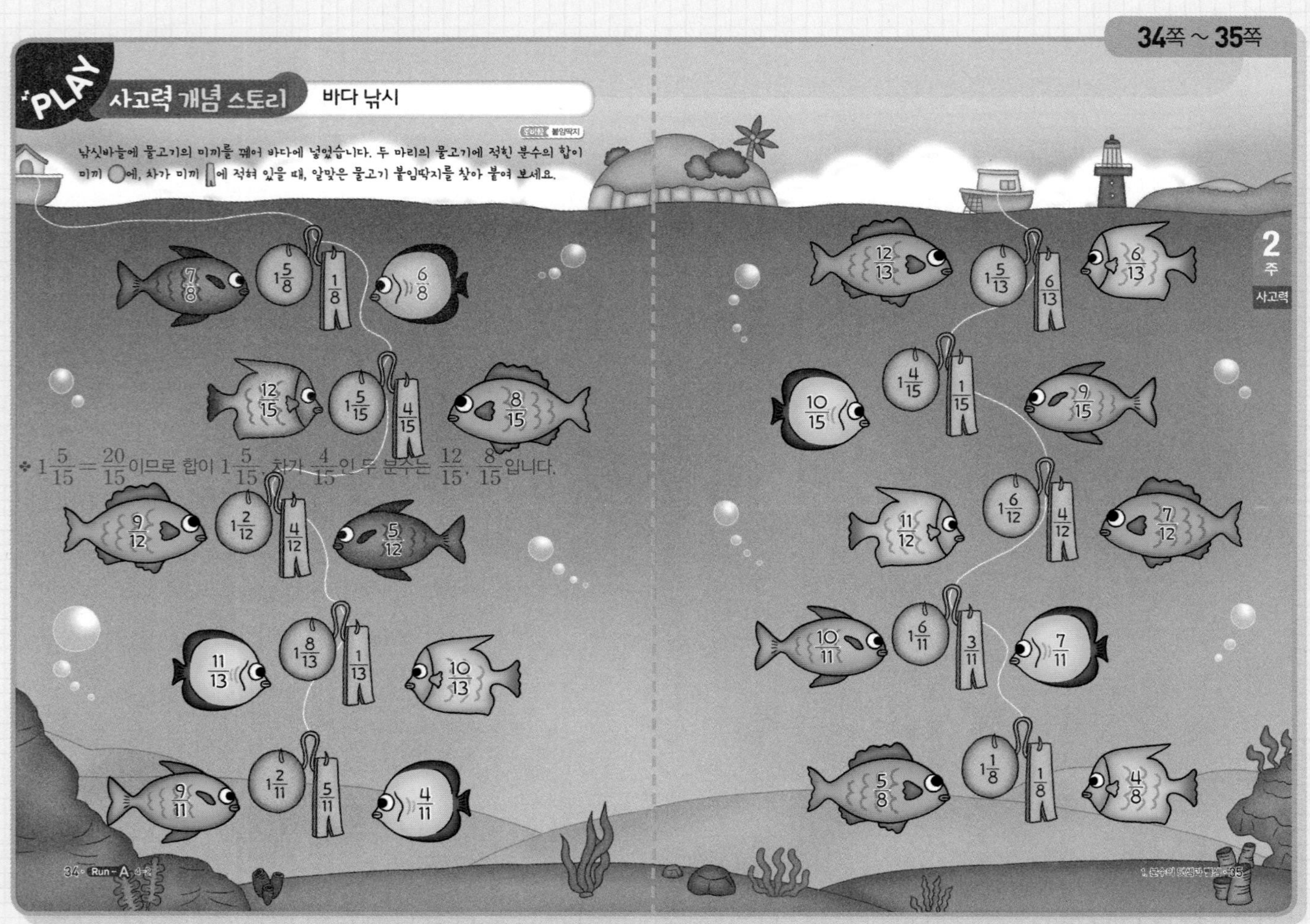
PLAY 사고력 개념 스토리 바다 낚시
낚싯바늘에 물고기의 미끼를 꿰어 바다에 넣었습니다. 두 마리의 물고기에 적힌 분수의 합이 미끼 ◯에, 차가 미끼 ▯에 적혀 있을 때, 알맞은 물고기 붙임딱지를 찾아 붙여 보세요.
$\frac{7}{8}$ $1\frac{5}{8}$ $\frac{1}{8}$ $\frac{6}{8}$
$\frac{12}{15}$ $1\frac{5}{15}$ $\frac{4}{15}$ $\frac{8}{15}$
✣ $1\frac{5}{15}=\frac{20}{15}$이므로 합이 $1\frac{5}{15}$, 차가 $\frac{4}{15}$인 두 분수는 $\frac{12}{15}$, $\frac{8}{15}$입니다.
$\frac{9}{12}$ $1\frac{2}{12}$ $\frac{4}{12}$ $\frac{5}{12}$
$\frac{11}{13}$ $1\frac{8}{13}$ $\frac{1}{13}$ $\frac{10}{13}$
$\frac{9}{11}$ $1\frac{2}{11}$ $\frac{5}{11}$ $\frac{4}{11}$
$\frac{12}{13}$ $1\frac{5}{13}$ $\frac{6}{13}$ $\frac{6}{13}$
$\frac{10}{15}$ $1\frac{4}{15}$ $\frac{1}{15}$ $\frac{9}{15}$
$\frac{11}{12}$ $1\frac{6}{12}$ $\frac{4}{12}$ $\frac{7}{12}$
$\frac{10}{11}$ $1\frac{6}{11}$ $\frac{3}{11}$ $\frac{7}{11}$
$\frac{5}{8}$ $1\frac{1}{8}$ $\frac{1}{8}$ $\frac{4}{8}$
2주 사고력

1단계 교과 사고력 잡기

정답과 풀이 p.9

1 혜수가 새로 산 귀걸이는 세 변의 길이의 합이 $7\frac{1}{5}$ cm인 삼각형 모양입니다. 삼각형 모양 귀걸이의 주어진 두 변의 길이를 보고 나머지 한 변의 길이를 구해 보세요.

① 삼각형 모양 귀걸이의 주어진 두 변의 길이의 합은 몇 cm일까요?

($5\frac{2}{5}$ cm)

❖ (주어진 두 변의 길이의 합) $=2\frac{3}{5}+2\frac{4}{5}=4\frac{7}{5}=5\frac{2}{5}$ (cm)

② 삼각형 모양 귀걸이의 나머지 한 변의 길이는 몇 cm일까요?

($1\frac{4}{5}$ cm)

❖ (나머지 한 변의 길이) = (세 변의 길이의 합) − (주어진 두 변의 길이의 합)

$=7\frac{1}{5}-5\frac{2}{5}=6\frac{6}{5}-5\frac{2}{5}=1\frac{4}{5}$ (cm)

2 혁수는 원 모양의 운동장을 아침, 점심, 저녁에 각각 그림과 같이 뛰었습니다. 혁수가 하루 동안 뛴 거리는 모두 몇 바퀴인지 분수로 나타내어 보세요.

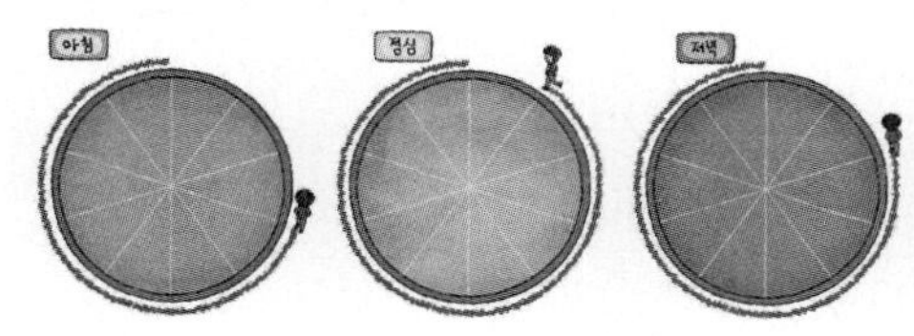

① 그림을 보고 혁수가 아침, 점심, 저녁에 뛴 거리는 각각 몇 바퀴인지 분수로 나타내어 보세요.

아침 ($\frac{7}{10}$바퀴)

점심 ($\frac{9}{10}$바퀴)

저녁 ($\frac{8}{10}$바퀴)

❖ 운동장 한 바퀴를 똑같이 10개로 나누었으므로 한 칸은 $\frac{1}{10}$바퀴를 나타냅니다.

② 혁수가 하루 동안 뛴 거리만큼 색칠해 보세요.

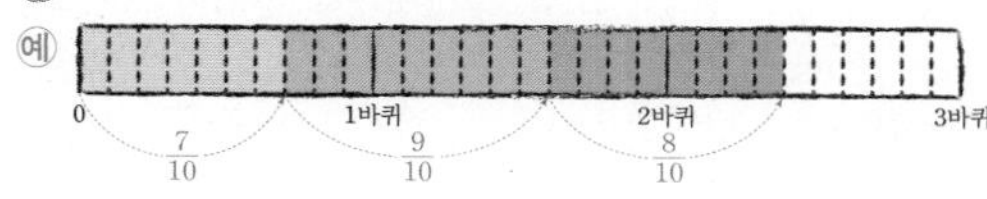

❖ 7칸, 9칸, 8칸을 이어서 색칠합니다.

③ 혁수가 하루 동안 뛴 거리는 모두 몇 바퀴일까요?

($2\frac{4}{10}$바퀴)

❖ $\frac{7}{10}+\frac{9}{10}+\frac{8}{10}=\frac{16}{10}+\frac{8}{10}=1\frac{6}{10}+\frac{8}{10}$

$=1\frac{14}{10}=2\frac{4}{10}$(바퀴)

1단계 교과 사고력 잡기

정답과 풀이 p.9

3 길이가 $2\frac{6}{7}$ m인 색 테이프 3장을 $\frac{5}{7}$ m씩 겹쳐서 이어 붙였습니다. 이어 붙인 색 테이프의 전체 길이를 구해 보세요.

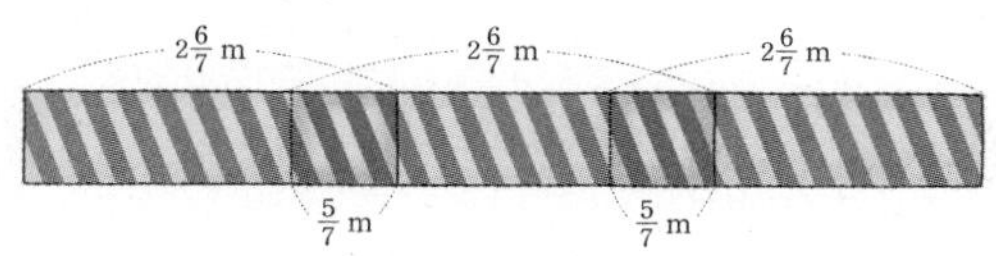

① 색 테이프 3장의 길이의 합은 몇 m일까요?

($8\frac{4}{7}$ m)

❖ $2\frac{6}{7}+2\frac{6}{7}+2\frac{6}{7}=4\frac{12}{7}+2\frac{6}{7}=5\frac{5}{7}+2\frac{6}{7}$

$=7\frac{11}{7}=8\frac{4}{7}$ (m)

② 색 테이프 3장을 이어 붙였을 때 겹쳐진 부분의 길이의 합은 몇 m일까요?

($1\frac{3}{7}$ m)

❖ 색 테이프 3장을 이어 붙였을 때 겹쳐진 부분은 2군데입니다.

➔ (겹쳐진 부분의 길이의 합) $=\frac{5}{7}+\frac{5}{7}=\frac{10}{7}=1\frac{3}{7}$ (m)

③ 이어 붙인 색 테이프의 전체 길이는 몇 m일까요?

($7\frac{1}{7}$ m)

❖ (이어 붙인 색 테이프의 전체 길이)

= (색 테이프 3장의 길이의 합) − (겹쳐진 부분의 길이의 합)

$=8\frac{4}{7}-1\frac{3}{7}=7\frac{1}{7}$ (m)

4 성호네 집에서 마트까지 가는 길은 병원을 지나는 길과 체육관을 지나는 길이 있습니다. 성호네 집에서 마트까지 갈 때, 어느 곳을 지나는 길이 몇 km 더 가까운지 구해 보세요.

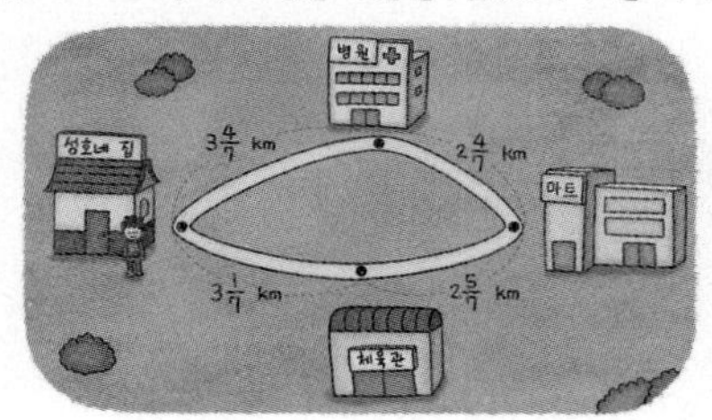

① 성호네 집에서 병원을 지나 마트까지 가는 길은 몇 km일까요?

($6\frac{1}{7}$ km)

❖ $3\frac{4}{7}+2\frac{4}{7}=5\frac{8}{7}=6\frac{1}{7}$ (km)

② 성호네 집에서 체육관을 지나 마트까지 가는 길은 몇 km일까요?

($5\frac{6}{7}$ km)

❖ $3\frac{1}{7}+2\frac{5}{7}=5\frac{6}{7}$ (km)

③ 성호네 집에서 마트까지 갈 때, 어느 곳을 지나는 길이 몇 km 더 가까운지 차례로 써 보세요.

(체육관), ($\frac{2}{7}$ km)

❖ $6\frac{1}{7}>5\frac{6}{7}$이므로 체육관을 지나는 길이 $6\frac{1}{7}-5\frac{6}{7}=5\frac{8}{7}-5\frac{6}{7}=\frac{2}{7}$ (km) 더 가깝습니다.

40쪽 ~ 41쪽

2단계 교과 사고력 확장

정답과 풀이 p.10

1 보기 에서 규칙을 찾아 ◯와 ⬠ 안에 알맞은 수를 써넣으세요.

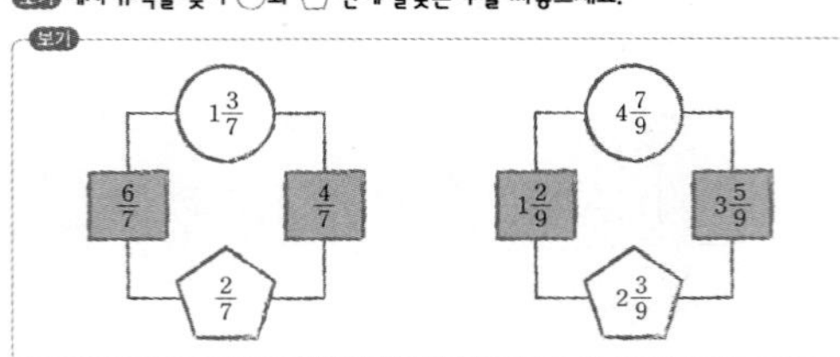

✤ 주어진 두 수의 합을 ◯에, 차를 ⬠에 써넣는 규칙입니다.

❶ 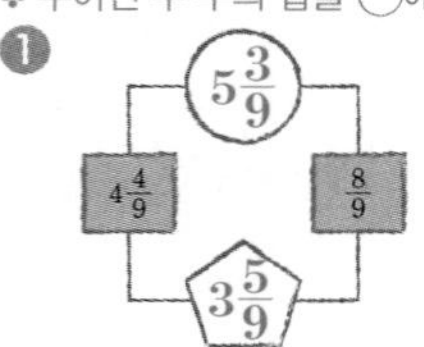
❷ 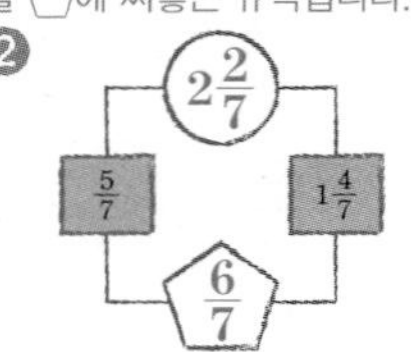

✤ ❶ $4\frac{4}{9}+\frac{8}{9}=4\frac{12}{9}=5\frac{3}{9}$, $4\frac{4}{9}-\frac{8}{9}=3\frac{13}{9}-\frac{8}{9}=3\frac{5}{9}$

❷ $\frac{5}{7}+1\frac{4}{7}=1\frac{9}{7}=2\frac{2}{7}$, $1\frac{4}{7}-\frac{5}{7}=\frac{11}{7}-\frac{5}{7}=\frac{6}{7}$

❸ 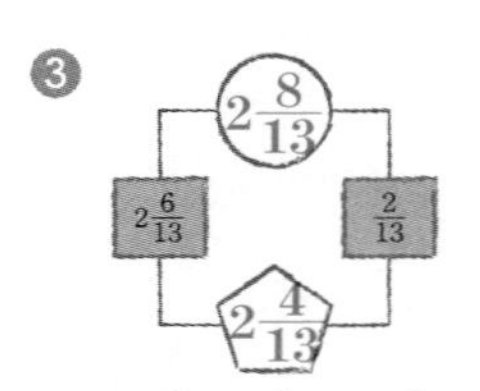
❹ 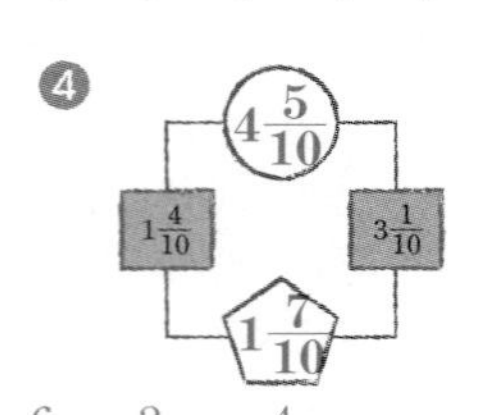

✤ ❸ $2\frac{6}{13}+\frac{2}{13}=2\frac{8}{13}$, $2\frac{6}{13}-\frac{2}{13}=2\frac{4}{13}$

❹ $1\frac{4}{10}+3\frac{1}{10}=4\frac{5}{10}$, $3\frac{1}{10}-1\frac{4}{10}=2\frac{11}{10}-1\frac{4}{10}=1\frac{7}{10}$

2 민하 어머니께서는 마트에서 과일 2종류와 채소 2종류를 사려고 합니다. 과일과 채소를 각각 4 kg씩 사려고 할 때 민하 어머니께서 사야 할 과일과 채소는 무엇인지 알아보세요.

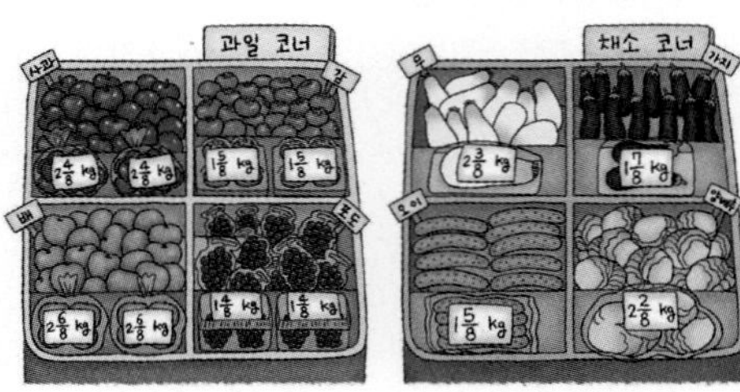

❶ 민하 어머니께서 사야 할 과일 2종류를 찾아 봉투에 써 보세요.

순서가 바뀌어도 정답

✤ $2\frac{4}{8}+1\frac{4}{8}=3\frac{8}{8}=4$ (kg)이므로 사과와 포도를 사야 합니다.

❷ 민하 어머니께서 사야 할 채소 2종류를 찾아 봉투에 써 보세요.

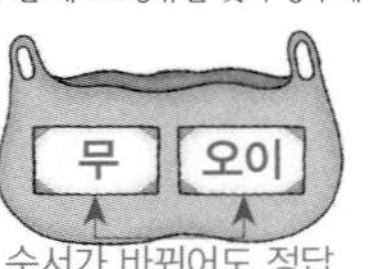

순서가 바뀌어도 정답

✤ $2\frac{3}{8}+1\frac{5}{8}=3\frac{8}{8}=4$ (kg)이므로 무와 오이를 사야 합니다.

42쪽 ~ 43쪽

2단계 교과 사고력 확장

정답과 풀이 p.10

3 다음 조건을 만족하는 ●와 ♥를 구하여 $8-\frac{●}{♥}$를 계산해 보세요.

가분수 $\frac{●}{♥}$의 분모와 분자의 합은 30이고 차는 8입니다.

❶ 분모 ♥와 분자 ●의 합이 30이 되는 두 수를 찾고 두 수의 차를 구하여 다음 표를 완성해 보세요.

●	15	16	17	18	19	20
♥	15	14	13	12	11	10
차	0	2	4	6	8	10

❷ 위 ❶의 표에서 조건을 만족하는 ●와 ♥를 각각 써 보세요.

●(19)
♥(11)

✤ ●=19, ♥=11일 때 가분수 $\frac{●}{♥}$의 분모와 분자의 합이 30이고 차가 8이 됩니다.

❸ $8-\frac{●}{♥}$를 계산해 보세요.

($6\frac{3}{11}$)

✤ $8-\frac{●}{♥}=8-\frac{19}{11}=\frac{88}{11}-\frac{19}{11}=\frac{69}{11}=6\frac{3}{11}$

4 수 카드 4장을 모두 한 번씩만 사용하여 분모가 7인 대분수를 만들려고 합니다. 만들 수 있는 가장 큰 대분수와 가장 작은 대분수의 차를 구해 보세요.

5 7 8 2

❶ 수 카드 4장을 모두 한 번씩만 사용하여 분모가 7인 가장 큰 대분수를 만들어 보세요.

$85\frac{2}{7}$

✤ 대분수의 자연수 부분이 클수록 큰 수입니다.
분모에 7을 넣고 자연수 부분에 85를, 분자에 2를 넣으면 만들 수 있는 가장 큰 대분수가 됩니다.

❷ 수 카드 4장을 모두 한 번씩만 사용하여 분모가 7인 가장 작은 대분수를 만들어 보세요.

$28\frac{5}{7}$

✤ 대분수의 자연수 부분이 작을수록 작은 수입니다.
분모에 7을 넣고 분자에는 분모 7보다 작은 수가 들어가야 하므로 분자에 5, 자연수 부분에 28을 넣으면 만들 수 있는 가장 작은 대분수가 됩니다.

❸ 위 ❶과 ❷에서 만든 두 대분수의 차를 구해 보세요.

식 $85\frac{2}{7}-28\frac{5}{7}=56\frac{4}{7}$

답 $56\frac{4}{7}$

✤ $85\frac{2}{7}-28\frac{5}{7}=84\frac{9}{7}-28\frac{5}{7}=56\frac{4}{7}$

3단계 교과 사고력 완성

평가 영역 □개념 이해력 □개념 응용력 □창의력 ☑문제 해결력

1 ㉮☆㉯를 다음과 같이 약속할 때, $4\frac{5}{9}☆1\frac{1}{9}+3\frac{7}{9}$을 계산해 보세요.

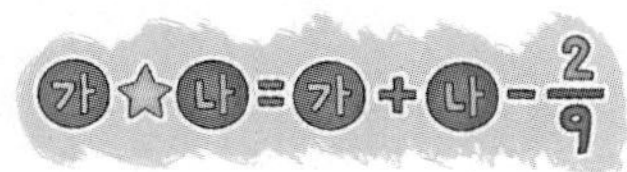

❶ 약속에 따라 $4\frac{5}{9}☆1\frac{1}{9}$을 계산해 보세요.

예) $4\frac{5}{9}☆1\frac{1}{9}=4\frac{5}{9}+1\frac{1}{9}-\frac{2}{9}=5\frac{6}{9}-\frac{2}{9}=5\frac{4}{9}$

❷ 위 ❶에서 계산한 결과를 □ 안에 써넣어 식을 간단하게 만들어 보세요.

$4\frac{5}{9}☆1\frac{1}{9}+3\frac{7}{9}=\boxed{5\frac{4}{9}}+3\frac{7}{9}$

❸ $4\frac{5}{9}☆1\frac{1}{9}+3\frac{7}{9}$을 계산해 보세요.

($9\frac{2}{9}$)

✣ $4\frac{5}{9}☆1\frac{1}{9}+3\frac{7}{9}=5\frac{4}{9}+3\frac{7}{9}=8\frac{11}{9}=9\frac{2}{9}$

기호 ☆의 약속을 이해하고 식을 앞에서부터 차례로 계산합니다.

정답과 풀이 p.11

평가 영역 □개념 이해력 ☑개념 응용력 □창의력 □문제 해결력

2 대분수를 가분수로 나타낸 종이의 일부가 찢어졌습니다. ㉠ 분수와 ㉡ 분수의 분모를 각각 구하여 두 분수의 분모의 합에서 $1\frac{3}{6}$을 뺀 값을 구해 보세요.

㉠ $5\frac{2}{}=\frac{27}{}$ ㉡ $8\frac{3}{}=\frac{35}{}$

❶ ㉠ 분수의 분모를 구하려고 합니다. □ 안에 알맞은 수를 써넣으세요.

㉠ 분수의 분모를 ▲라 하면 $5\frac{2}{▲}=\frac{27}{▲}$입니다.
$\frac{27}{▲}$의 분자 27은 $5\frac{2}{▲}$의 5와 ▲를 곱한 값에 $\boxed{2}$를 더한 것과 같습니다. 따라서 $5\times▲=\boxed{25}$, $▲=\boxed{5}$입니다.

❷ 두 분수의 분모를 구해 종이에 써 보세요.

㉠ $5\frac{2}{5}=\frac{27}{5}$ ㉡ $8\frac{3}{4}=\frac{35}{4}$

✣ ㉡ 분수의 분모를 ■라 하면 $8\frac{3}{■}=\frac{35}{■}$ ➜ $8\times■=32$, $■=4$입니다.

❸ 두 분수의 분모의 합에서 $1\frac{3}{6}$을 뺀 값을 구해 보세요.

($7\frac{3}{6}$)

대분수를 가분수로 나타내는 과정을 생각하여 분모를 구해 봅니다.

✣ (두 분수의 분모의 합)$=5+4=9$
➜ $9-1\frac{3}{6}=8\frac{6}{6}-1\frac{3}{6}=7\frac{3}{6}$

2주 사고력

Test 종합평가 1. 분수의 덧셈과 뺄셈

맞은 개수

1 그림을 보고 □ 안에 알맞은 수를 써넣으세요.

$\frac{\boxed{3}}{5}+\frac{\boxed{4}}{5}=\frac{\boxed{7}}{5}=\boxed{1}\frac{\boxed{2}}{5}$

2 그림을 보고 $1\frac{3}{7}-\frac{5}{7}$가 얼마인지 알아보세요.

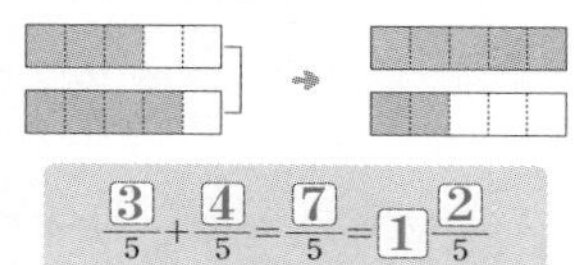

$1\frac{3}{7}$은 $\frac{1}{7}$이 $\boxed{10}$개, $\frac{5}{7}$는 $\frac{1}{7}$이 $\boxed{5}$개이므로 $1\frac{3}{7}-\frac{5}{7}$는 $\frac{1}{7}$이 $\boxed{5}$개입니다. ➜ $1\frac{3}{7}-\frac{5}{7}=\frac{\boxed{10}}{7}-\frac{\boxed{5}}{7}=\frac{\boxed{5}}{7}$

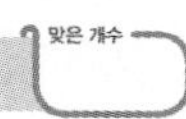

3 잘못 계산한 곳을 찾아 바르게 계산해 보세요.

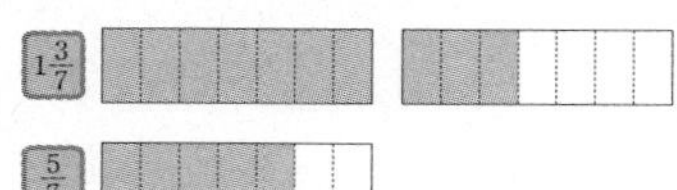

$\frac{1}{6}+\frac{4}{6}=\frac{1+4}{6+6}=\frac{5}{12}$

➜ 예) $\frac{1}{6}+\frac{4}{6}=\frac{1+4}{6}=\frac{5}{6}$

✣ 분모가 같은 분수의 덧셈은 분모는 그대로 두고 분자끼리 더합니다.

정답과 풀이 p.11

4 빈칸에 알맞은 수를 써넣으세요.

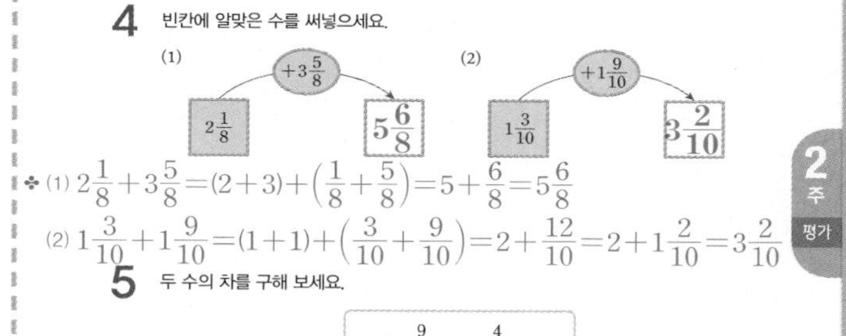

(1) $2\frac{1}{8}$ → $+3\frac{5}{8}$ → $5\frac{6}{8}$ (2) $1\frac{3}{10}$ → $+1\frac{9}{10}$ → $3\frac{2}{10}$

✣ (1) $2\frac{1}{8}+3\frac{5}{8}=(2+3)+\left(\frac{1}{8}+\frac{5}{8}\right)=5+\frac{6}{8}=5\frac{6}{8}$

(2) $1\frac{3}{10}+1\frac{9}{10}=(1+1)+\left(\frac{3}{10}+\frac{9}{10}\right)=2+\frac{12}{10}=2+1\frac{2}{10}=3\frac{2}{10}$

5 두 수의 차를 구해 보세요.

$\frac{9}{11}$ $\frac{4}{11}$

($\frac{5}{11}$)

✣ $\frac{9}{11}-\frac{4}{11}=\frac{9-4}{11}=\frac{5}{11}$

6 설명하는 수를 빈칸에 써넣으세요.

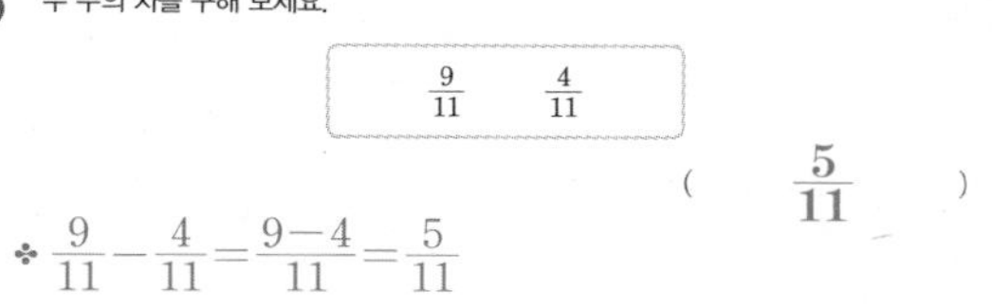

$8\frac{7}{12}$보다 $2\frac{11}{12}$만큼 큰 수 ➜ $11\frac{6}{12}$

✣ $8\frac{7}{12}+2\frac{11}{12}=10\frac{18}{12}=11\frac{6}{12}$

7 보기와 같은 방법으로 계산해 보세요.

보기
$7-2\frac{3}{5}=\frac{35}{5}-\frac{13}{5}=\frac{22}{5}=4\frac{2}{5}$

$5-1\frac{1}{6}=\frac{30}{6}-\frac{7}{6}=\frac{23}{6}=3\frac{5}{6}$

✣ 자연수와 대분수를 가분수로 바꾸어 계산하는 방법입니다.

2주 평가

Test 종합평가 1. 분수의 덧셈과 뺄셈

정답과 풀이 p.12

8 계산 결과를 비교하여 ○ 안에 >, =, <를 알맞게 써넣으세요.

$4\frac{8}{13}+1\frac{2}{13}$ (=) $10\frac{2}{13}-4\frac{5}{13}$

❖ $4\frac{8}{13}+1\frac{2}{13}=5\frac{10}{13}$, $10\frac{2}{13}-4\frac{5}{13}=9\frac{15}{13}-4\frac{5}{13}=5\frac{10}{13}$

9 계산 결과가 3과 4 사이인 뺄셈식을 모두 찾아 ○표 하세요.

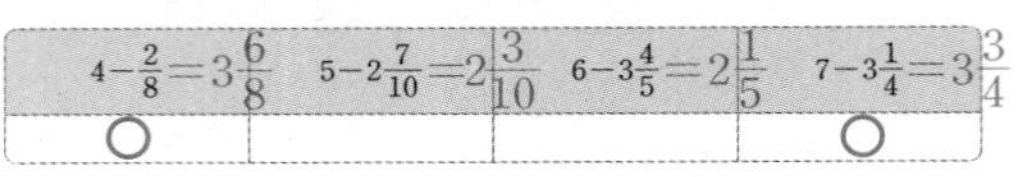

$4-\frac{2}{8}=3\frac{6}{8}$	$5-2\frac{7}{10}=2\frac{3}{10}$	$6-3\frac{4}{5}=2\frac{1}{5}$	$7-3\frac{1}{4}=3\frac{3}{4}$
○			○

10 가장 큰 수와 가장 작은 수의 차를 구해 보세요.

$5\frac{2}{5}$ 7 $6\frac{4}{5}$

($1\frac{3}{5}$)

❖ 세 수의 크기를 비교하면 $7>6\frac{4}{5}>5\frac{2}{5}$입니다.

➔ $7-5\frac{2}{5}=6\frac{5}{5}-5\frac{2}{5}=1\frac{3}{5}$

11 삼각형의 세 변의 길이의 합은 몇 cm인지 구해 보세요.

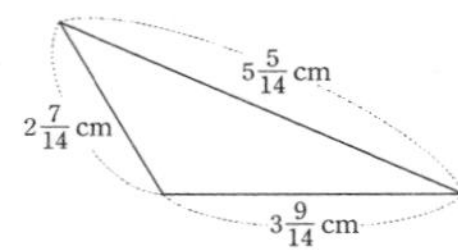

($11\frac{7}{14}$ cm)

❖ (삼각형의 세 변의 길이의 합)$=2\frac{7}{14}+3\frac{9}{14}+5\frac{5}{14}=5\frac{16}{14}+5\frac{5}{14}$
$=6\frac{2}{14}+5\frac{5}{14}=11\frac{7}{14}$ (cm)

12 빈칸에 알맞은 수를 써넣으세요.

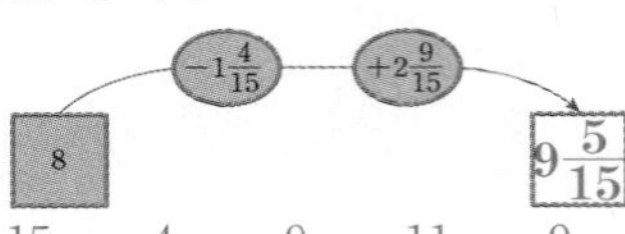

❖ $8-1\frac{4}{15}+2\frac{9}{15}=7\frac{15}{15}-1\frac{4}{15}+2\frac{9}{15}=6\frac{11}{15}+2\frac{9}{15}=8\frac{20}{15}=9\frac{5}{15}$

13 어떤 수에 $3\frac{8}{13}$을 더했더니 $7\frac{3}{13}$이 되었습니다. 어떤 수를 구해 보세요.

($3\frac{8}{13}$)

❖ 어떤 수를 □라 하면 $□+3\frac{8}{13}=7\frac{3}{13}$입니다.

➔ $□=7\frac{3}{13}-3\frac{8}{13}=6\frac{16}{13}-3\frac{8}{13}=3\frac{8}{13}$

14 □ 안에 들어갈 수 있는 가장 큰 자연수를 구해 보세요.

$2\frac{□}{8}<\frac{7}{8}+1\frac{5}{8}$

(3)

❖ $\frac{7}{8}+1\frac{5}{8}=1\frac{12}{8}=2\frac{4}{8}$이므로 $2\frac{□}{8}<2\frac{4}{8}$입니다.
따라서 □ 안에 들어갈 수 있는 가장 큰 자연수는 3입니다.

15 3장의 분수 카드 중에서 2장을 골라 합이 가장 큰 덧셈식을 만들고 계산해 보세요.

$2\frac{3}{7}$ $\frac{18}{7}$ $2\frac{6}{7}$

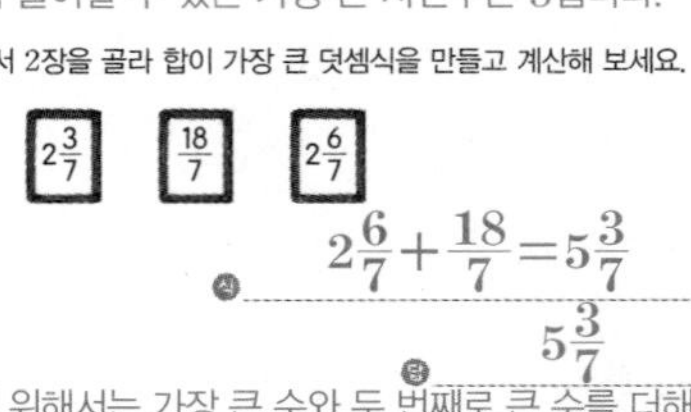

식 $2\frac{6}{7}+\frac{18}{7}=5\frac{3}{7}$

답 $5\frac{3}{7}$

❖ 합이 가장 큰 덧셈식을 만들기 위해서는 가장 큰 수와 두 번째로 큰 수를 더해야 합니다.
$2\frac{6}{7}>\frac{18}{7}(=2\frac{4}{7})>2\frac{3}{7}$이므로 가장 큰 수는 $2\frac{6}{7}$이고 두 번째로 큰 수는 $\frac{18}{7}$입니다.

➔ $2\frac{6}{7}+\frac{18}{7}=\frac{20}{7}+\frac{18}{7}=\frac{38}{7}=5\frac{3}{7}$

Test 종합평가 1. 분수의 덧셈과 뺄셈

정답과 풀이 p.12

16 두 수를 골라 □ 안에 써넣어 계산 결과가 가장 큰 뺄셈식을 만들고 계산해 보세요.

3 7 5

$9-\boxed{3}\frac{\boxed{5}}{10}$

($5\frac{5}{10}$)

❖ 빼는 수가 작을수록 계산 결과가 커지므로 빼는 수가 $3\frac{5}{10}$일 때 계산 결과가 가장 큽니다.

➔ $9-3\frac{5}{10}=8\frac{10}{10}-3\frac{5}{10}=5\frac{5}{10}$

17 길이가 7 cm인 색 테이프 3장을 $1\frac{2}{5}$ cm씩 겹쳐서 이어 붙였습니다. 이어 붙인 색 테이프의 전체 길이는 몇 cm인지 구해 보세요.

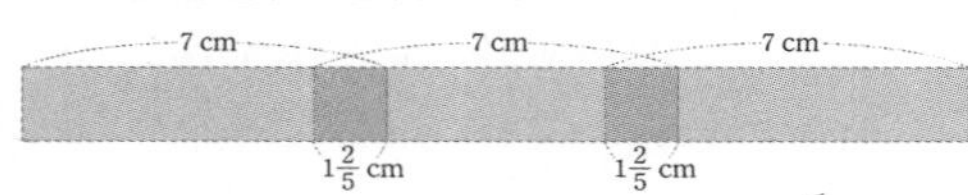

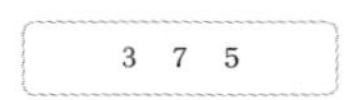

($18\frac{1}{5}$ cm)

❖ (색 테이프 3장의 길이의 합)$=7\times3=21$ (cm)
(겹쳐진 부분의 길이의 합)$=1\frac{2}{5}+1\frac{2}{5}=2\frac{4}{5}$ (cm)

➔ (이어 붙인 색 테이프의 전체 길이)$=21-2\frac{4}{5}=20\frac{5}{5}-2\frac{4}{5}=18\frac{1}{5}$ (cm)

18 보기에서 규칙을 찾아 ○ 안에 알맞은 수를 써넣으세요.

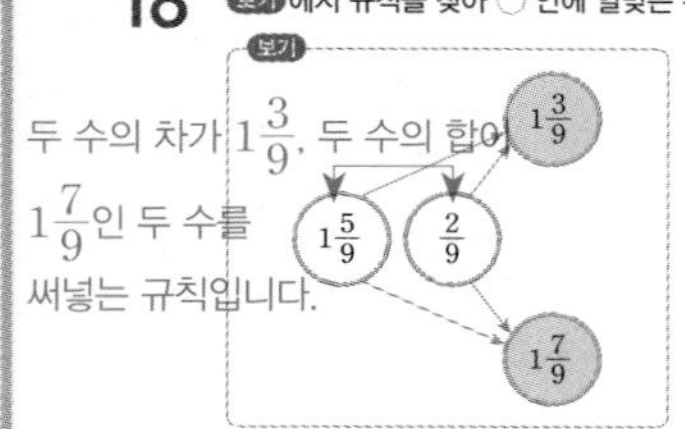

두 수의 차가 $1\frac{3}{9}$, 두 수의 합이 $1\frac{7}{9}$인 두 수를 써넣는 규칙입니다.

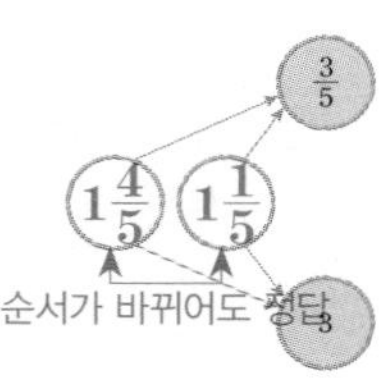

순서가 바뀌어도 정답

❖ 보기의 규칙에 따라 차가 $\frac{3}{5}$이고 합이 3인 두 수를 찾습니다.
$3=\frac{15}{5}$이므로 $\frac{9}{5}-\frac{6}{5}=\frac{3}{5}$, $\frac{9}{5}+\frac{6}{5}=\frac{15}{5}$에서 두 수는 $\frac{9}{5}(=1\frac{4}{5})$와 $\frac{6}{5}(=1\frac{1}{5})$입니다.

특강 창의·융합 사고력

1 분갈이는 화분에 심은 풀이나 나무를 다른 화분에 옮겨 심는 일을 말합니다. 오랫동안 분갈이를 하지 않으면 식물의 뿌리가 썩어 잘 자랄 수 없기 때문에 일정한 때가 되면 분갈이를 하여 식물이 잘 자랄 수 있도록 해야 합니다. 분갈이를 할 때에는 식물과 흙, 그리고 식물을 잘 자라게 해 주는 거름이 필요합니다. 물음에 답하세요.

(1) 분갈이를 하기 위해 화분에 넣은 재료는 식물 $\frac{5}{13}$ kg, 흙 $2\frac{7}{13}$ kg, 거름 $1\frac{9}{13}$ kg입니다. 화분에 넣은 재료는 모두 몇 kg인지 구해 보세요.

($4\frac{8}{13}$ kg)

❖ (화분에 넣은 재료의 무게의 합)
$=\frac{5}{13}+2\frac{7}{13}+1\frac{9}{13}=2\frac{12}{13}+1\frac{9}{13}=3\frac{21}{13}=4\frac{8}{13}$ (kg)

(2) 위 (1)에서 분갈이를 한 화분의 무게가 $6\frac{2}{13}$ kg일 때, 분갈이를 하기 전 빈 화분의 무게는 몇 kg인지 구해 보세요.

($1\frac{7}{13}$ kg)

❖ (빈 화분의 무게)
=(분갈이를 한 화분의 무게)−(화분에 넣은 재료의 무게의 합)
$=6\frac{2}{13}-4\frac{8}{13}=5\frac{15}{13}-4\frac{8}{13}=1\frac{7}{13}$ (kg)

2 삼각형

삼각형의 분류

진호, 혜미, 연우네 가족이 함께 캠핑을 갔습니다. 캠핑장에는 다양한 모양의 삼각형을 찾을 수 있는 텐트가 있습니다. 이 중에서 각 친구들의 설명에서 힌트를 얻어 진호, 혜미, 연우네 텐트를 각각 찾아 보세요.

진호, 혜미, 연우네 텐트를 찾아 알맞은 친구 붙임딱지를 붙여 보세요.

진호 연우 혜미

진호, 혜미, 연우가 삼각형 모양의 샌드위치를 먹으려고 합니다. 각 설명으로 알맞은 샌드위치를 찾아 선으로 이어 보세요.

내가 먹고 싶은 샌드위치 모양은 두 변의 길이가 같고 한 각이 직각이야.

내가 먹고 싶은 샌드위치 모양은 두 변의 길이가 같고 한 각이 둔각이야.

내가 먹고 싶은 샌드위치 모양은 세 변의 길이가 모두 같고 세 각이 모두 예각이야.

진호 혜미 연우

1단계 교과서 개념 잡기

개념 1 이동변삼각형, 정삼각형 알아보기

- 삼각형을 변의 길이에 따라 분류하기

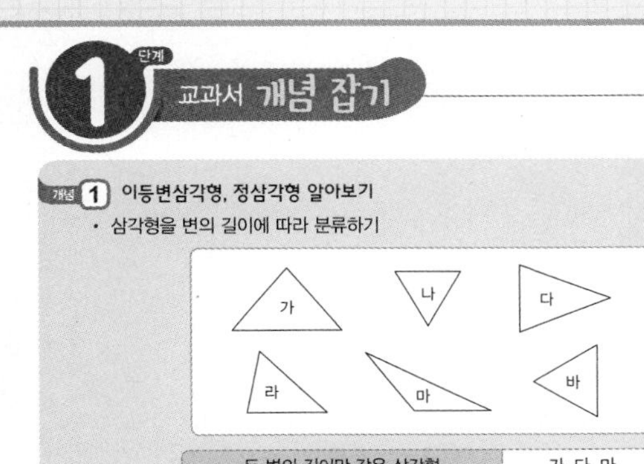

두 변의 길이만 같은 삼각형	가, 다, 마
세 변의 길이가 모두 같은 삼각형	나, 바
세 변의 길이가 모두 다른 삼각형	라

두 변의 길이가 같은 삼각형을 이등변삼각형이라고 합니다.

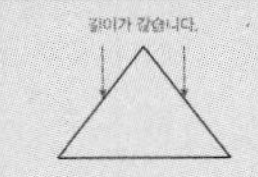
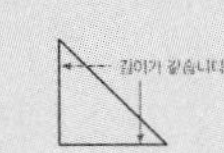
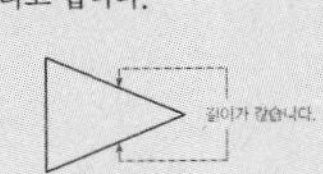

세 변의 길이가 같은 삼각형을 정삼각형이라고 합니다.

세 변의 길이가 모두 같습니다.

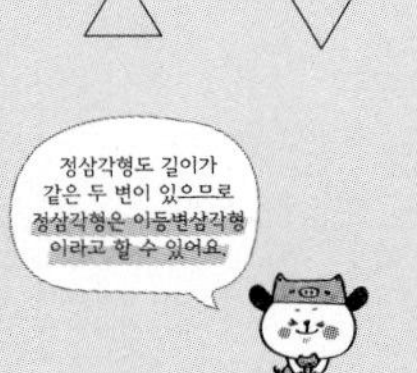

개념 확인 문제 정답과 풀이 p.13

1-1 이등변삼각형을 찾아 ○표 하세요.

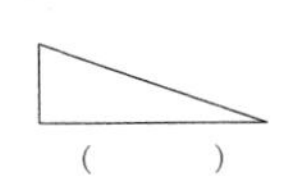
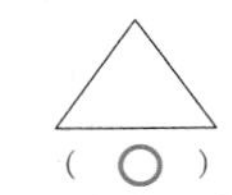
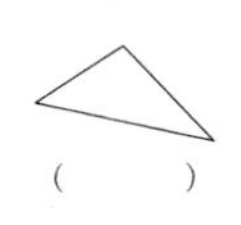

( ) (○) ( )

✤ 두 변의 길이가 같은 삼각형을 찾습니다.

1-2 다음 도형은 이등변삼각형입니다. □ 안에 알맞은 수를 써넣으세요.

(1) 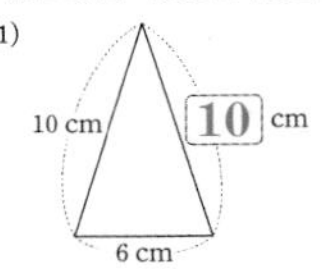 10 cm, [10] cm, 6 cm

(2) 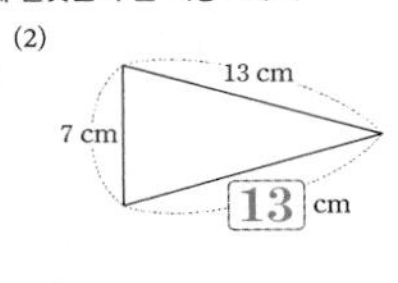 13 cm, 7 cm, [13] cm

✤ 이등변삼각형은 두 변의 길이가 같습니다.

1-3 다음 도형을 보고 알맞은 말에 ○표 하고 □ 안에 알맞은 말을 써넣으세요.

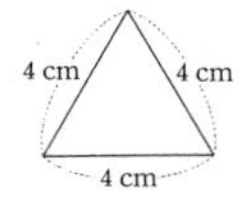 4 cm, 4 cm, 4 cm

(두 , (세)) 변의 길이가 모두 같으므로 [정]삼각형입니다.

✤ 세 변의 길이가 모두 같으므로 정삼각형입니다.

1-4 다음 도형은 정삼각형입니다. □ 안에 알맞은 수를 써넣으세요.

(1) 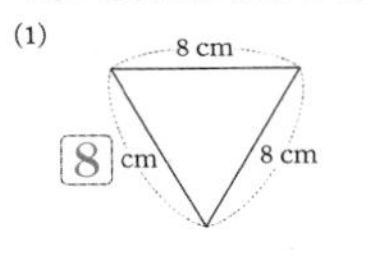 8 cm, [8] cm, 8 cm

(2) 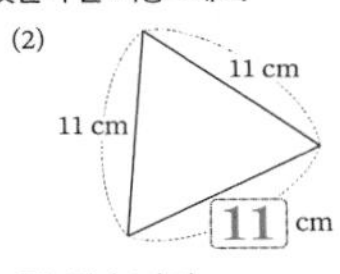 11 cm, 11 cm, [11] cm

✤ 정삼각형은 세 변의 길이가 모두 같습니다.

3주 교과서

56쪽 ~ 57쪽

1단계 교과서 개념 잡기

개념 2 이등변삼각형의 성질 알아보기

- 색종이를 잘라서 이등변삼각형의 성질 알아보기

겹쳐서 잘랐으므로 두 변의 길이가 같습니다.

겹쳐서 잘랐으므로 두 각의 크기가 같습니다.

이등변삼각형은 두 각의 크기가 같습니다.

- 두 각의 크기가 각각 55°인 이등변삼각형 그리기

55° 55° → 2 cm 2 cm 55° 55°

선분을 1개 긋습니다.	선분의 양 끝에 각각 55°인 각을 그립니다.	두 변의 길이가 같으므로 이등변삼각형입니다.

개념 3 정삼각형의 성질 알아보기

- 각의 크기를 재어 정삼각형의 성질 알아보기

60° 60° 60°

정삼각형은 세 각의 크기가 같습니다.

- 정삼각형 그리기

60° 60° → 3 cm 3 cm 3 cm 60° 60° 60°

선분을 1개 긋습니다.	선분의 양 끝에 각각 60°인 각을 그립니다.	세 변의 길이가 같으므로 정삼각형입니다.

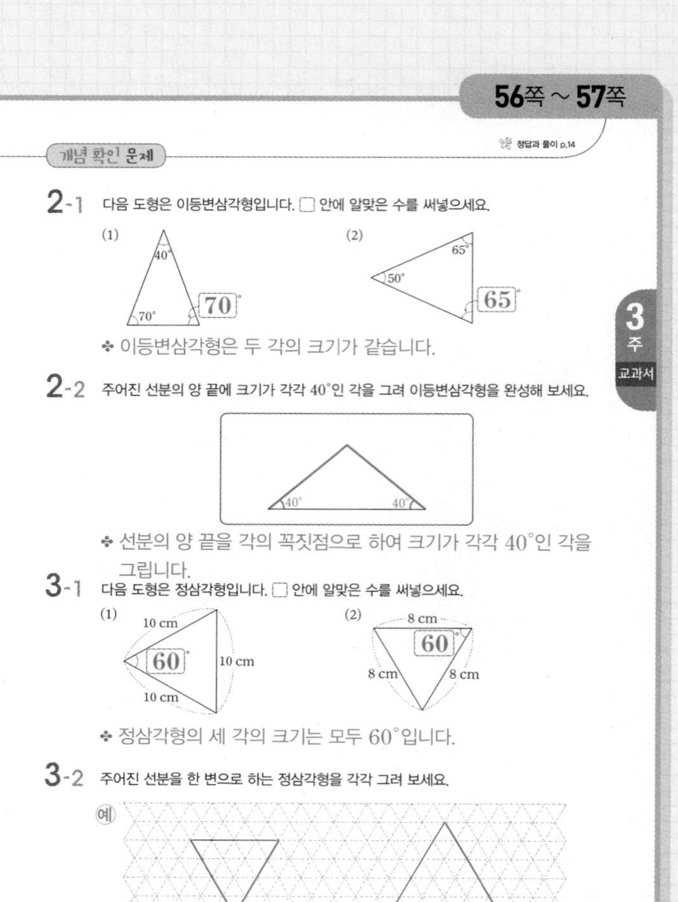

개념 확인 문제
정답과 풀이 p.14
2-1 다음 도형은 이등변삼각형입니다. □ 안에 알맞은 수를 써넣으세요.
(1) 40° 70° 70
(2) 65° 50° 65
✤ 이등변삼각형은 두 각의 크기가 같습니다.
2-2 주어진 선분의 양 끝에 크기가 각각 40°인 각을 그려 이등변삼각형을 완성해 보세요.
40° 40°
✤ 선분의 양 끝을 각의 꼭짓점으로 하여 크기가 각각 40°인 각을 그립니다.
3-1 다음 도형은 정삼각형입니다. □ 안에 알맞은 수를 써넣으세요.
(1) 10 cm 60 10 cm 10 cm
(2) 8 cm 60 8 cm 8 cm
✤ 정삼각형의 세 각의 크기는 모두 60°입니다.
3-2 주어진 선분을 한 변으로 하는 정삼각형을 각각 그려 보세요.
예
✤ 세 변의 길이가 같은 삼각형을 각각 그립니다.

3주 교과서

58쪽 ~ 59쪽

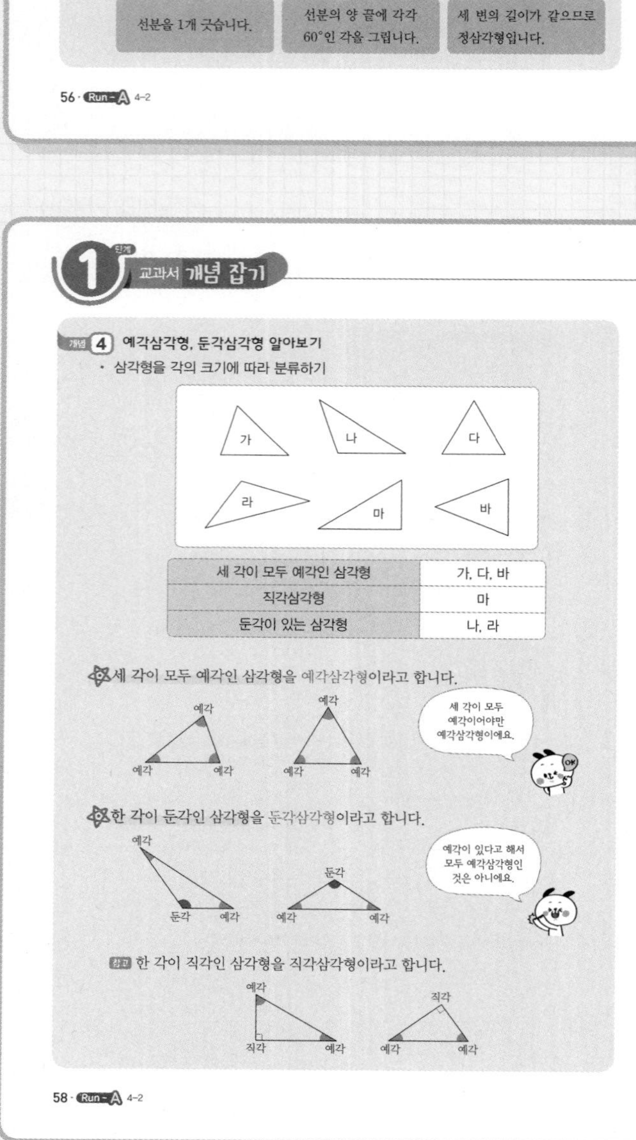

개념 4 예각삼각형, 둔각삼각형 알아보기
삼각형을 각의 크기에 따라 분류하기
가 나 다 라 마 바
세 각이 모두 예각인 삼각형 | 가, 다, 바
직각삼각형 | 마
둔각이 있는 삼각형 | 나, 라
세 각이 모두 예각인 삼각형을 예각삼각형이라고 합니다.
예각 예각 예각
세 각이 모두 예각이어야만 예각삼각형이에요.
한 각이 둔각인 삼각형을 둔각삼각형이라고 합니다.
예각 둔각 예각
예각이 있다고 해서 모두 예각삼각형인 것은 아니에요.
참고 한 각이 직각인 삼각형을 직각삼각형이라고 합니다.
직각 예각 예각

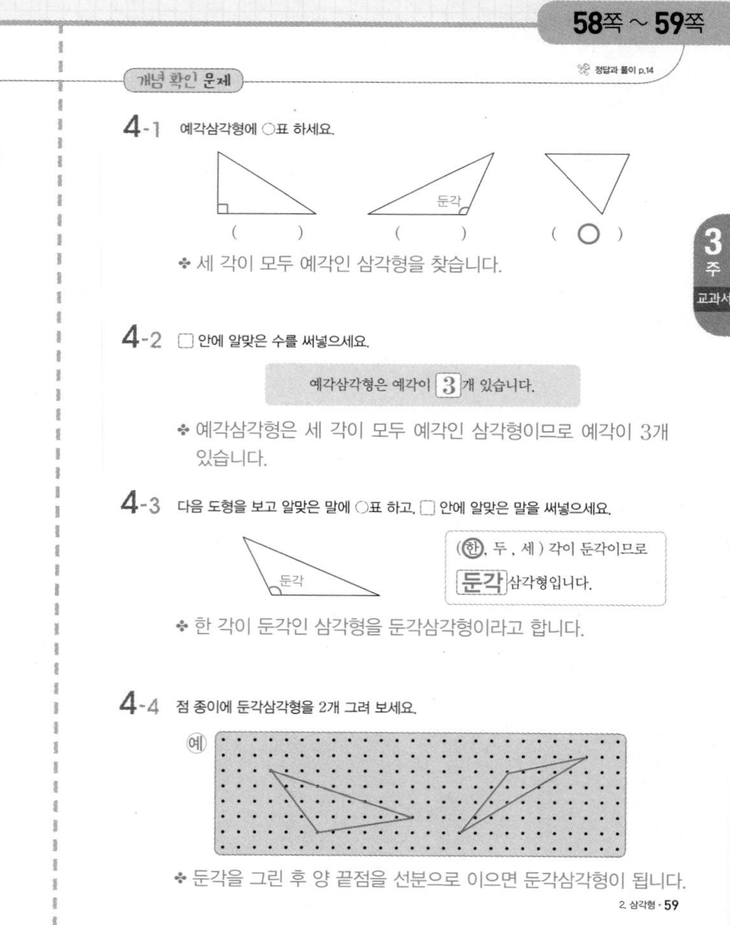

개념 확인 문제
정답과 풀이 p.14
4-1 예각삼각형에 ○표 하세요.
둔각
( ) ( ) (○)
✤ 세 각이 모두 예각인 삼각형을 찾습니다.
4-2 □ 안에 알맞은 수를 써넣으세요.
예각삼각형은 예각이 3개 있습니다.
✤ 예각삼각형은 세 각이 모두 예각인 삼각형이므로 예각이 3개 있습니다.
4-3 다음 도형을 보고 알맞은 말에 ○표 하고, □ 안에 알맞은 말을 써넣으세요.
둔각
(한, 두, 세) 각이 둔각이므로
둔각 삼각형입니다.
✤ 한 각이 둔각인 삼각형을 둔각삼각형이라고 합니다.
4-4 점 종이에 둔각삼각형을 2개 그려 보세요.
예
✤ 둔각을 그린 후 양 끝점을 선분으로 이으면 둔각삼각형이 됩니다.

3주 교과서

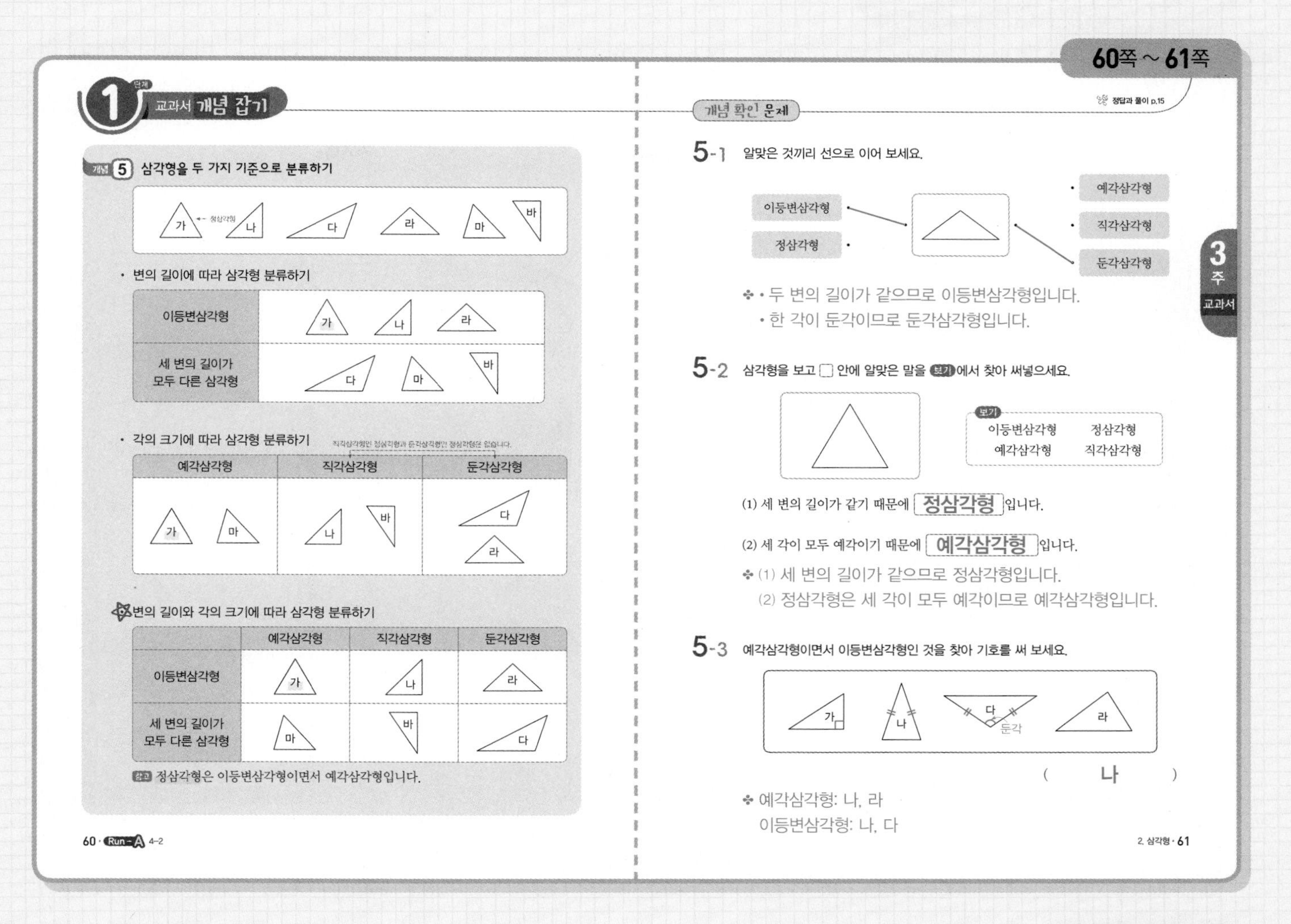

60쪽 ~ 61쪽

1단계 교과서 개념 잡기

개념 5 삼각형을 두 가지 기준으로 분류하기

• 변의 길이에 따라 삼각형 분류하기

이등변삼각형	가, 나, 라
세 변의 길이가 모두 다른 삼각형	다, 마, 바

• 각의 크기에 따라 삼각형 분류하기

직각삼각형인 정삼각형과 둔각삼각형인 정삼각형은 없습니다.

예각삼각형	직각삼각형	둔각삼각형
가, 마	나, 바	다, 라

변의 길이와 각의 크기에 따라 삼각형 분류하기

	예각삼각형	직각삼각형	둔각삼각형
이등변삼각형	가	나	라
세 변의 길이가 모두 다른 삼각형	마	바	다

참고 정삼각형은 이등변삼각형이면서 예각삼각형입니다.

60 · Run-A 4-2

개념 확인 문제

정답과 풀이 p.15

5-1 알맞은 것끼리 선으로 이어 보세요.

이등변삼각형, 정삼각형 / 예각삼각형, 직각삼각형, 둔각삼각형

✤ • 두 변의 길이가 같으므로 이등변삼각형입니다.
• 한 각이 둔각이므로 둔각삼각형입니다.

5-2 삼각형을 보고 □ 안에 알맞은 말을 보기에서 찾아 써넣으세요.

보기: 이등변삼각형, 정삼각형, 예각삼각형, 직각삼각형

(1) 세 변의 길이가 같기 때문에 정삼각형입니다.

(2) 세 각이 모두 예각이기 때문에 예각삼각형입니다.

✤ (1) 세 변의 길이가 같으므로 정삼각형입니다.
(2) 정삼각형은 세 각이 모두 예각이므로 예각삼각형입니다.

5-3 예각삼각형이면서 이등변삼각형인 것을 찾아 기호를 써 보세요.

(나)

✤ 예각삼각형: 나, 라
이등변삼각형: 나, 다

2. 삼각형 · 61

62쪽 ~ 63쪽

PLAY 교과서 개념 스토리 블라인드 완성하기

준비물 붙임딱지

창문으로 집 안의 모습이 너무 많이 보여서 블라인드를 내리려고 합니다.
친구들이 하는 말을 보고 알맞은 블라인드 붙임딱지를 붙여 집 안을 가려 보세요.

✤ 정삼각형이 그려진 블라인드 붙임딱지를 붙입니다.

✤ 정삼각형이 아닌 이등변삼각형이 그려진 블라인드 붙임딱지를 붙입니다.

✤ 예각삼각형이 그려진 블라인드 붙임딱지를 붙입니다.

✤ 둔각삼각형이 그려진 블라인드 붙임딱지를 붙입니다.

62 · Run-A 4-2

2. 삼각형 · 63

64쪽 ~ 65쪽

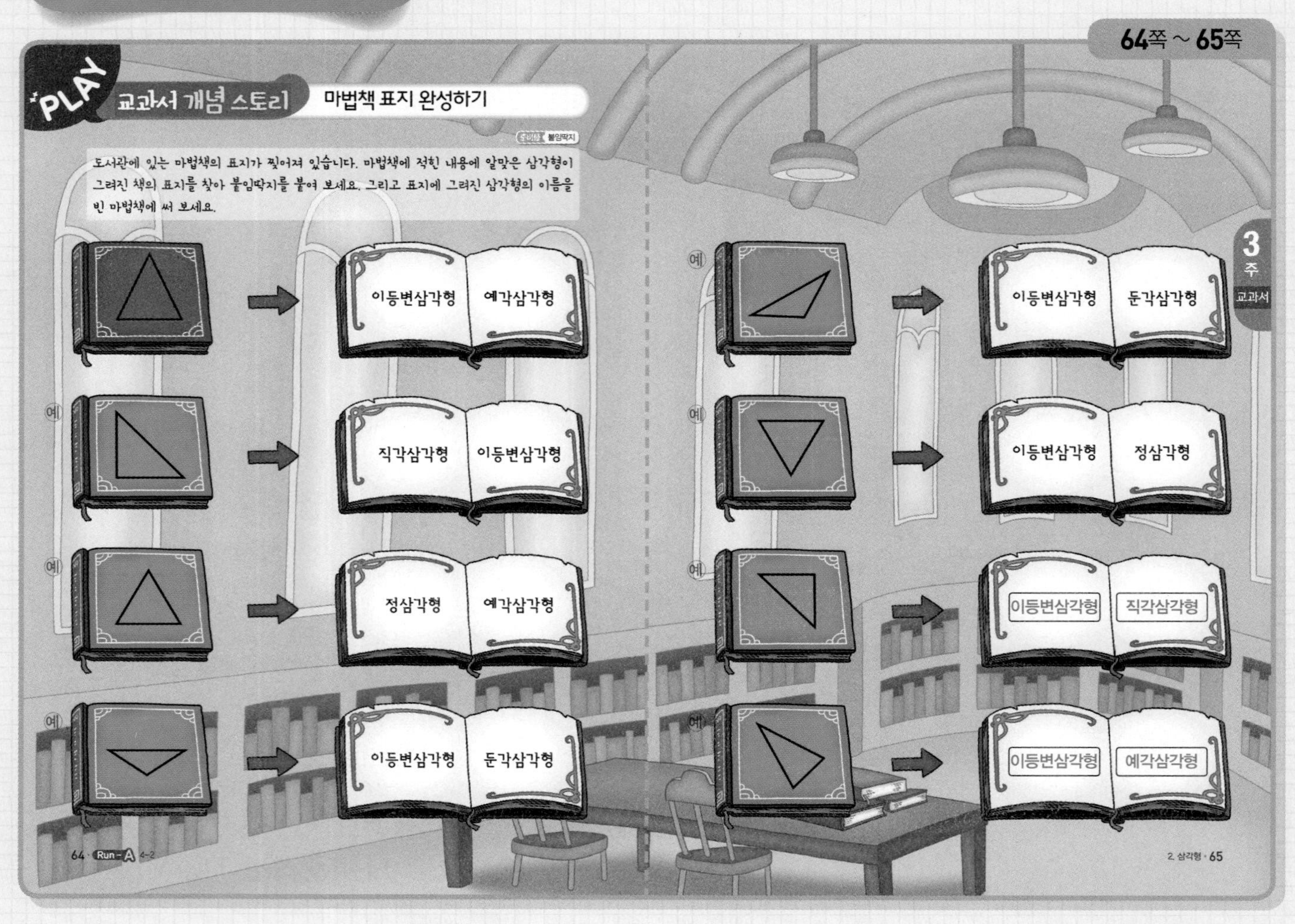

PLAY 교과서 개념 스토리 마법책 표지 완성하기

붙임딱지

도서관에 있는 마법책의 표지가 찢어져 있습니다. 마법책에 적힌 내용에 알맞은 삼각형이 그려진 책의 표지를 찾아 붙임딱지를 붙여 보세요. 그리고 표지에 그려진 삼각형의 이름을 빈 마법책에 써 보세요.

- 이등변삼각형, 예각삼각형
- 예) 직각삼각형, 이등변삼각형
- 예) 정삼각형, 예각삼각형
- 예) 이등변삼각형, 둔각삼각형
- 예) 이등변삼각형, 둔각삼각형
- 예) 이등변삼각형, 정삼각형
- 예) 이등변삼각형, 직각삼각형
- 예) 이등변삼각형, 예각삼각형

3주 교과서

64 · Run-A 4-2 / 2. 삼각형 · 65

66쪽 ~ 67쪽

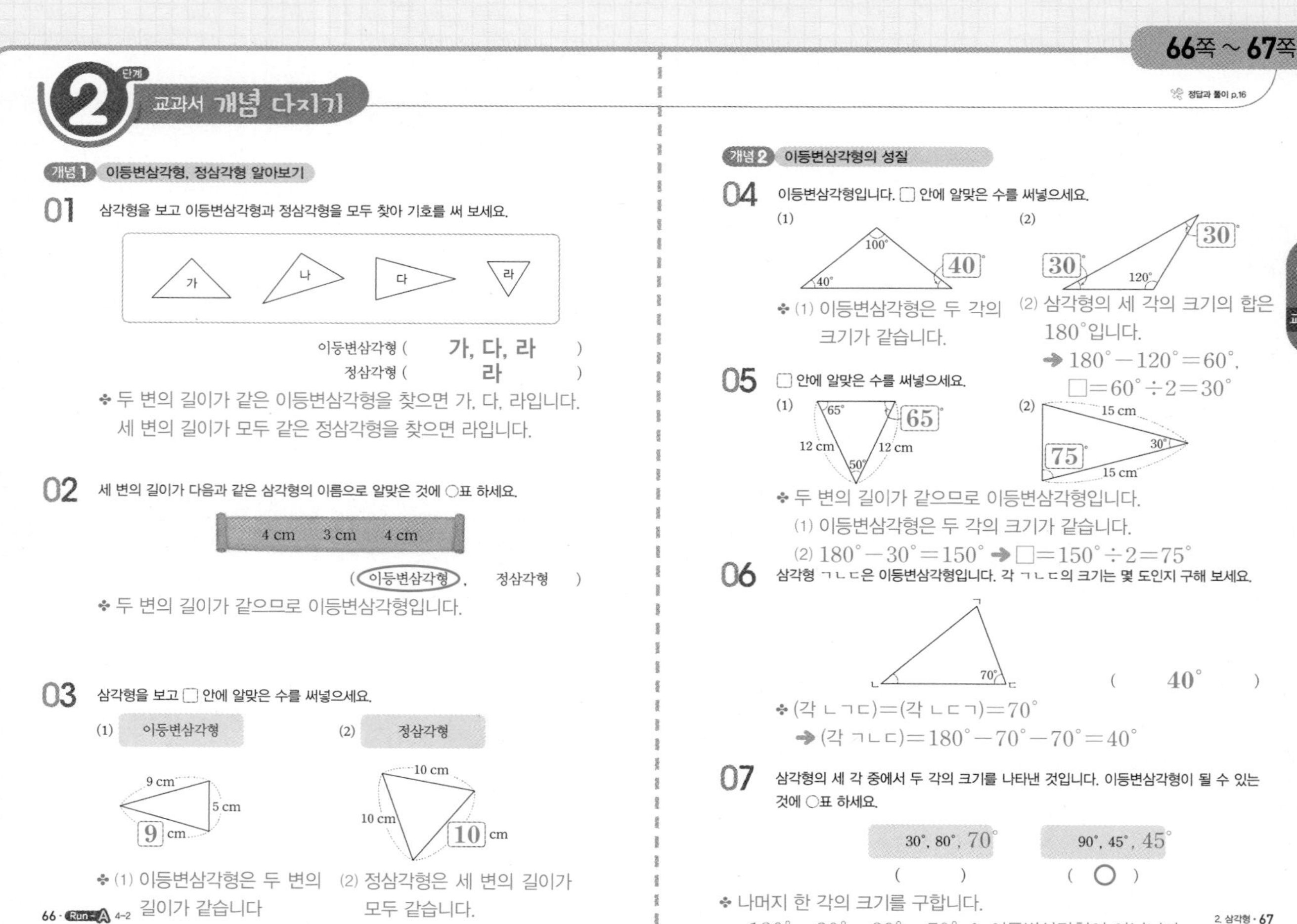

2단계 교과서 개념 다지기

정답과 풀이 p.16

개념 1 이등변삼각형, 정삼각형 알아보기

01 삼각형을 보고 이등변삼각형과 정삼각형을 모두 찾아 기호를 써 보세요.

가, 나, 다, 라

이등변삼각형 (가, 다, 라)
정삼각형 (라)

✤ 두 변의 길이가 같은 이등변삼각형을 찾으면 가, 다, 라입니다. 세 변의 길이가 모두 같은 정삼각형을 찾으면 라입니다.

02 세 변의 길이가 다음과 같은 삼각형의 이름으로 알맞은 것에 ○표 하세요.

4 cm 3 cm 4 cm

((이등변삼각형), 정삼각형)

✤ 두 변의 길이가 같으므로 이등변삼각형입니다.

03 삼각형을 보고 □ 안에 알맞은 수를 써넣으세요.

(1) 이등변삼각형: 9 cm, 5 cm, [9] cm
(2) 정삼각형: 10 cm, 10 cm, [10] cm

✤ (1) 이등변삼각형은 두 변의 길이가 같습니다 (2) 정삼각형은 세 변의 길이가 모두 같습니다.

66 · Run-A 4-2

개념 2 이등변삼각형의 성질

04 이등변삼각형입니다. □ 안에 알맞은 수를 써넣으세요.

(1) 100°, 40°, [40]°
(2) 120°, [30]°, [30]°

✤ (1) 이등변삼각형은 두 각의 크기가 같습니다.
(2) 삼각형의 세 각의 크기의 합은 $180°$입니다.
➔ $180°-120°=60°$, $\square=60°\div2=30°$

05 □ 안에 알맞은 수를 써넣으세요.

(1) 65°, 12 cm, 12 cm, 50°, [65]°
(2) 15 cm, 15 cm, 30°, [75]°

✤ 두 변의 길이가 같으므로 이등변삼각형입니다.
(1) 이등변삼각형은 두 각의 크기가 같습니다.
(2) $180°-30°=150°$ ➔ $\square=150°\div2=75°$

06 삼각형 ㄱㄴㄷ은 이등변삼각형입니다. 각 ㄱㄴㄷ의 크기는 몇 도인지 구해 보세요.

ㄱ, ㄴ, ㄷ, 70°

(40°)

✤ (각 ㄴㄱㄷ)=(각 ㄴㄷㄱ)$=70°$
➔ (각 ㄱㄴㄷ)$=180°-70°-70°=40°$

07 삼각형의 세 각 중에서 두 각의 크기를 나타낸 것입니다. 이등변삼각형이 될 수 있는 것에 ○표 하세요.

30°, 80°, 70° ( )
90°, 45°, 45° (○)

✤ 나머지 한 각의 크기를 구합니다.
- $180°-30°-80°=70°$ ➔ 이등변삼각형이 아닙니다.
- $180°-90°-45°=45°$ ➔ 이등변삼각형입니다.

3주 교과서

2. 삼각형 · 67

정답과 풀이 p.17

개념 3 정삼각형의 성질

08 정삼각형의 한 각의 크기를 구해 보세요.

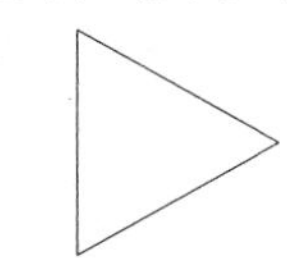

(60°)

✤ 정삼각형은 세 각의 크기가 모두 같으므로 한 각의 크기는 $180^\circ \div 3 = 60^\circ$입니다.

09 다음 도형은 정삼각형입니다. □ 안에 알맞은 수를 써넣으세요.

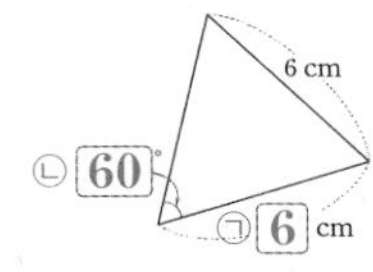

✤ • 정삼각형은 세 변의 길이가 모두 같으므로 ㉠=6입니다.
• 정삼각형은 세 각의 크기가 모두 같으므로 ㉡$=180^\circ \div 3 = 60^\circ$입니다.

10 이집트의 피라미드는 정면에서 바라보면 정삼각형 모양입니다. ㉠과 ㉡의 각도의 합을 구해 보세요.

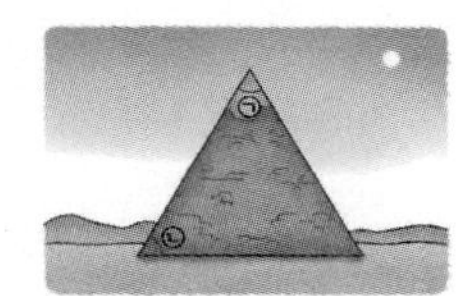

(120°)

✤ ㉠$=60^\circ$, ㉡$=60^\circ$ → ㉠+㉡$=60^\circ+60^\circ=120^\circ$

개념 4 이등변삼각형, 정삼각형 그리기

11 선분 ㄱㄴ과 한 점을 이어 이등변삼각형을 그리려고 합니다. 선분의 양 끝점과 어느 점을 이어야 하는지 찾아 기호를 써 보세요.

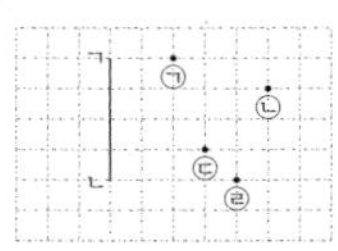

(㉣)

✤ 점 ㄱ과 점 ㄴ을 점 ㉣과 각각 이으면 두 변의 길이가 같은 이등변삼각형을 그릴 수 있습니다.

12 주어진 선분을 이용하여 보기 와 같은 이등변삼각형을 그려 보세요.

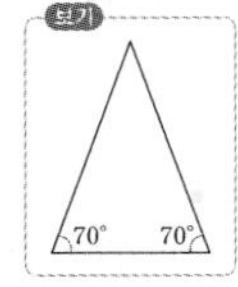

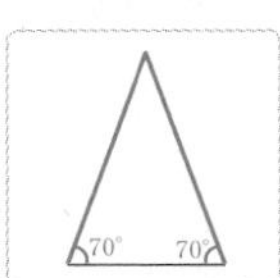

✤ 선분의 양 끝에 크기가 각각 70°인 각을 그리고, 두 각의 변이 만나는 점과 주어진 선분의 양 끝을 이어 이등변삼각형을 그립니다.

13 각도기와 자를 사용하여 주어진 선분을 한 변으로 하는 정삼각형을 그려 보세요.

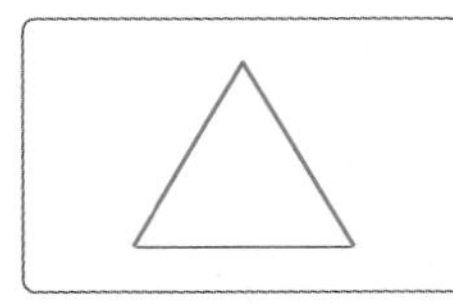

✤ 선분의 양 끝에 크기가 각각 60°인 각을 그리고, 두 각의 변이 만나는 점과 선분의 양 끝을 이어 정삼각형을 그립니다.

2단계 교과서 개념 다지기

정답과 풀이 p.17

개념 5 예각삼각형, 직각삼각형, 둔각삼각형 알아보기

14 예각삼각형은 '예', 직각삼각형은 '직', 둔각삼각형은 '둔'을 □ 안에 써넣으세요.

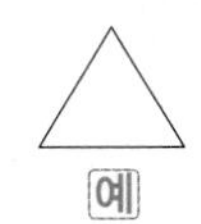

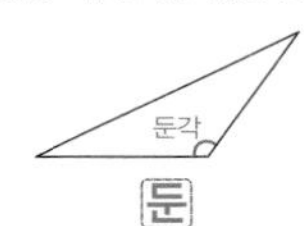

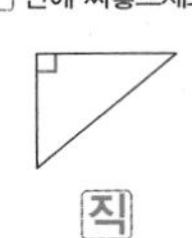

✤ • 예각삼각형: 세 각이 모두 예각인 삼각형
• 직각삼각형: 한 각이 직각인 삼각형
• 둔각삼각형: 한 각이 둔각인 삼각형

15 각의 크기에 따라 삼각형을 분류하여 표의 빈 곳에 알맞은 기호를 써넣으세요.

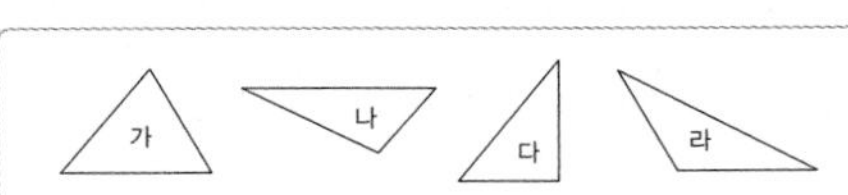

예각삼각형	직각삼각형	둔각삼각형
가	다	나, 라

✤ • 세 각이 모두 예각인 삼각형은 가입니다.
• 한 각이 직각인 삼각형은 다입니다.
• 한 각이 둔각인 삼각형은 나, 라입니다.

16 직사각형 모양의 종이를 점선을 따라 잘랐을 때 만들어지는 예각삼각형과 둔각삼각형은 각각 몇 개일까요?

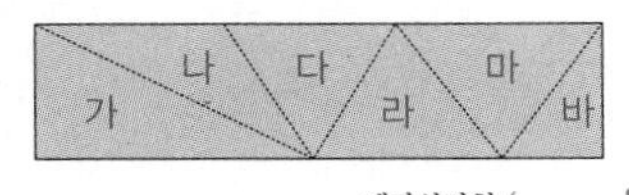

예각삼각형 (3개)
둔각삼각형 (1개)

✤ • 예각삼각형: 다, 라, 마 → 3개
• 둔각삼각형: 나 → 1개

개념 6 삼각형을 두 가지 기준으로 분류하기

17 □ 안에 알맞은 삼각형의 이름을 써넣으세요.

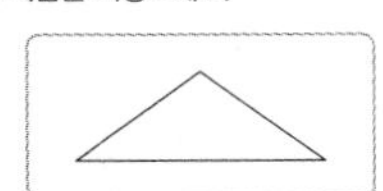

(1) 두 변의 길이가 같기 때문에 이등변삼각형 입니다.

(2) 한 각이 둔각이기 때문에 둔각삼각형 입니다.

18 삼각형을 분류하여 표의 빈 곳에 알맞은 기호를 써넣으세요.

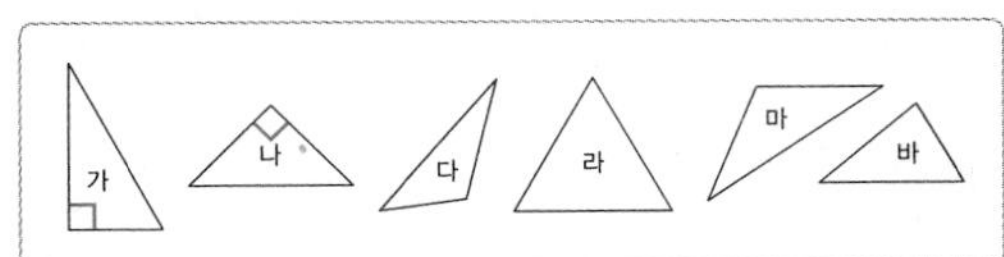

	예각삼각형	직각삼각형	둔각삼각형
이등변삼각형	라	나	마
세 변의 길이가 모두 다른 삼각형	바	가	다

19 다음 설명 중 옳은 것에 ○표 하세요.

이등변삼각형은 예각삼각형입니다. (   )

정삼각형은 예각삼각형입니다. (○)

✤ 이등변삼각형은 각의 크기에 따라 예각삼각형, 직각삼각형, 둔각삼각형 모두 될 수 있습니다.

3단계 교과서 실력 다지기

정답과 풀이 p.18

삼각형의 세 변의 길이의 합 구하기

1 이등변삼각형입니다. 세 변의 길이의 합은 몇 cm인지 구해 보세요.

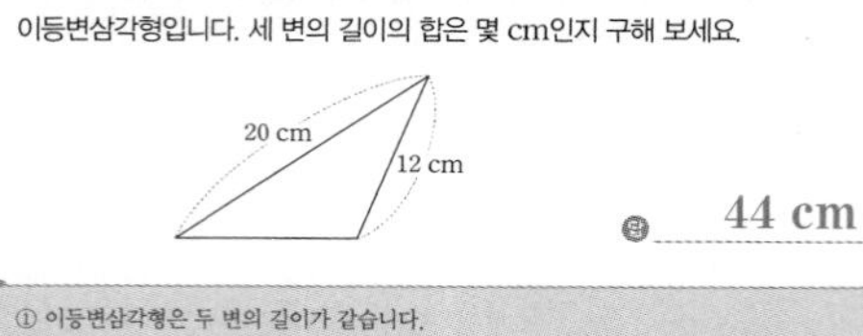

답 44 cm

개념 피드백 ① 이등변삼각형은 두 변의 길이가 같습니다. ② 정삼각형은 세 변의 길이가 모두 같습니다.

✤ 이등변삼각형은 두 변의 길이가 같으므로 나머지 한 변의 길이는 12 cm입니다.
➔ (세 변의 길이의 합) $=20+12+12=44$ (cm)

1-1 정삼각형입니다. 세 변의 길이의 합은 몇 cm인지 구해 보세요.

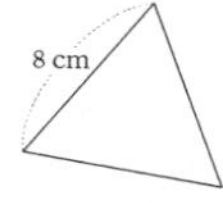

(24 cm)

✤ 정삼각형은 세 변의 길이가 모두 같습니다.
➔ (세 변의 길이의 합) $=8+8+8=24$ (cm)

1-2 한 각의 크기가 60°인 이등변삼각형입니다. 세 변의 길이의 합은 몇 cm인지 구해 보세요.

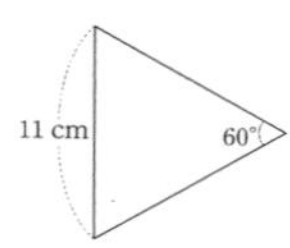

(33 cm)

✤ 한 각의 크기가 60°인 이등변삼각형은 나머지 두 각의 크기도 각각 60°이므로 정삼각형이 됩니다.
➔ (세 변의 길이의 합) $=11+11+11=33$ (cm)

삼각형에서 한 변의 길이 구하기

2 이등변삼각형 ㄱㄴㄷ의 세 변의 길이의 합은 35 cm입니다. 변 ㄱㄷ의 길이는 몇 cm인지 구해 보세요.

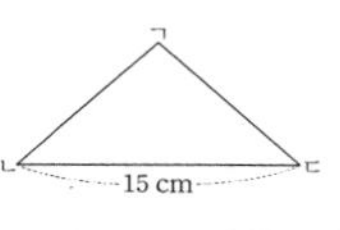

답 10 cm

개념 피드백 • 삼각형에서 세 변의 길이의 합을 알 때 한 변의 길이 구하는 방법
① 이등변삼각형과 정삼각형 중에서 어떤 삼각형인지 알아봅니다.
② 구하려는 한 변의 길이를 □로 놓고 이등변삼각형 또는 정삼각형의 성질을 이용하여 한 변의 길이를 구합니다.

✤ 이등변삼각형은 두 변의 길이가 같으므로 (변 ㄱㄴ)=(변 ㄱㄷ)=□ cm라 하면 □+□+15=35에서 □+□=20, □=10입니다.

2-1 이등변삼각형 ㄱㄴㄷ의 세 변의 길이의 합은 29 cm입니다. 변 ㄱㄴ의 길이는 몇 cm인지 구해 보세요.

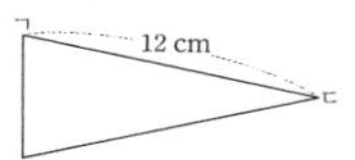

(5 cm)

✤ 이등변삼각형은 두 변의 길이가 같으므로 (변 ㄴㄷ)=(변 ㄱㄷ)=12 cm입니다.
변 ㄱㄴ의 길이를 □ cm라 하면 □+12+12=29에서 □+24=29, □=5입니다.

2-2 삼각형 ㄱㄴㄷ의 세 변의 길이의 합이 42 cm일 때 변 ㄴㄷ의 길이는 몇 cm인지 구해 보세요.

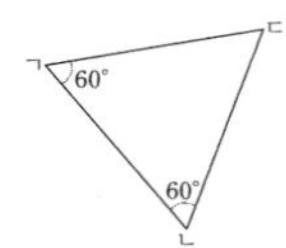

(14 cm)

✤ (각 ㄱㄷㄴ) $=180°-60°-60°=60°$
삼각형 ㄱㄴㄷ은 세 각의 크기가 같으므로 정삼각형입니다.
정삼각형은 세 변의 길이가 같으므로 (변 ㄴㄷ) $=42\div3=14$ (cm)입니다.

3단계 교과서 실력 다지기

정답과 풀이 p.18

주어진 선분을 한 변으로 하는 삼각형 만들기

3 주어진 선분을 한 변으로 하는 정삼각형을 그리려고 합니다. 어느 점과 이어야 하는지 찾아 기호를 써 보세요.

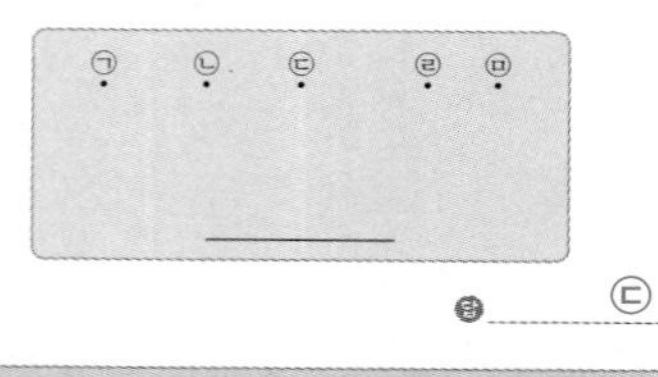

답 ㉢

개념 피드백 ① 만들려고 하는 삼각형의 성질을 알아봅니다. ② 삼각형의 성질을 만족하는 점을 찾습니다.

✤ 주어진 선분의 양 끝과 점 ㉢을 이어야 세 변의 길이가 같은 정삼각형이 됩니다.

3-1 선분 ㄱㄴ과 한 점을 이어 둔각삼각형을 그리려고 합니다. 선분의 양 끝점과 어느 점을 이어야 할까요? (⑤)

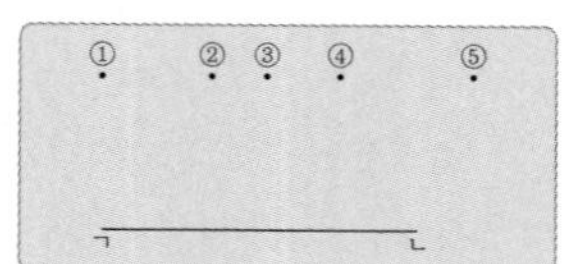

✤ 주어진 선분의 양 끝점과 점 ⑤를 이어야 한 각이 둔각인 둔각삼각형이 됩니다.

3-2 도형판에 고무줄을 걸어 둔각삼각형을 만들었습니다. 예각삼각형을 만들려면 가에 있는 고무줄을 어느 방향으로 몇 칸 움직여야 하는지 □ 안에 알맞은 수나 말을 써넣으세요.

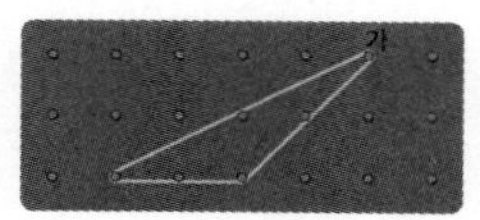

가에 있는 고무줄을 [왼]쪽으로 [3]칸 움직여야 합니다.

조건에 맞는 도형 그리기

4 보기에서 설명하는 도형을 그려 보세요.

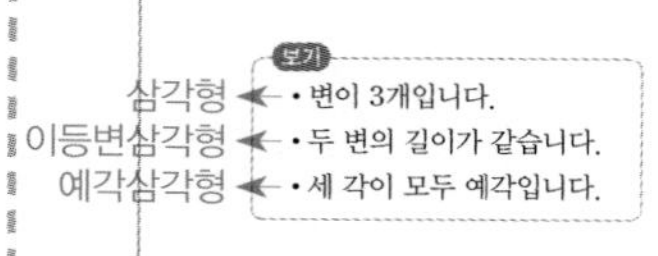

삼각형
이등변삼각형
예각삼각형
보기
• 변이 3개입니다.
• 두 변의 길이가 같습니다.
• 세 각이 모두 예각입니다.

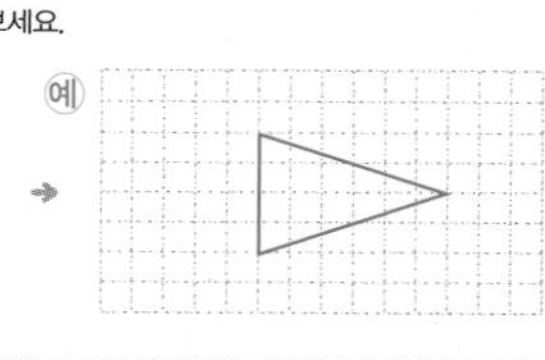

개념 피드백 ① 조건을 모두 만족하는 도형의 이름을 생각해 봅니다. ② 조건을 모두 만족하는 도형을 그립니다.

✤ 이등변삼각형이면서 예각삼각형인 삼각형을 그립니다.

4-1 보기에서 설명하는 도형을 그려 보세요.

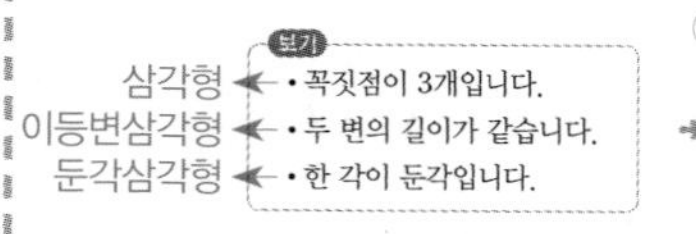

삼각형
이등변삼각형
둔각삼각형
보기
• 꼭짓점이 3개입니다.
• 두 변의 길이가 같습니다.
• 한 각이 둔각입니다.

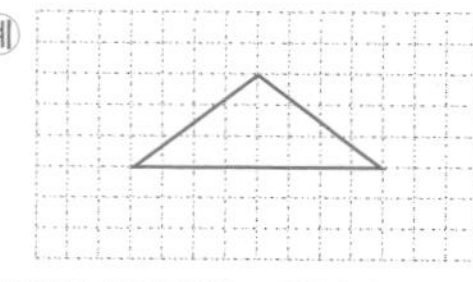

✤ 이등변삼각형이면서 둔각삼각형인 삼각형을 그립니다.

4-2 보기에서 설명하는 도형을 그려 보세요.

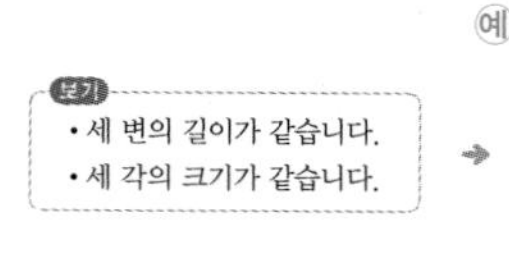

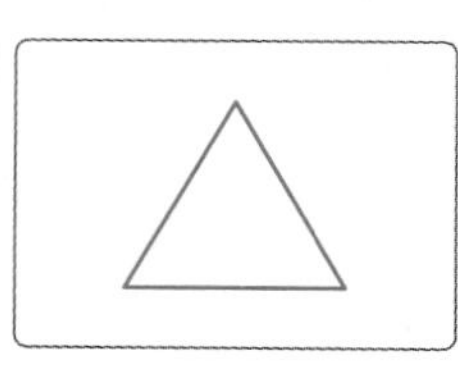

✤ 세 변의 길이가 같고 세 각의 크기가 같은 정삼각형을 그립니다.

3단계 교과서 실력 다지기

정답과 풀이 p.19

삼각형의 이름 알아보기

5 다음 삼각형의 이름이 될 수 있는 것을 모두 찾아 ○표 하세요.

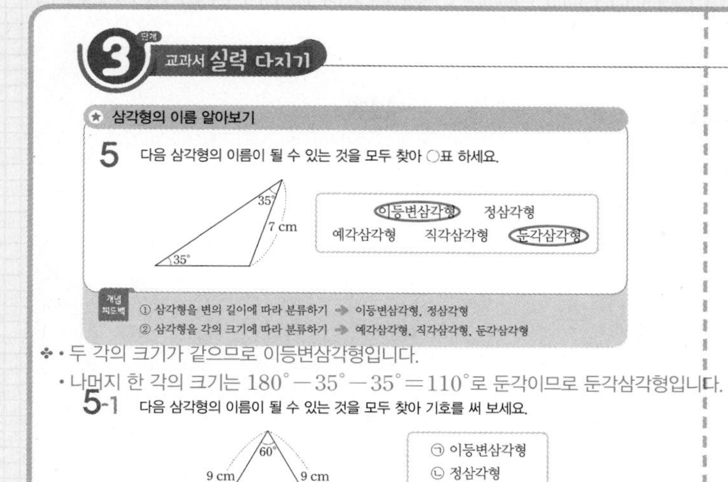
35°
7 cm
35°
이등변삼각형 정삼각형
예각삼각형 직각삼각형 둔각삼각형
개념 피드백
① 삼각형을 변의 길이에 따라 분류하기 → 이등변삼각형, 정삼각형
② 삼각형을 각의 크기에 따라 분류하기 → 예각삼각형, 직각삼각형, 둔각삼각형

✤ • 두 각의 크기가 같으므로 이등변삼각형입니다.
• 나머지 한 각의 크기는 $180°-35°-35°=110°$로 둔각이므로 둔각삼각형입니다.

5-1 다음 삼각형의 이름이 될 수 있는 것을 모두 찾아 기호를 써 보세요.

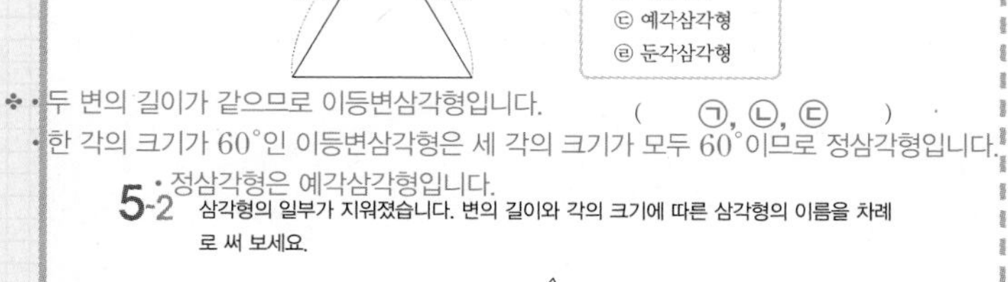
60°
9 cm
9 cm
㉠ 이등변삼각형
㉡ 정삼각형
㉢ 예각삼각형
㉣ 둔각삼각형

(㉠, ㉡, ㉢)

✤ • 두 변의 길이가 같으므로 이등변삼각형입니다.
• 한 각의 크기가 60°인 이등변삼각형은 세 각의 크기가 모두 60°이므로 정삼각형입니다.
• 정삼각형은 예각삼각형입니다.

5-2 삼각형의 일부가 지워졌습니다. 변의 길이와 각의 크기에 따른 삼각형의 이름을 차례로 써 보세요.

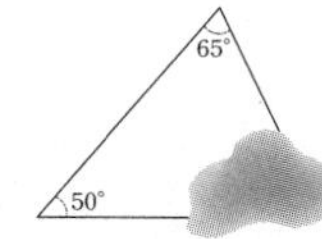
65°
50°

(이등변삼각형 , 예각삼각형)

✤ (나머지 한 각의 크기)$=180°-65°-50°=65°$
두 각의 크기가 같으므로 이등변삼각형입니다.
세 각이 모두 예각이므로 예각삼각형입니다.

정삼각형 또는 이등변삼각형의 성질을 이용하여 각도 구하기

6 삼각형 ㄱㄴㄷ은 정삼각형입니다. ㉠의 각도를 구해 보세요.

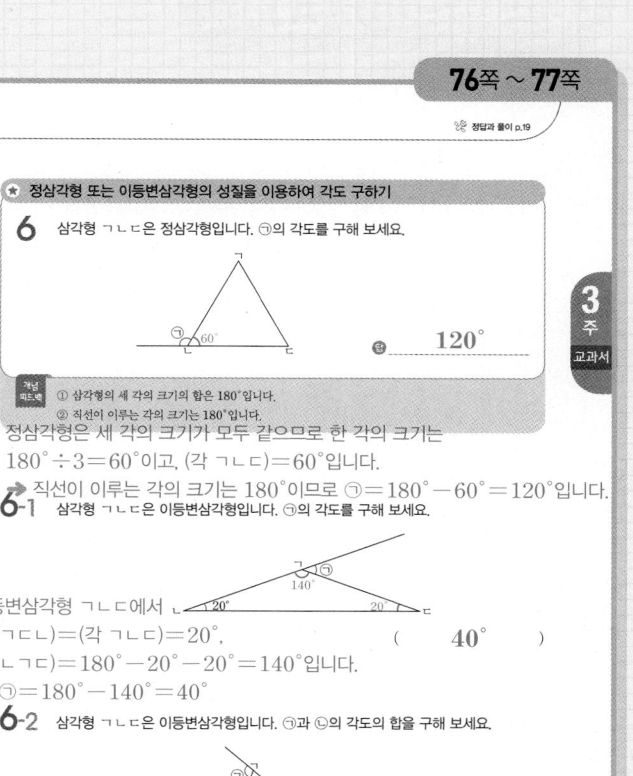
ㄱ
㉠
60°
ㄴ
ㄷ
개념 피드백
① 삼각형의 세 각의 크기의 합은 180°입니다.
② 직선이 이루는 각의 크기는 180°입니다.

답 120°

✤ 정삼각형은 세 각의 크기가 모두 같으므로 한 각의 크기는 $180°\div3=60°$이고, (각 ㄱㄴㄷ)$=60°$입니다.
→ 직선이 이루는 각의 크기는 180°이므로 ㉠$=180°-60°=120°$입니다.

6-1 삼각형 ㄱㄴㄷ은 이등변삼각형입니다. ㉠의 각도를 구해 보세요.

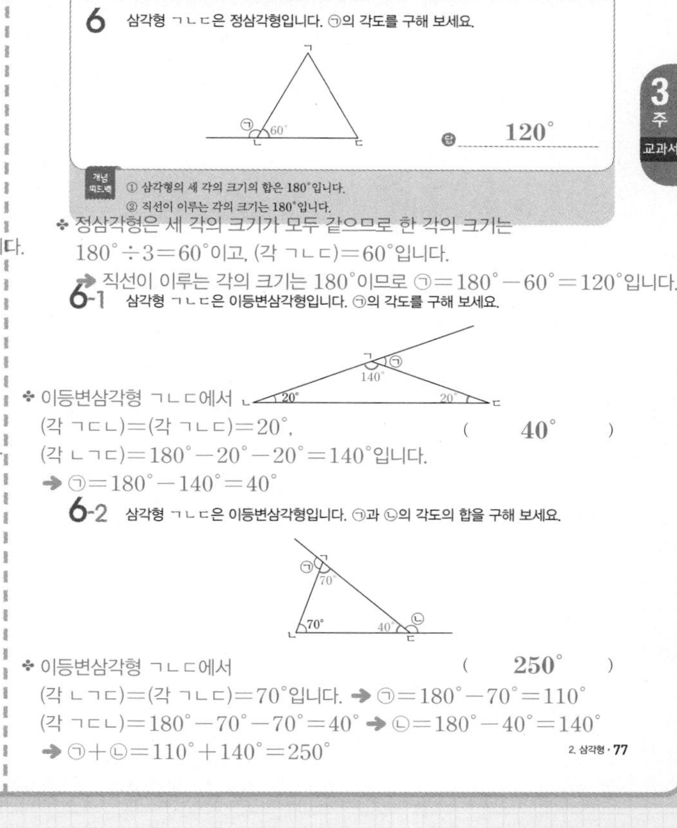
㉠
140°
20°
20°

(40°)

✤ 이등변삼각형 ㄱㄴㄷ에서
(각 ㄱㄷㄴ)=(각 ㄱㄴㄷ)$=20°$,
(각 ㄴㄱㄷ)$=180°-20°-20°=140°$입니다.
→ ㉠$=180°-140°=40°$

6-2 삼각형 ㄱㄴㄷ은 이등변삼각형입니다. ㉠과 ㉡의 각도의 합을 구해 보세요.

(250°)

✤ 이등변삼각형 ㄱㄴㄷ에서
(각 ㄴㄱㄷ)=(각 ㄱㄴㄷ)$=70°$입니다. → ㉠$=180°-70°=110°$
(각 ㄱㄷㄴ)$=180°-70°-70°=40°$ → ㉡$=180°-40°=140°$
→ ㉠+㉡$=110°+140°=250°$

Test 교과서 서술형 연습

정답과 풀이 p.19

1 다음은 삼각형의 세 각 중에서 두 각의 크기를 나타낸 것입니다. 삼각형을 각의 크기에 따라 분류할 때 이 삼각형의 이름은 무엇인지 써 보세요.

80°, 30°

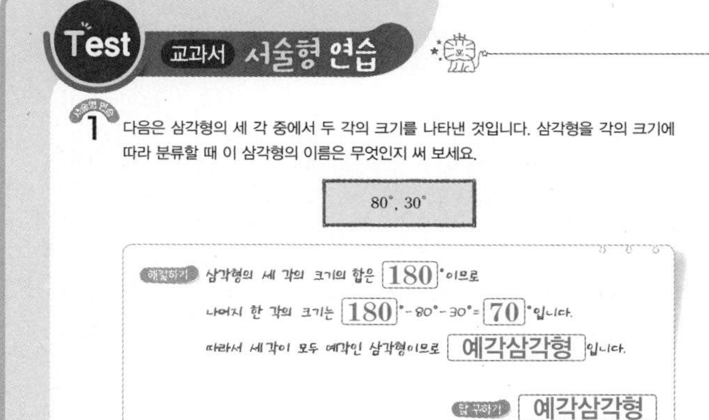
해결하기 삼각형의 세 각의 크기의 합은 180°이므로
나머지 한 각의 크기는 180°-80°-30°=70°입니다.
따라서 세 각이 모두 예각인 삼각형이므로 예각삼각형입니다.
답 구하기 예각삼각형

2 다음은 삼각형의 세 각 중에서 두 각의 크기를 나타낸 것입니다. 이 삼각형의 이름은 무엇인지 써 보세요.

45°, 40°

해결하기 예 삼각형의 세 각의 크기의 합은 180°이므로 나머지 한 각의 크기는 $180°-45°-40°=95°$입니다. 따라서 한 각이 둔각인 삼각형이므로 둔각삼각형입니다.

답 구하기 둔각삼각형

3 이등변삼각형과 정삼각형의 세 변의 길이의 합은 같습니다. 정삼각형의 한 변의 길이는 몇 cm인지 구해 보세요.

10 cm
16 cm

해결하기 이등변삼각형은 두 변의 길이가 같은 삼각형이므로
나머지 한 변의 길이는 10 cm입니다.
이등변삼각형의 세 변의 길이의 합은 10+10+16=36 (cm)입니다.
따라서 정삼각형은 세 변의 길이가 같으므로
정삼각형의 한 변의 길이는 36÷3=12 (cm)입니다.

답 구하기 12 cm

4 이등변삼각형과 정삼각형의 세 변의 길이의 합은 같습니다. 정삼각형의 한 변의 길이는 몇 cm인지 구해 보세요.

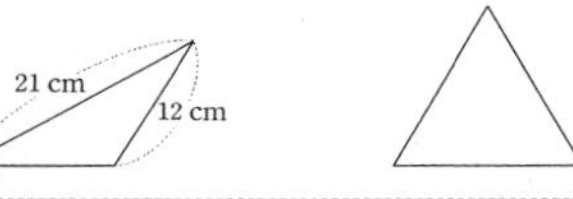
21 cm
12 cm

해결하기 예 이등변삼각형은 두 변의 길이가 같은 삼각형이므로 나머지 한 변의 길이는 12 cm입니다.
이등변삼각형의 세 변의 길이의 합은 $21+12+12=45$ (cm)입니다. 따라서 정삼각형은 세 변의 길이가 같으므로 정삼각형의 한 변의 길이는 $45\div3=15$ (cm)입니다.

답 구하기 15 cm

80쪽 ~ 81쪽

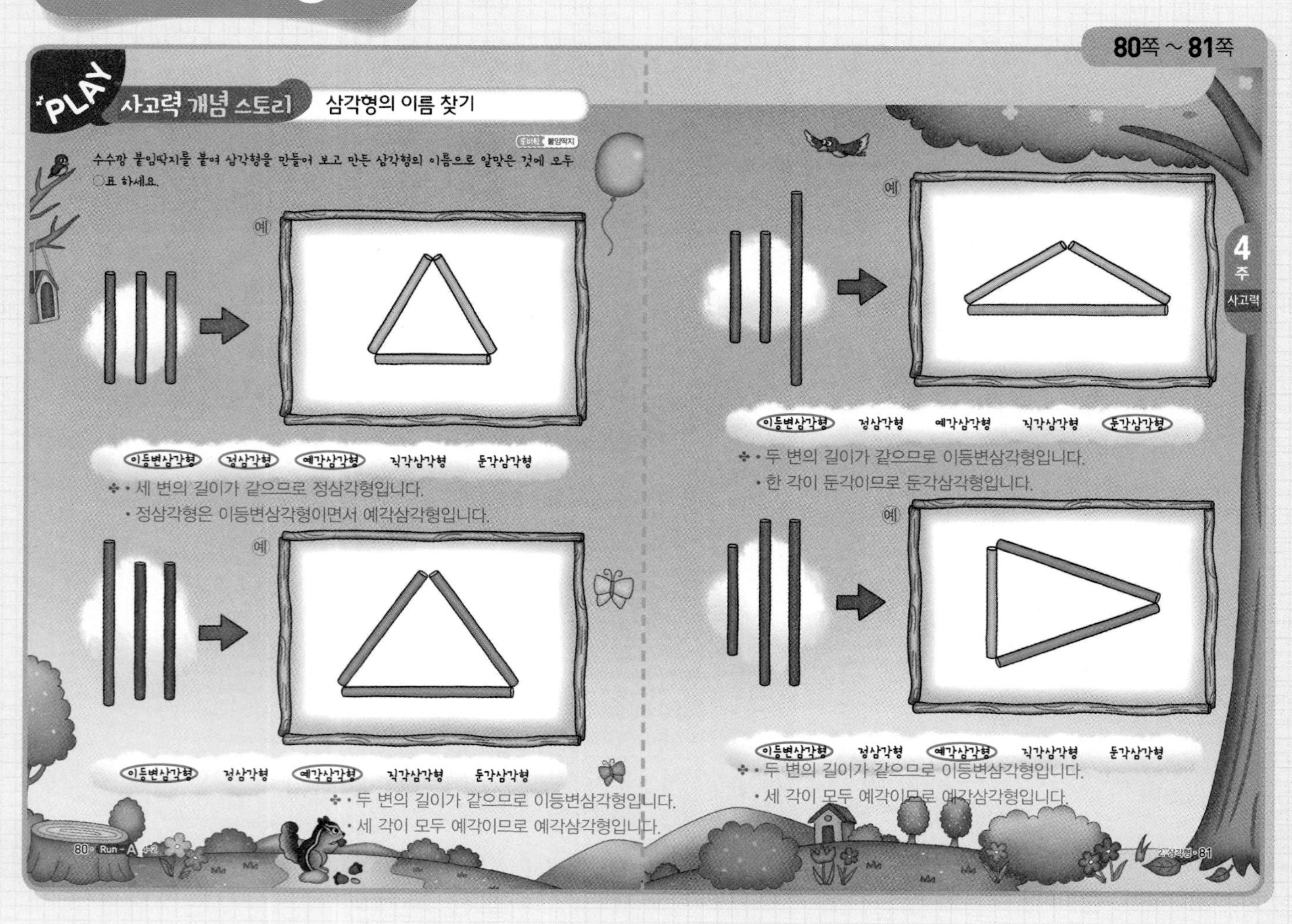
PLAY
사고력 개념 스토리
삼각형의 이름 찾기
수수깡 붙임딱지를 붙여 삼각형을 만들어 보고 만든 삼각형의 이름으로 알맞은 것에 모두 ○표 하세요.
예
이등변삼각형 정삼각형 예각삼각형 직각삼각형 둔각삼각형
✤ • 세 변의 길이가 같으므로 정삼각형입니다.
• 정삼각형은 이등변삼각형이면서 예각삼각형입니다.
이등변삼각형 정삼각형 예각삼각형 직각삼각형 둔각삼각형
✤ • 두 변의 길이가 같으므로 이등변삼각형입니다.
• 세 각이 모두 예각이므로 예각삼각형입니다.
이등변삼각형 정삼각형 예각삼각형 직각삼각형 둔각삼각형
✤ • 두 변의 길이가 같으므로 이등변삼각형입니다.
• 한 각이 둔각이므로 둔각삼각형입니다.
이등변삼각형 정삼각형 예각삼각형 직각삼각형 둔각삼각형
✤ • 두 변의 길이가 같으므로 이등변삼각형입니다.
• 세 각이 모두 예각이므로 예각삼각형입니다.
4 주 사고력

82쪽 ~ 83쪽

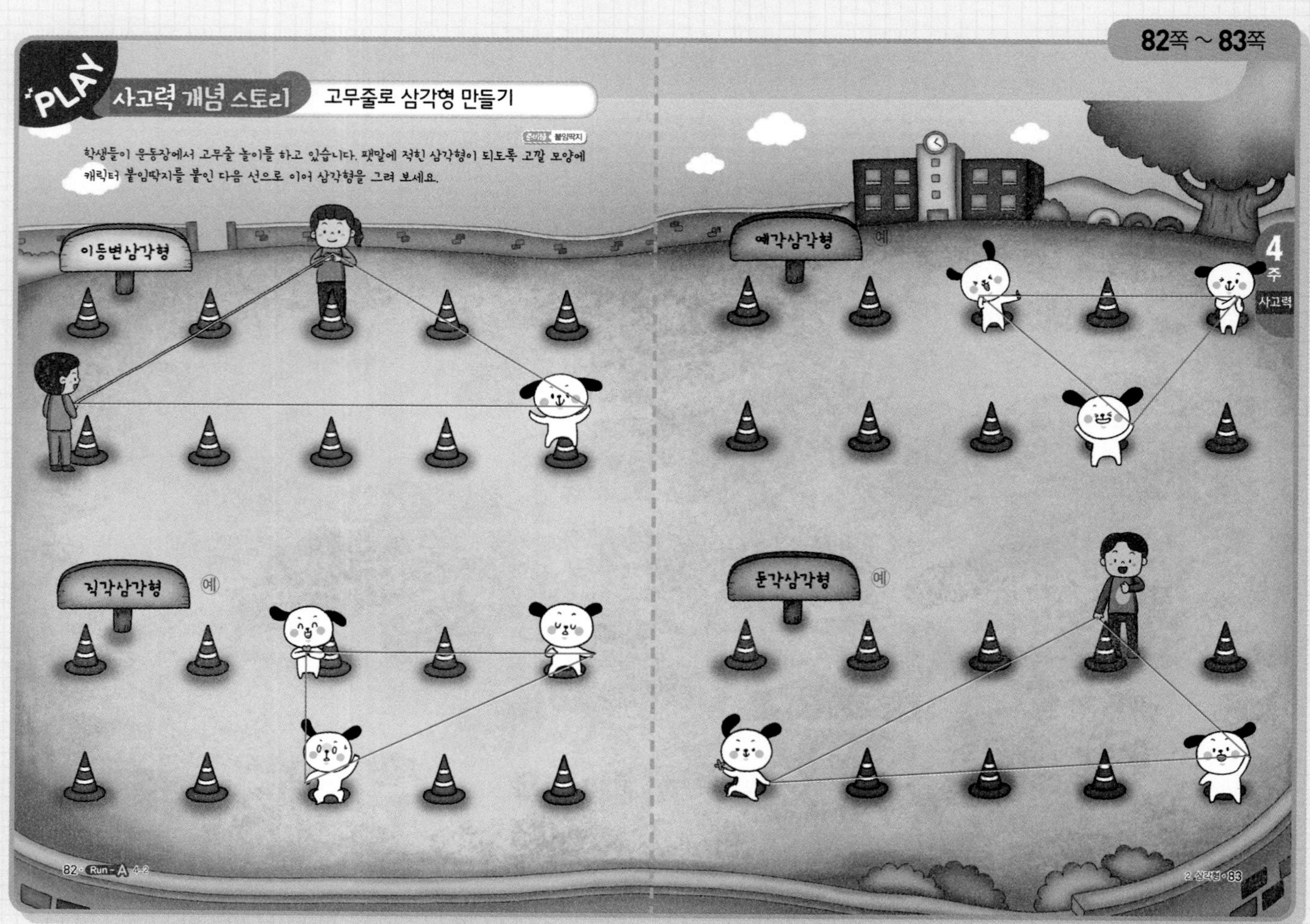
PLAY
사고력 개념 스토리
고무줄로 삼각형 만들기
학생들이 운동장에서 고무줄 놀이를 하고 있습니다. 팻말에 적힌 삼각형이 되도록 고깔 모양에 캐릭터 붙임딱지를 붙인 다음 선으로 이어 삼각형을 그려 보세요.
이등변삼각형
예각삼각형
예
직각삼각형
예
둔각삼각형
예
4 주 사고력

1단계 교과 사고력 잡기

정답과 풀이 p.21

1 그림과 같은 모양의 떡케이크가 있습니다. 떡케이크를 똑같이 6조각으로 나누었더니 한 조각의 위에 있는 면은 세 변의 길이의 합이 24 cm인 정삼각형 모양이 되었습니다. 자르기 전 떡케이크의 위에 있는 면의 여섯 변의 길이의 합은 몇 cm인지 구해 보세요.

❶ 떡케이크 조각의 위에 있는 면의 한 변의 길이는 몇 cm일까요?

(**8 cm**)

✤ 떡케이크 조각의 위에 있는 면은 세 변의 길이의 합이 24 cm인 정삼각형 모양이므로 한 변의 길이는 $24 \div 3 = 8$ (cm)입니다.

❷ 자르기 전 떡케이크의 위에 있는 면의 여섯 변의 길이의 합은 ❶에서 구한 떡케이크 조각의 위에 있는 면의 한 변의 길이의 몇 배일까요?

(**6배**)

✤ 떡케이크를 똑같이 6조각으로 나누었으므로 자르기 전 떡케이크의 위에 있는 면의 여섯 변의 길이의 합은 떡케이크 한 변의 길이의 6배와 같습니다.

❸ 자르기 전 떡케이크의 위에 있는 면의 여섯 변의 길이의 합은 몇 cm일까요?

(**48 cm**)

✤ $8 \times 6 = 48$ (cm)

2 이등변삼각형 ㄱㄴㄷ과 정삼각형 ㄱㄷㄹ을 겹치지 않게 이어 붙여 사각형 ㄱㄴㄷㄹ을 만들었습니다. 사각형 ㄱㄴㄷㄹ의 네 변의 길이의 합은 몇 cm인지 구해 보세요.

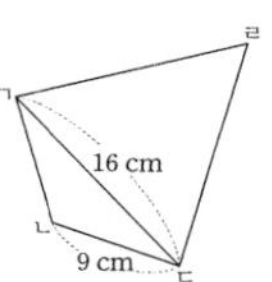

❶ 변 ㄱㄹ과 변 ㄷㄹ의 길이는 각각 몇 cm일까요?

변 ㄱㄹ (**16 cm**)
변 ㄷㄹ (**16 cm**)

✤ 삼각형 ㄱㄷㄹ은 정삼각형이고 정삼각형은 세 변의 길이가 모두 같으므로 (변 ㄱㄹ)=(변 ㄷㄹ)=(변 ㄱㄷ)=16 cm입니다.

❷ 변 ㄱㄴ의 길이는 몇 cm일까요?

(**9 cm**)

✤ 삼각형 ㄱㄴㄷ은 이등변삼각형이고 이등변삼각형은 두 변의 길이가 같으므로 (변 ㄱㄴ)=(변 ㄴㄷ)=9 cm입니다.

❸ 사각형 ㄱㄴㄷㄹ의 네 변의 길이의 합은 몇 cm인지 구해 보세요.

(**50 cm**)

✤ (사각형 ㄱㄴㄷㄹ의 네 변의 길이의 합)
=(변 ㄱㄴ)+(변 ㄴㄷ)+(변 ㄷㄹ)+(변 ㄹㄱ)
$=9+9+16+16=50$ (cm)

4주 사고력

1단계 교과 사고력 잡기

정답과 풀이 p.21

3 삼각형 ㄱㄴㄷ은 정삼각형이고, 삼각형 ㄹㄴㄷ은 이등변삼각형입니다. 각 ㄱㄴㄹ의 크기는 몇 도인지 구해 보세요.

❶ 각 ㄹㄴㄷ의 크기는 몇 도인지 구해 보세요.

(**30°**)

✤ 이등변삼각형 ㄹㄴㄷ에서
(각 ㄹㄴㄷ)+(각 ㄹㄷㄴ)=180°−120°=60°이고
각 ㄹㄴㄷ과 각 ㄹㄷㄴ의 크기는 같습니다.
➔ (각 ㄹㄴㄷ)=60°÷2=30°

❷ 각 ㄱㄴㄷ의 크기는 몇 도인지 구해 보세요.

(**60°**)

✤ 삼각형 ㄱㄴㄷ은 정삼각형이므로 (각 ㄱㄴㄷ)=60°입니다.

❸ 각 ㄱㄴㄹ의 크기는 몇 도인지 구해 보세요.

(**30°**)

✤ (각 ㄱㄴㄹ)=(각 ㄱㄴㄷ)−(각 ㄹㄴㄷ)=60°−30°=30°

4 삼각형 ㄱㄴㄷ과 삼각형 ㄷㄹㅁ은 이등변삼각형입니다. 각 ㄱㄷㅁ의 크기는 몇 도인지 구해 보세요.

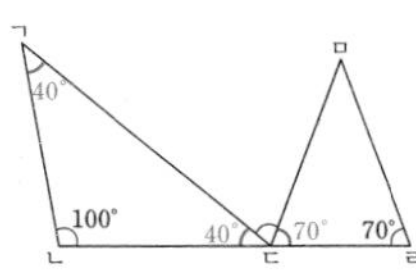
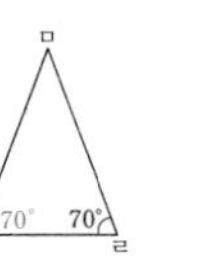

❶ 각 ㄱㄷㄴ의 크기는 몇 도인지 구해 보세요.

(**40°**)

✤ 삼각형 ㄱㄴㄷ은 이등변삼각형이고 이등변삼각형은 두 각의 크기가 같습니다.
(각 ㄱㄷㄴ)+(각 ㄴㄱㄷ)=180°−100°=80°
➔ (각 ㄱㄷㄴ)=80°÷2=40°

❷ 각 ㅁㄷㄹ의 크기는 몇 도인지 구해 보세요.

(**70°**)

✤ 삼각형 ㅁㄷㄹ은 이등변삼각형이고 이등변삼각형은 두 각의 크기가 같습니다.
➔ (각 ㅁㄷㄹ)=(각 ㅁㄹㄷ)=70°

❸ 각 ㄱㄷㅁ의 크기는 몇 도인지 구해 보세요.

(**70°**)

✤ 직선이 이루는 각의 크기는 180°이므로
(각 ㄱㄷㅁ)=180°−(각 ㄱㄷㄴ)−(각 ㅁㄷㄹ)
=180°−40°−70°=70°입니다.

4주 사고력

2단계 교과 사고력 확장

정답과 풀이 p.22

1 바닷속 모습입니다. 모눈종이에 각각의 바다 생물을 완전히 둘러싸는 이등변삼각형을 그려 보세요.

예)

✤ 각각의 바다 생물을 완전히 둘러싸는 두 변의 길이가 같은 삼각형을 그립니다.

2 성냥개비로 다음과 같은 모양을 만들었습니다. 만든 모양에서 찾을 수 있는 크고 작은 정삼각형은 모두 몇 개인지 구해 보세요.

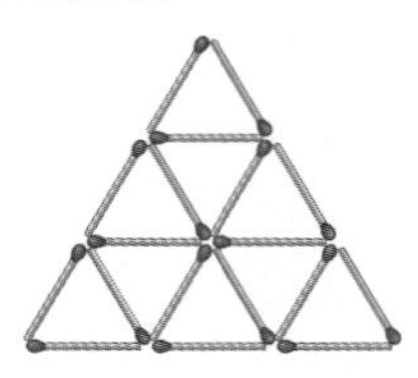

❶ 작은 삼각형 1개로 이루어진 정삼각형은 몇 개일까요?

(9개)

✤ △ 모양: 6개, ▽ 모양: 3개
➔ 6+3=9(개)

❷ 작은 삼각형 4개로 이루어진 정삼각형은 몇 개일까요?

(3개)

✤ 모양을 찾으면 3개입니다.

❸ 작은 삼각형 9개로 이루어진 정삼각형은 몇 개일까요?

(1개)

✤ 모양을 찾으면 1개입니다.

❹ 만든 모양에서 찾을 수 있는 크고 작은 정삼각형은 모두 몇 개일까요?

(13개)

✤ 9+3+1=13(개)

2단계 교과 사고력 확장

정답과 풀이 p.22

3 주어진 사각형의 꼭짓점을 선으로 이어 조건에 맞는 삼각형을 만들어 보세요.

❶ 예각삼각형을 2개 만들어 보세요.

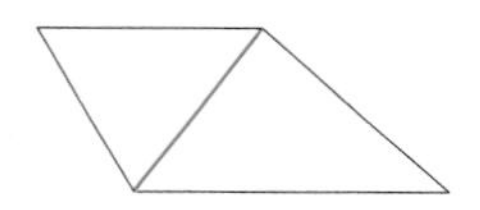

❷ 예각삼각형과 둔각삼각형을 각각 1개씩 만들어 보세요.

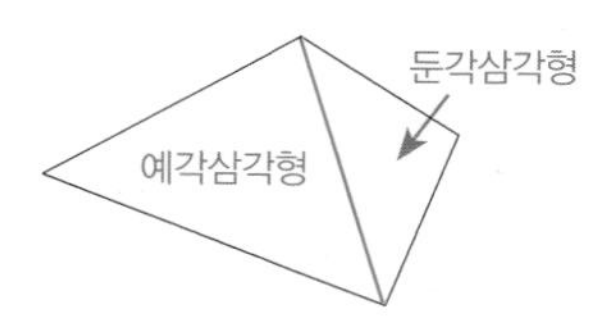

❸ 둔각삼각형을 2개 만들어 보세요.

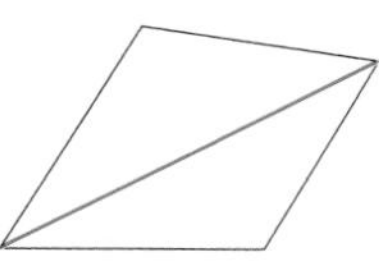

4 그림에서 찾을 수 있는 크고 작은 예각삼각형은 모두 몇 개인지 구해 보세요.

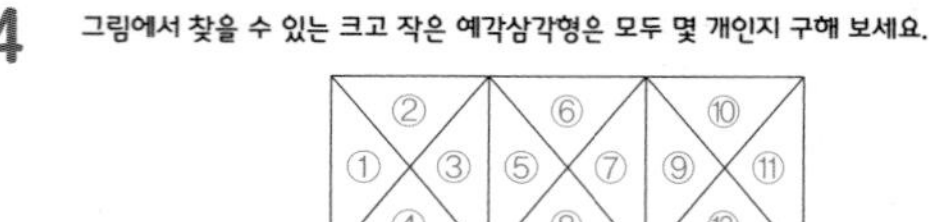

❶ 작은 삼각형 1개로 이루어진 예각삼각형은 몇 개일까요?

(6개)

✤ ②, ④, ⑥, ⑧, ⑩, ⑫ ➔ 6개

❷ 작은 삼각형 4개로 이루어진 예각삼각형은 몇 개일까요?

(4개)

✤ ②③⑤⑥, ⑥⑦⑨⑩, ③④⑤⑧, ⑦⑧⑨⑫ ➔ 4개

❸ 그림에서 찾을 수 있는 크고 작은 예각삼각형은 모두 몇 개일까요?

(10개)

✤ 6+4=10(개)

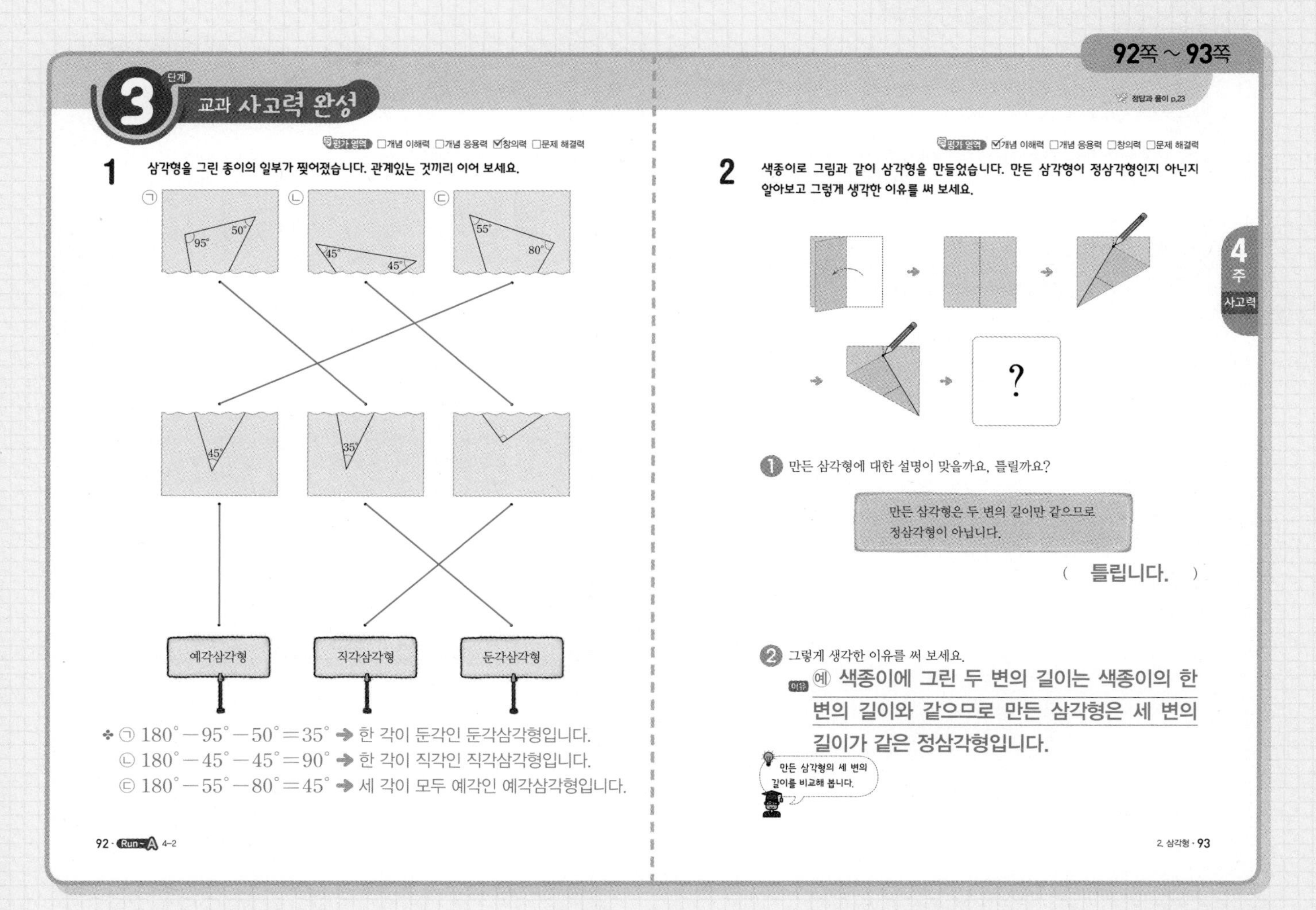

92쪽 ~ 93쪽

3단계 교과 사고력 완성

정답과 풀이 p.23

평가 영역 □개념 이해력 □개념 응용력 ☑창의력 □문제 해결력

1 삼각형을 그린 종이의 일부가 찢어졌습니다. 관계있는 것끼리 이어 보세요.

㉠ 95°, 50° ㉡ 45°, 45° ㉢ 55°, 80°

45° 35°

예각삼각형 직각삼각형 둔각삼각형

✤ ㉠ $180^\circ-95^\circ-50^\circ=35^\circ$ → 한 각이 둔각인 둔각삼각형입니다.
㉡ $180^\circ-45^\circ-45^\circ=90^\circ$ → 한 각이 직각인 직각삼각형입니다.
㉢ $180^\circ-55^\circ-80^\circ=45^\circ$ → 세 각이 모두 예각인 예각삼각형입니다.

평가 영역 ☑개념 이해력 □개념 응용력 □창의력 □문제 해결력

2 색종이로 그림과 같이 삼각형을 만들었습니다. 만든 삼각형이 정삼각형인지 아닌지 알아보고 그렇게 생각한 이유를 써 보세요.

?

❶ 만든 삼각형에 대한 설명이 맞을까요, 틀릴까요?

만든 삼각형은 두 변의 길이만 같으므로 정삼각형이 아닙니다.

(틀립니다.)

❷ 그렇게 생각한 이유를 써 보세요.

이유 예 색종이에 그린 두 변의 길이는 색종이의 한 변의 길이와 같으므로 만든 삼각형은 세 변의 길이가 같은 정삼각형입니다.

만든 삼각형의 세 변의 길이를 비교해 봅니다.

4주 사고력

92 · Run~A 4-2 2. 삼각형 · 93

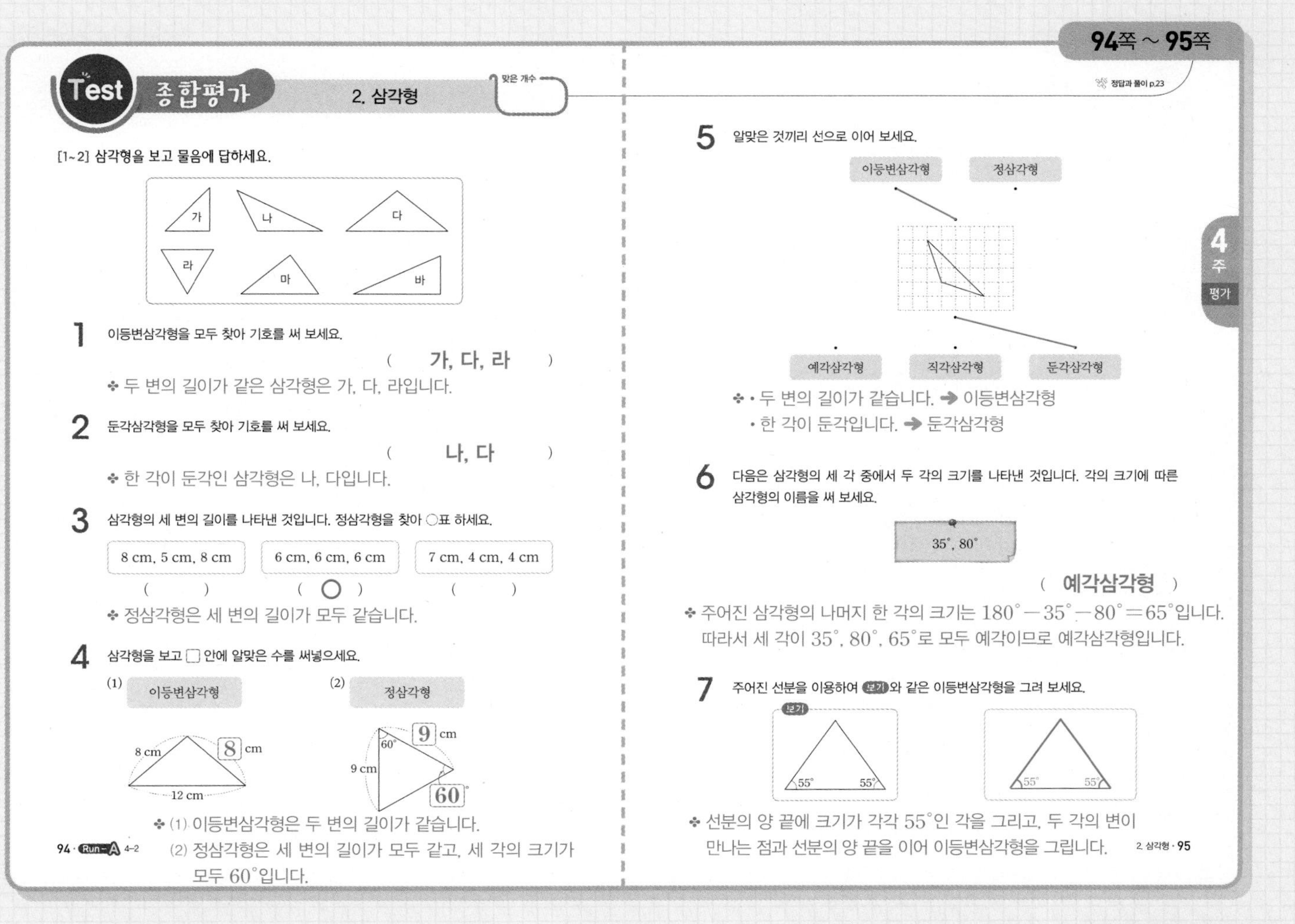

94쪽 ~ 95쪽

Test 종합평가 2. 삼각형 맞은 개수

정답과 풀이 p.23

[1~2] 삼각형을 보고 물음에 답하세요.

가 나 다 라 마 바

1 이등변삼각형을 모두 찾아 기호를 써 보세요.

(가, 다, 라)

✤ 두 변의 길이가 같은 삼각형은 가, 다, 라입니다.

2 둔각삼각형을 모두 찾아 기호를 써 보세요.

(나, 다)

✤ 한 각이 둔각인 삼각형은 나, 다입니다.

3 삼각형의 세 변의 길이를 나타낸 것입니다. 정삼각형을 찾아 ○표 하세요.

8 cm, 5 cm, 8 cm	6 cm, 6 cm, 6 cm	7 cm, 4 cm, 4 cm
( )	(○)	( )

✤ 정삼각형은 세 변의 길이가 모두 같습니다.

4 삼각형을 보고 □ 안에 알맞은 수를 써넣으세요.

(1) 이등변삼각형 — 8 cm, 8 cm, 12 cm
(2) 정삼각형 — 60°, 9 cm, 9 cm, 60°

✤ (1) 이등변삼각형은 두 변의 길이가 같습니다.
(2) 정삼각형은 세 변의 길이가 모두 같고, 세 각의 크기가 모두 60°입니다.

5 알맞은 것끼리 선으로 이어 보세요.

이등변삼각형 정삼각형

예각삼각형 직각삼각형 둔각삼각형

✤ • 두 변의 길이가 같습니다. → 이등변삼각형
• 한 각이 둔각입니다. → 둔각삼각형

6 다음은 삼각형의 세 각 중에서 두 각의 크기를 나타낸 것입니다. 각의 크기에 따른 삼각형의 이름을 써 보세요.

35°, 80°

(예각삼각형)

✤ 주어진 삼각형의 나머지 한 각의 크기는 $180^\circ-35^\circ-80^\circ=65^\circ$입니다. 따라서 세 각이 35°, 80°, 65°로 모두 예각이므로 예각삼각형입니다.

7 주어진 선분을 이용하여 보기와 같은 이등변삼각형을 그려 보세요.

보기 55° 55°

✤ 선분의 양 끝에 크기가 각각 55°인 각을 그리고, 두 각의 변이 만나는 점과 선분의 양 끝을 이어 이등변삼각형을 그립니다.

4주 평가

94 · Run~A 4-2 2. 삼각형 · 95

Test 종합평가 2. 삼각형

정답과 풀이 p.24

8 다음 도형은 이등변삼각형입니다. 세 변의 길이의 합은 몇 cm일까요?

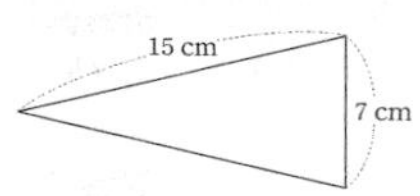

(37 cm)

✣ 이등변삼각형은 두 변의 길이가 같으므로 나머지 한 변의 길이는 15 cm입니다.
➔ (세 변의 길이의 합) $=15+15+7=37$ (cm)

9 보기에서 설명하는 도형을 그려 보세요.

보기
- 변이 3개 있습니다. ➔ 삼각형
- 두 변의 길이가 같습니다. ➔ 이등변삼각형
- 한 각이 둔각입니다. ➔ 둔각삼각형

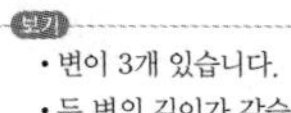

✣ 이등변삼각형이면서 둔각삼각형인 삼각형을 그립니다.

10 직사각형 모양의 종이를 점선을 따라 오렸습니다. 예각삼각형과 직각삼각형을 모두 찾아 각각 기호를 써 보세요.

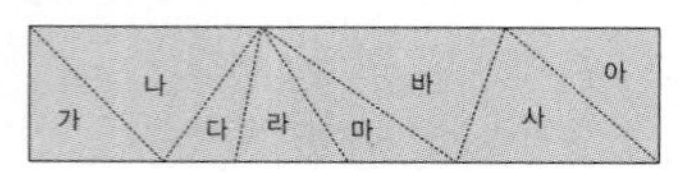

예각삼각형 (나, 라, 바, 사)
직각삼각형 (가, 아)

✣ 세 각이 모두 예각인 삼각형은 나, 라, 바, 사입니다.
한 각이 직각인 삼각형은 가, 아입니다.

11 한 변의 길이가 12 cm인 정삼각형의 세 변의 길이의 합은 몇 cm일까요?

(36 cm)

✣ 정삼각형은 세 변의 길이가 모두 같습니다.
➔ (세 변의 길이의 합) $=12+12+12=36$ (cm)

12 □ 안에 알맞은 수를 써넣으세요.

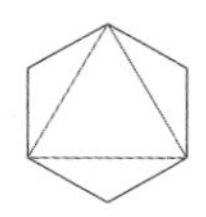

그림과 같이 도형의 꼭짓점을 이으면 예각삼각형이 1개, 둔각삼각형이 3개 생깁니다.

13 삼각형 ㄱㄴㄷ은 이등변삼각형입니다. 삼각형의 세 변의 길이의 합이 41 cm일 때 변 ㄱㄴ의 길이는 몇 cm인지 구해 보세요.

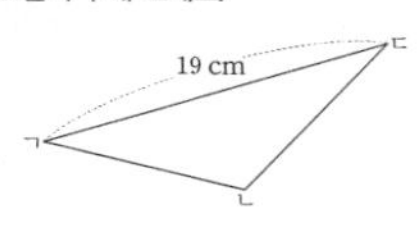

(11 cm)

✣ 이등변삼각형은 두 변의 길이가 같습니다.
(변 ㄱㄴ)+(변 ㄴㄷ) $=41-19=22$ (cm)
➔ (변 ㄱㄴ) $=22\div2=11$ (cm)

14 정사각형과 정삼각형을 붙여서 만든 도형입니다. 빨간색 선의 길이는 몇 cm인지 구해 보세요.

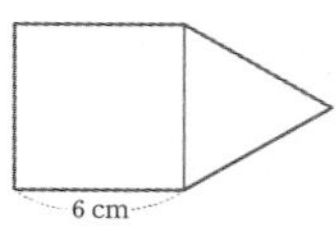

(30 cm)

✣ 정사각형의 한 변의 길이가 6 cm이므로 정삼각형의 한 변의 길이도 6 cm입니다. 따라서 빨간색 선의 길이는 6 cm인 변 5개의 길이와 같으므로 $6\times5=30$ (cm)입니다.

Test 종합평가 2. 삼각형

정답과 풀이 p.24

15 그림에서 찾을 수 있는 크고 작은 둔각삼각형은 모두 몇 개인지 구해 보세요.

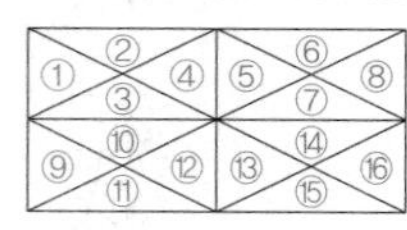

(12개)

✣ • 삼각형 1개짜리 둔각삼각형: ②, ③, ⑥, ⑦, ⑩, ⑪, ⑭, ⑮ ➔ 8개
• 삼각형 4개짜리 둔각삼각형: ②④⑤⑥, ③④⑤⑦, ⑩⑫⑬⑭, ⑪⑫⑬⑮ ➔ 4개
따라서 크고 작은 둔각삼각형은 모두 $8+4=12$(개)입니다.

16 삼각형 ㄱㄴㄷ은 이등변삼각형입니다. ㉠의 각도를 구해 보세요.

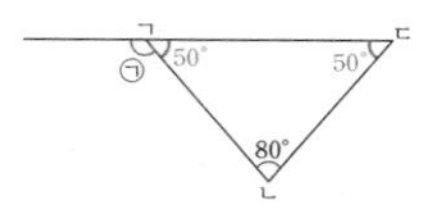

(130°)

✣ 이등변삼각형 ㄱㄴㄷ에서
(각 ㄷㄱㄴ)+(각 ㄱㄷㄴ) $=180°-80°=100°$,
(각 ㄷㄱㄴ) $=100°\div2=50°$입니다. ➔ ㉠ $=180°-50°=130°$

17 삼각형 ㄱㄴㄹ과 삼각형 ㄴㄷㄹ은 이등변삼각형입니다. 각 ㄱㄴㄷ의 크기는 몇 도인지 구해 보세요.

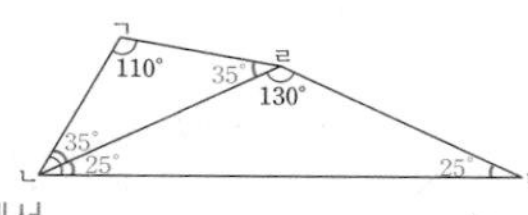

(60°)

✣ • 이등변삼각형 ㄱㄴㄹ에서
(각 ㄱㄴㄹ)+(각 ㄱㄹㄴ) $=180°-110°=70°$입니다. ➔ (각 ㄱㄴㄹ) $=70°\div2=35°$
• 이등변삼각형 ㄴㄷㄹ에서 (각 ㄹㄴㄷ)+(각 ㄹㄷㄴ) $=180°-130°=50°$입니다.
➔ (각 ㄹㄴㄷ) $=50°\div2=25°$
따라서 (각 ㄱㄴㄷ)=(각 ㄱㄴㄹ)+(각 ㄹㄴㄷ) $=35°+25°=60°$입니다.

특강 창의·융합 사고력

정답과 풀이 p.24

1 삼각형을 그리는 방법에는 자와 각도기를 사용하여 그리는 방법, 모눈종이나 점 종이에 그리는 방법 외에도 원 위에 그리는 방법이 있습니다. 그림과 같이 돌림판을 똑같이 9개로 나누어 만든 원의 두 반지름을 변으로 하는 이등변삼각형을 그리려고 합니다. 물음에 답하세요.

예 (1) (2)

한 바퀴는 360°이고 원을 똑같이 9개로 나누었으니까 한 각의 크기는 360°÷9=40°예요.

(1) 위 돌림판에 한 각의 크기가 40°인 이등변삼각형을 그려 보세요.

✣ 원의 두 반지름 사이의 각이 40°인 삼각형을 그립니다.

(2) 위 돌림판에 두 각의 크기가 각각 50°인 이등변삼각형을 그려 보세요.

✣ 나머지 한 각의 크기가 $180°-50°-50°=80°$이므로 두 반지름 사이의 각이 80°인 삼각형을 그립니다.

(3) 돌림판의 원의 반지름을 변으로 하는 크고 작은 예각삼각형은 모두 몇 개인지 구해 보세요.

(18개)

✣ • 세 각의 크기가 40°, 70°, 70°인 삼각형: 9개
• 세 각의 크기가 80°, 50°, 50°인 삼각형: 9개
➔ $9+9=18$(개)

천재교과서

학교공부 성적향상
영수심화 수준별로
고학년이 강한 밀크T

학년이 더– 높아질수록
꼭 필요한 공부법

더–잡아야 할 **공부습관**
더–올려야 할 **성적향상**
더–맞춰야 할 **1:1 맞춤학습**

학년별 맞춤 콘텐츠
7세부터 6학년까지 차별화된 맞춤 학습 콘텐츠와 과목 전문강사의 동영상 강의

+

수준별 국/영/수
체계적인 학습으로 기본 개념부터 최고 수준까지 실력완성 및 공부습관 형성

+

영재교육원/특목고 콘텐츠
수준별 맞춤 콘텐츠로 상위 1%를 넘어 영재로 레벨업 (HME, 최고수준수학, 최강TOT, 대치 퍼스트)

+

1:1 맞춤학습
1:1 밀착 관리선생님
1:1 AI 첨삭과외
1:1 맞춤학습 커리큘럼

www.milkt.co.kr | 1577-1533

우리 아이 공부습관, 무료체험 후 결정하세요!

수학 4-2

정답과 풀이

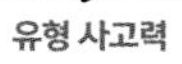

교과서 사고력

교과서 개념